池上彰の教養のススメ

池上 彰

nbb
日経ビジネス人文庫

文庫版によせて

「すぐにわからない」から、ずっと役立つ

池上　彰

本書が刊行されたのは、2014年。版を重ねて、このたび文庫となりました。「死に絶えたはずの『教養』に今、急速に注目が集まりつつあります」と、私は当時、書きました。それがまさに現実となり、その後、教養の大ブームが起きました。今も書店に行けば、タイトルに「教養」と冠した本がいくつも並んでいます。本書が火付け役の一端を担ったとすれば、光栄なことです。

少し気になるのは、「すぐ役に立つわかりやすい教養の本」が目立つことです。教養というのは、すぐ役に立つものでもなければ、簡単にわかるものでもありません。

私が言うのもなんですが、「わかりやすい」には、危険があります。世の中は、そんなにわかりやすいものでなく、いろいろなことを知れば知るほど、「わかった」と簡単には言えないことばかりです。ニュースのある側面について、「これはこういうことですよ」と伝えるわかりやすさを、私は追究しています。ですが、それと同時に、その

側面を取り巻く物語全体を単純化しないように気をつけています。動画を倍速再生するのが当たり前の時代です。

「さっと理解したい」というニーズは高まる一方です。それなのに、なぜ教養ブームなのでしょう?

歴史を振り返れば、1991年の「大学設置基準」の改訂によって、多くの国立大学の教養学部が解体されました。学生にとっては、自分の専門分野と関係のない教養科目を学ぶ機会が少なくなることを意味しました。そんな時代に学生時代を過ごした人々が、40代、50代になってふと、自分の教養のなさに気づく。そんなことが起きているのではないでしょうか。

たとえば、管理職となり、リーダーの役割を担う立場に立ったとき、若者に語るべき言葉を何ら持っていないことに気づき、愕然とする。無我夢中で働いていた20代、30代のときには気づかなかった教養のなさに、思い当たってしまう。

このような課題に対する大学側からの答えのひとつが、東京工業大学が2011年に設立した、リベラルアーツセンター(現・リベラルアーツ研究教育院)であったと思います。上田紀行教授などが中心となって推進した、理系の大学生に教養を伝えるというこの試みには、次世代のリーダー育成という狙いがありました。

リーダーに教養が不足することの副作用は、さまざまなかたちで現れます。

ひとつは、イノベーションです。昨今、経営学の世界では「両利きの経営」が話題沸騰です。スタンフォード大学とハーバード大学の先生が広めた考え方で、かいつまんでご説明すれば、イノベーションを起こすためには、既存事業についての知見を深掘りする「知の深化」だけでなく、今の認知の範囲を越え、いろいろなことに知見を広げていく「知の探索」が必要であるということです。この2つを同時並行でできるのが「両利きの経営」で、これこそがイノベーションを生む、というわけです。この論を本書に当てはめるなら、「深化」を促すのは専門分野であり、「探索」を担うのは教養です。

そこそこの成功を収めてきた日本企業が、大きく発展できないとすれば、突破口は探索能力にあるのでしょう。これはつまり「教養」です。

もうひとつの副作用は、倫理観です。かつて安全、安心、高品質を誇った日本企業ですが、昨今は、その信頼が揺らいでいるようです。これが教養とどうつながるのか。その理由については、上田教授にバトンを渡し、巻末の解説に譲ります。

教養はじわじわと効いてきます。蔑ろにするツケはボディブローのように、学べば漢方のように。教養はいつでも、どこでも学ぶことができます。そして普遍的な力があります。すぐには役に立たないかもしれないし、すぐにわかりもしないかもしれませんが、あとからしっかり効いてきます。本書にはそんな話ばかりを収めています。

２０２２年10月

※本書に登場する組織の名称や人物の肩書、事実関係などは、原則として２０１４年時点のものです。一部、文庫刊行の２０２２年時点に合わせて、注記などを入れています。

はじめに

一生使える「知」の道具を手に入れよう

池上　彰

2011年、東京工業大学にリベラルアーツセンター（現リベラルアーツ研究教育院）ができ、翌2012年、教授として着任しました。

リベラルアーツは、日本語では「教養」と訳されます。私はこのセンターで、理系の学生たちに日本や世界の現代史、あるいは現代に生きる上で必要とされる社会の仕組みについての知識などを教えています。

本書には、リベラルアーツセンター長を務め、哲学が専門の桑子敏雄先生、文化人類学の上田紀行先生、生物学の本川達雄先生との対話を収めました。

なぜ、私が東工大の学生に、そして読者の皆さんに「教養」を学ぶことを、「教養」を身につけることを、強く勧めるのか。

それは、教養こそが、学生たちにとって、社会人にとって、あらゆる人にとって、学ぶ上で、仕事をする上で、生きていく上で、「最強の武器」になるからです。

かつて、教養が偉かった時代が日本にはありました。

明治維新を迎え、西洋から新しい学問がどっと入ってきた後、大正時代を経て第二次世界大戦に突入するまで、旧制高校から帝国大学に進んだ日本のエリートたちにとって、哲学や文学や歴史学といった教養を身につけることは、必須のこととされてきました。

それが戦後になり、経済成長を遂げ、バブル経済がピークに達した頃、日本は「教養」をないがしろにし始めます。

誰もが大学に行く時代になると重視されるのは「すぐに使える」実学的な教科になりました。大学のカリキュラムも教養科目を削り、専門科目を増やしていきました。初等中等教育でも、「実用」が重視され、「教養」の要素が落ちていきました。

教養は、「すぐに役に立たない、どうでもいい学問」という扱いになったのです。

21世紀になり、さらに10年が過ぎました。

するとどうでしょう。死に絶えたはずの「教養」に今、急速に注目が集まりつつあります。

なぜ？

それは、教養なき実学、教養なき合理主義、教養なきビジネスが、何も新しいものを生み出さないことに、日本人自身が気づいたからかもしれません。

慶應義塾大学の中興の祖といわれ、天皇陛下（現上皇）が皇太子時代にご進講した小泉信三は、かつて学問についてこんな言葉を残しています。

「すぐに役に立つものは、すぐに役に立たなくなる」

20世紀の終わりから21世紀にかけて世界は激変しました。

東西冷戦が終わり、既存の金融システムが崩壊し、IT革命が起こり、新興国が台頭しました。そんな急速な環境変化に対応できなかったのが、日本の大企業でした。

日本企業は、「これまでのルール」に則って「合理的」に格安でモノをつくったり、サービスを提供したりするのに長けていました。

しかし、「これまでのルール」が崩壊し、自らの力で新しい市場をつくり、新しい顧客をつくり、新しい世界をつくる、そんな創造性を必要とする時代になると、魅力的な製品やサービスを開発できなくなったのです。

アメリカやヨーロッパの新興企業が、次々と新しい製品、世界を席巻するサービス、美しいデザインを体現し、市場を制していくのに対して――。

なぜ、日本企業が創造できなくなったのか？

ひとことでいえば、「教養がなかった」からではないでしょうか。

自分の内側の狭い専門分野の知識と経験しかなく、自分の外側に広がる世界を、人間そのものの心理や本性を、知り得なかったからです。言い換えれば、「すぐに役に立つ知識」しか武器として持っていなかったからです。

そうなってはじめて、現代日本人は、ようやく気づき始めました。

一見役に立たないもの、つまり「教養」のとてつもない重要性を。

教養は「何かの役に立たせるため」に学ぶものではありません。だから、「役に立たない」と短絡視されてしまった。

では、本当に「役に立たない」のか。

いいえ、違います。

教養を身につけるとは、歴史や文学や哲学や心理学や芸術や生物学や数学や物理学やさまざまな分野の知の体系を学ぶことで、世界を知り、自然を知り、人を知ることです。

世界を知り、自然を知り、人を知る。すると、世の理が見えてきます。

そうなってはじめて、たとえばビジネスの専門分野――それはＩＴかもしれませんし、金融かもしれませんし、メディアかもしれませんし、製造業かもしれませんし、サービス業かもしれません――で、これまでにない新しい何かを生み出すことが可能となる。

なにより、その人の人生そのものが豊かになる。学ぶことそれ自体が楽しくなる。

教養は、一生かけて身につけ続けて、絶対に損のないものです。

しかも、いつからだって学ぶことができる。

教養がいかに「使える」ものなのか、教養がいかに「人を知る」ために不可欠なものなのか、教養がいかに「面白くてたまらない」ものなのか。

私の仲間の先生たちと一緒に、考えていきましょう。

1限目

科目
オリエンテーション

講義名
教養とはなにか

教養について
知っておくべき12の意味。

講師
池上彰

2限目

科目
教養入門

講義名
日本に教養を取り戻す

ニッポンが弱くなったのは、「教養」が足りないからです。

講師
桑子敏雄×上田紀行×池上彰

3限目

科目
哲学

講義名
社会的合意形成

哲学の力で公共事業の問題も解決できるのです。

講師
桑子敏雄

4限目

科目
文化人類学／宗教学

講義名
無宗教国ニッポンの宗教

ニッポンの会社の神さま仏さまとオウム事件と靖國問題と

講師
上田紀行

5限目

科目
生物学

講義名
ナマコと人間の生物学

人間は、「ひと」であるまえに生きものです。

講師
本川達雄

修学旅行

科目
教養教育

講義名
米国トップ大学の教養教育
MIT・ウェルズリーカレッジ・ハーバード大

アメリカの一流大学は4年間〝教養まみれ〟でした。

講師
上田紀行×池上彰

編集協力：柳瀬博一（東京工業大学リベラルアーツ研究院・教授）
カバーイラストレーション：北村　人

1限目

［科　目］オリエンテーション
［講義名］教養とはなにか
［講　師］池上彰

教養について知っておくべき12の意味。

「教養」ってそもそも何？

「教養」なんて学んで、何の役に立つの？

「教養」なんか合理的に考えたらいらないんじゃない？

「教養」って、どうやったら身につくの？

いずれも、私が東工大で

リベラルアーツを教えている際、

学生たちから上がってきた疑問です。

1限目は、まずそもそも「教養」とは何か、

「教養」を学ぶと、どんないいことがあるのか、

オリエンテーションいたしましょう。

では、講義を始めます。

池上彰

1
与えられた前提を疑う能力である。

2012年春、私は東京工業大学リベラルアーツセンター（現リベラルアーツ研究教育院）の教授に就任しました。以来、東工大の理系学生たちに日本と世界の現代史などを教えてきました。

東工大生にとって、「現代史」は「すぐに役に立たない学問」の典型です。学生たちの多くは内心、「なぜ自分たちが、アフリカやアラブのごたごた話を知らないといけないんだ」と思っているのではないでしょうか。

それでも、真面目で向学心があって、出された問題をちゃんと解こうとする東工大の学生たちは、なかなか熱心に現代史の授業に出席してくれました。

そんな彼らに、私はちょっと意地悪なテストをしました。

もし日本で、
ブータンのような国民総幸福（GNH）という概念を適用するとしたら、
どんな要素を入れるべきか、あなたの考えを述べなさい。

国民総幸福（GNH）とは、経済指標である国内総生産（GDP）に代わり、幸福の指標をつくろうとブータンが提唱している概念です。かってブータンを取材した経験をもとに、ブータン人の考える幸福に関する話を授業で講義した上で、この問いを学生たちに投げかけました。

教室には総勢150名。優秀な東工大生は、さまざまな要素を挙げて、国民総幸福の概念を考えました。私が期待した「答え」は、こうです。

そもそも、問いが間違っている。

「幸福」という主観を客観的な数字で表すことはできない。

これに近い回答をしたのは、150人中わずか2人でした。

問いのポイントは、与えられた課題そのものがおかしい、と前提条件に疑問を持てるかどうか、そしてどこがおかしいのか自分なりの論理で説明できるかどうか、です。ときには問いそのものが間違っていることがある――。それに気づいてほしかったのです。

東工大の学生はみな真面目です。いい意味でも悪い意味でも。向学心があり好奇心があり、与えられた問いを熱心に解こうとする。一方で、与えられた前提を素直にそのまま受け入れてしまうところがある。問題そのものに疑問を抱かず、問題の最適解を求めることに没頭してしまう。

実社会に出てビジネスをしている方ならご存じでしょう。

実社会には、そもそも「正答がある問題」そのものがほとんど存在しません。何が「問い」なのかさえ判然としないことが珍しくないのです。学校のように、問題があって正答を答えられたら合格、ということはあり得ません。

向き合っている世界の中から、自ら問題を発見し、自ら答えを見つけてくる。狭い専門分野に収まっているだけではできないこと。それが実社会で生きる、ということです。

そこで必要なのが教養です。教養はきわめて実践的で、実用的な「道具」になり得るのです。教養は、何が問題で何が答えかわからない現実社会で、問題と答えを探るための手がかりを与えてくれます。教養のあるなしが、生死を分けることだって珍しくないのです。

2　新しいルールを創造できる能力である。

与えられた条件を疑うのは教養の力のひとつです。でも、疑ってそれでおしまいでは、ただの評論家止まりです。教養の力はもっともっと大きい。つまり、自分で新たに条件をつくる、ルールをつくる、市場をつくる、顧客をつくる際、教養がモノを言うのです。

たとえばスポーツの世界。

1972年の冬季札幌五輪で日本のスキージャンプチームが金銀銅を独占しました。欧州勢はこのあとルールそのものを巧みに改正し、日本チームが優位にならないようにしました。

同じようなことは、柔道でも水泳でもありました。

欧米はしばしば、ルールそのものを変えてしまいます。スポーツだけではありません。政治でも経済でも、です。そんな欧米のやり方を「ずるい」という声が日本では上がります。

でも、人間世界の「ルール」や「条件」はすべて、かつて誰かがつくったものです。

人がつくったルールが永遠にそのまま続くことはないのです。

自分の専門外のことに疎く、仕事や興味の範囲内でしか生きていないと、これまで当たり前だと思っていたルールや制度が簡単に変わってしまうことに気づきにくくなります。

ビジネスの世界では、ルールや制度はあっという間に変わっていきます。たとえば、インターネットが普及し始めたのは1990年代半ば。携帯電話が当たり前になったのは21世紀になってから。スマートフォンの誕生は2000年代後半です。

ITの世界では、アメリカの起業家たちが新しいルールをどんどんつくっていきました。ITビジネスは、そんなアメリカの起業家たちがつくったルールの上で動いています。勝てるわけがありませんね。先ほどのスポーツの話と同じです。

多くの日本人は、与えられた条件、与えられたルールの下で100点を取ることばかりが得意です。東工大をはじめとする受験エリートはその傾向がとりわけ強い。ルールを守るばかりでなく、ルールをつくる側に回る。そのときに必要となるのが教養です。フレームワークや、所与の条件や、ルールそのものを疑ってかかる想像力。教養はそんな力を養ってくれます。すると、あらゆる変化が「想定外」ではなくなります。

たとえば、歴史を学ぶ。理系の人間があえて歴史を学ぶ。古代史から現代史に至るまでの人間の歴史を学ぶと、人間のつくった国やルールや制度がいかにもろく崩れてしまうのかを知ることができます。ローマ帝国もオスマン帝国も社会主義国家も崩れるときはあっという間でした。一方、新しいルールをつくった者が短期間で市場や国を制することがある、ということも学べます。教養は、あなたを「ルールを守る側」から「ルールをつくる側」にいざなってくれます。

3 あらゆる変化に対応するための能力である。で、生物学。

人間のつくったルールは、簡単に壊れるし、変わる。だからこそ、教養を身につけて、ルールをつくる側に回ろう、と申し上げました。

ただし、人間の力ではどうしようもないルールとどうしようもない変化があります。自然のルールと自然環境の変化です。人間は物理や化学の法則に逆らうことはできません。自然環境の変化も人間の力で食い止めるには限界があります。

人間より大きなルール、大きな条件の変化に、どうすれば対処できるのか。

ここでもまた教養がものをいいます。

たとえば「生物学」から、私たちはヒントを見つけることができます。

チャールズ・ダーウィンが提唱した進化論によれば、自然淘汰を繰り返した結果、生き残ったのが、我々人間を含む現代のあらゆる生きものです。

過去、地球環境の変化で圧倒的な地位を占めていた種が絶滅するケースがしばしば起きました。数億年前には、地球全体が氷で覆われる「全球凍結」で原生生物のほとんどが死に絶えたといいますし、６０００万年前の隕石大衝突をきっかけに起きた気候変動で恐竜が姿を消したのは有名な話です。

注目すべきは、こうした環境の変化はある種には絶滅をもたらす一方で、別の種の進化をもたらすことがある、という点です。全球凍結で多くの原生生物が絶滅したのちに多細胞生物が一気に進化したり、気候変動による恐竜の絶滅と相前後してほ乳類が進化したり、という具合に。

生きものの世界では、環境＝条件が変化したとき、「結果として変化に適応できた種」だけが生き残ります。生き残ることのできた種は、「強い種」とは限りません。「結果として変化に適応できた種」です。どんな種が適応できるかは、結果を見ない限り、わかりません。

これ、何に似ているかというと、起業の世界ですね。ベンチャーは誰が生き残るか誰にもわからない。だからアメリカのビジネスの世界では、予測を立てるのではなく、多数のベンチャー企業を一気に走らせて、「結果として」生き残った会社に投資する。まさに進化論的なアプローチです。

世の中が大きく変化するとき、たとえば進化生物学の知識体系があれば、どう対応すれば生き残る確率を上げられるかを考えるきっかけができる。たくさんトライしろ。失敗を恐れるな。生き残ったやつに投資しろ。あらゆる変化に対応する知恵を、なんと生物学から得られるのです。

本書では、5限目の授業で生物学者、本川達雄先生から「教養としての生物学」をくわしく学ぶことができます。

4 すぐに役に立たないから一生役に立つ。ジョブズとカリグラフィーとアップルだって。

大学で教養を教えようとすると、必ず出てくるのが「教養を学んで何の役に立つの？」という学生たちの声です。東工大は理系の大学ですから、私が教える「現代史」は学生たちにとって「すぐに役に立たない教養」の典型です。そんなものを学ぶ暇があったら、専門領域を勉強した方がずっと実用的ですぐに役に立つのでは、というわけですね。

こういう「実学志向」「実用志向」は、学生のみならず、教育機関自身にありました。学生を採用する企業のほうにもありました。はっきり変化したのは、１９９０年代。日本の大学は、教養科目を削減して専門科目を増やしました。企業も「即戦力」を学生に求め、すぐに仕事に使えそうなコンピュータ・リテラシーや英語の能力を重視しました。

その結果、どうなったでしょう？　90年代後半から多くの日本企業がどんどん元気をなくしていきました。かつて世界を席巻した電機産業も21世紀に入ると軒並み不振に陥りました。

一方で、台頭してきたのが、一時は身売りの噂もあったアメリカのアップルです。創業者のスティーブ・ジョブズが返り咲き、新たに開発した携帯音楽プレーヤーｉＰｏｄと音楽ダウンロードサービスｉＴｕｎｅｓは、ハードとソフト、コンピュータと家電の垣根を越えて普及し、ｉＰｈｏｎｅは、電話機があらゆる情報の受発信ツールになる時代をつくりました。

このジョブズ、実は大学をドロップアウトして起業しました。その彼が唯一大学でちゃんと学んでいたのがなんだったのかご存じですか？

コンピュータ？　IT？　経営学？　いえいえ、違います。なんとカリグラフィーです。

カリグラフィーとは、ペンによる西洋書道ですね。さまざまなレタリングをペンひとつで正確に美しく描いていく。印刷技術が普及する前にヨーロッパで発達した手書きの技術ですが、印刷に取って代わられた後、アートとしてのカリグラフィーは発展を遂げます。

ジョブズは大学をいったんドロップアウトしたあと、再び大学に戻ってカリグラフィーを熱心に学んでいたのです。コンピュータでもITでも経営でもなく、ペンを片手に西洋書道を延々習得しようとしていたのです。

カリグラフィーは、パソコンの開発に何の役にも立たないように見えます。けれども、のちにジョブズはこんなふうに答えています。

「大学時代、カリグラフィーの面白さにハマった。カリグラフィーに傾倒したからこそ、アップルの初代コンピュータ、マッキントッシュを生むことができた。文字フォントの見栄えに徹底的にこだわること。ユーザーインターフェースを妥協なくデザインすること。持って触って気持ちのいい製品デザインを体現すること。カリグラフィーが私の原点だ」

どうです。カリグラフィーという「究極的に役に立たなそう」な教養学問が、今のアップルをつくりあげるきっかけとなったのです。アップルのデザインも、フォントの美しさも、ジョブズが大学時代に夢中になったカリグラフィーの影響を受けているのです。

教養はすぐに役に立ちません。いずれ役に立つかもわかりません。けれども教養はあなたの発想を豊かにしてくれる。つまり「創造的」な力をもたらしてくれる。未来に必要なのは、「今はまだないもの」を生むことです。逆にいえば、みんなが使っている「今役に立つ道具」では、未来を生むことができません。一見「役に立たない」「関係ない」教養こそが、未来を生む創造的な力となるのです。

5 専門外の分野を学ぶことから始まる。

いざ「教養を一から学ぼう」と考えたとき、学生でもビジネスパーソンでも、多くの人は、はたと立ち止まるはずです。

どこから学べばいいのだろう、と。

教養はあらゆる分野をまたぎます。際限がありません。どの分野から手をつけていいのか見当もつきません。

良い手を教えましょう。

自分の専門分野からなるべく遠い分野の学問に手を出してみるのです。

今の時点で自分には一番役に立たなそうな学問にアプローチしてみるのです。

あなたが物理学専攻だったら、たとえば日本文学を。

あなたが歴史学専攻だったら、たとえば数学を。

あなたが機械工学専攻だったら、たとえば宗教学を。

なぜ、自分の専門分野となるべく関係のない学問を学ぶべきなのか。

なぜ、それが教養豊かになるきっかけとなるのか。

複眼的思考を身につけることができるからです。世の中を立体的に見ることができます。専門分野だけしか知らない単眼的思考ですと、タコツボ化した専門バカになってしまう恐れがあります。

自分の専門とまったく反対側からものを見られるようにする。理系だったら文系の、文系だったら理系の分野の本を読むところから始める。すると自分の常識がぐらぐらと崩れていく。

そもそも既存の専門分野そのものが、まったく異なる他の学問の影響で大きく変化する例がいくつもあります。

たとえば経済学では、かつて、合理的に判断し、合理的に行動する「合理的経済人（ホモ・エコノミクス）」を設定して、モデルをつくってきました。

ところが、現実の人間は、必ずしも合理的に判断して経済活動を行っていません。となると、合理的経済人をベースにしたモデルは外れてしまいます。

近年の経済学では、心理学や大脳生理学や進化生物学の影響を受けて、「生きものとしての人間がどう判断し、どう行動するか」を織り込んで、モデルをつくりなおすようになりました。行動経済学という分野です。さらに、物理学の知見で、経済を見直そうという研究も出てきました。経済学という日本では文系に属していた学問が、理系の知見で大きく変わった一例です。

自分の専門分野とまったく関係ない分野を学ぶ。それが「教養」を手にする第一歩です。

大学生だったら、自分が専攻したい科目とまったく別の教養科目をあえて受講する。ビジネスパーソンだったら、自分の仕事とまったく関係ない分野の本をいっぱい読んでみる。まずはそこから始めてください。

6 四の五の言わずに本をたくさん読む。

大学生ならいざしらず、社会人だと、本を読む以外に、「教養」を身につける機会がなかなかないのでは、という意見があります。

私の個人的な経験をお話ししましょう。

まず、四の五の言わずに本をたくさん読む。読書から十分に教養を身につけることができます。ＮＨＫの記者時代、地方局に勤務をしていたときは、地元の記者クラブに詰めていたりする時間がとても長かったのです。そんなとき仲間が麻雀をしたりしているのを横目に、私はさまざまな本を乱読していました。

「おい、池上、なんでそんなに本ばっかり読んでいるんだよ、仕事と関係ないだろ?」と同じクラブに詰めていた新聞記者に突っ込まれたりしましたが、お構いなしです。あえていうなら、「空気を読まない=KY」でした。

でも、そのときの地方局時代の読書の蓄積が、後に「週刊こどもニュース」を立ち上げ、「お父さん」役として子ども目線で「教養」を伝えることになったときに大いに役に立ちました。

本を読んでいたときの私は、将来そんな役目を負うことになるとは想像だにしていません。積み重ねた教養は、自分の思ってもみない未来に役に立つのです。

NHKを退局してフリーになってからは、大学の社会人向け講座をいくつも受講しました。

ちょっと調べればいくらでもありますが、今は大学の社会人向け講座が非常に充実しています。東京ですと、丸の内に関西方面を含む有名大学の社会人向け講座のオフィスが常設されていて、気軽に利用できます。

本を手当たり次第に読む。学生だったら教養科目を積極的にとる。社会人だったら大学の社会人講座を利用する。社会人も教養を学ぶ第一歩をスタートできるのです。

7 「人間を学ぶ」ためには「歴史」を学べ。

とはいうものの、やはりひとつ、文系理系にかかわらず、押さえておいた方がいい学問があります。それは「歴史」です。

理由は、はっきりしています。古今東西の歴史を学べば学ぶほど、「人間がわかる」ようになるからです。

「歴史は繰り返す」という言葉があります。まさにその通り。人間は何度も何度も同じような過ちを繰り返しますし、何度も何度も同じように立ち直ります。

歴史を学ぶ、というのは、つまり、「普遍を学ぶ」ことです。もっといえば、「人間を学ぶ」ということです。

ローマにしても、ペルシャにしても、トルコにしても、世界を席巻する巨大帝国がいくつも現れて、そして滅びていきます。巨大帝国の誕生と栄枯盛衰。現代のアメリカや中国を見るときに、歴史的視点を持てば、どこで大きくなるのか、どこでつまずくのか、共通点が見えてくるはずです。なぜ、時代が違っても同じなのかというと、しょせん人間の行為だからです。

ところが、多くの人は、歴史を「人間を学ぶ」学問だと思っていません。固有名詞と年号を暗記する学問だと思っています。

これは高校の歴史の授業と、歴史の教科書に問題があります。年号と固有名詞をひたすら暗記させる年表づくりのような勉強。それが歴史をつまらないものだと勘違いさせる元凶となっているのです。

大学受験が終わった人ならば、もはや年号も固有名詞も暗記する必要はありません。塩野七生さんの歴史物語『ローマ人の物語』から入るのもいいですし、さまざまな新書を読み始めるのもけっこうです。歴史を物語として読む、というところから始めてください。さまざまな歴史に触れれば触れるほど、人間の知恵や人間の性懲りもない愚かさに共通点があることに気づきますし、古代ローマ人や平安時代の人が、今の私たちと同じような感情を持っていたことに気づきます。

歴史を読む、とは、人間の行為の普遍性を学ぶことであり、人そのものを学ぶことです。

私たちの社会は人間関係で成り立っています。歴史を通じて「人間を学ぶ」のは、一生使えるもっとも「実用的」な勉強なのです。

8 教養とは、つまるところ「人を知る」ということです。

教養を身につける、とは、人を知ることである——。

東工大で哲学を研究してきた桑子敏雄先生と話をして、つくづく思います。

本書の3限目でくわしく語っていただきますが、桑子先生は、「社会的合意形成」という命題を持って、さまざまな現場に出て行って、問題を解決しています。具体的には、ダムや堤防の建設といった公共事業を行う際に、現地の賛成派と反対派そして行政の3者の間で「合意形成」を行う、というものです。

びっくりするのは、公共事業に伴う開発の賛成派と反対派の議論というきわめて現実的でややもすると生臭い現場で、みんなの合意を取り付けて最善の道を探るためにかかわっているのが、政治問題や環境問題の専門家ではなく、ギリシャ哲学の専門家である桑子先生、ということです。

桑子先生によれば、ギリシャ哲学には人間のさまざまな思考や心理がすべて織り込まれているそうです。ギリシャ哲学を探究することで人の理が見えてくる。開発問題の賛成反対の合意形成の際、どうやって対応していけばみんなの意見が割れずに一番よい道筋を選べるのか、ギリシャ哲学で得た知見がそのまま活かせる、というのです。

哲学とは、まさに人とは何かを問う学問です。

ゆえに根源的であり、ゆえにいつでも現実に使える学問でもある。哲学を知れば、人が何に怒り、何に脅え、どうすれば心を開き、どうすれば仲間になるかが見えてくる。

教養が「実用」となる瞬間ですね。

9　目先の「合理主義」は、非合理な結果を招く。

2013年末、堀江貴文さんとニコニコ動画で公開対談を行いました。ご存じの通り、堀江貴文さんは、ITベンチャーのライブドアの経営者として注目を浴びましたが、その後証券取引法違反で逮捕され、実刑判決を受けて2年あまりの刑期を終え出所してきました。はじめてお会いしたのですが、好奇心旺盛で、非常に率直な人です。

対談は弾みました。

対談をして気づいたのですが、堀江さんはとても合理的に考える人です。高校時代成績が悪かったときも、自ら効率的な勉強法を編み出して、東京大学に現役合格されたそうです。

対談では、堀江さんがマスコミを敵に回すきっかけとなった、ラジオ局であるニッポン放送の株式買収事件に話が及びました。彼の試みは、ニッポン放送とグループ会社のフジテレビの会社挙げての猛反対に遭い、買収は志半ばに終わりました。

堀江さんが公開企業のニッポン放送の株式を取得して買収しようと考えたのは、ラジオに興味があったわけではなく、公開企業のニッポン放送が株を大量保有している子会社のフジテレビが欲しかったからです。インターネットの世界で台頭した堀江さんはテレビの力をよく知っていましたから、メディアとしてのテレビに大きな可能性と魅力を感じたんですね。

堀江さんは、巨大なフジテレビが小さなニッポン放送の子会社という歪(いびつ)な構造になっていたことに注目します。ニッポン放送を買収すれば、結果としてフジテレビの大株主になり、経営を掌握できる、というわけです。

企業買収＝M＆Aの論理だけで考えれば、こうした買収は当然のことなのかもしれません。堀江さんにしてみれば、「合理的」な判断です。

でも、現実はそうならなかった。買収対象となったニッポン放送の経営陣はもちろん、社員も、子会社のフジテレビ社員も、ライブドアによる買収に反旗を翻したのです。なぜ、いきなりやってきた門外漢の若者に、会社を持ってかれなければいけないんだ、と。

私は堀江さんに尋ねました。

「あのとき、買収されて踏み台にされそうになったニッポン放送の社員たちの『気持ち』、考えたこと、ありました？　彼らの気持ち、考えたこと、なかったでしょう？」

堀江さんは答えました。

「ありませんでしたね」

当時の堀江さんにとってみれば、この買収は「合理的」な策でした。ニッポン放送やフジテレビの社員たちの「気持ち」という「非合理的」な感情は想定外だったのです。

でも、社員たちの「気持ち」という「非合理的」な感情を無視したこともあり、「合理的な手段」だったはずの買収劇は、最終的に当初の目的を果たせずに終わりました。

堀江さんは、逮捕されるまで仕事や自分の興味の対象以外の本をあまり読んでいなかったそうです。自分と関係ない本は非合理的な存在で必要ない、と思っていたのかもしれません。

でも、世界は決して、誰かひとりの「合理性」に合わせてできているわけではありません。さまざまな人間のさまざまな一見非合理的な感情が渦巻いているのが現実の世界です。

真の合理主義とは、人間の一見非合理的な感情も織り込んだ上で行動し、決断することではないでしょうか。己の合理性だけで行動するのは単なる独りよがりになるかもしれません。目先の合理主義を追求すると、非合理な結果に陥ることがあるのです。

堀江さんは逮捕後、一念発起して、大量の本を読みあさったそうです。出所してからは、自らの合理主義で話を押し通す前に、相手の感情を考慮するようになった、なにより人の話を聞くようになったと話していました。「教養」はいつからでも、身につけようと思ったらつけられるのです。

10 教養がない「街」には、人がこない。

2013年、堤清二さんが亡くなりました。セゾングループを率い、80年代にセゾン文化をつくりあげた、実業界屈指の教養人でした。作家、辻井喬としての活動もよく知られています。

その堤さんが関西で「つかしんショッピングセンター」を開発したときのことです。当初現場で整然とした機能的な街を設計したところ、堤さんはダメ出しをしたそうです。

「路地裏のようなところがないとダメです。人間は、ごみごみとした路地裏や下町のようなところが好きなのだから」

目先の「合理主義」で考えたら、新しい街をゼロからつくるときに路地裏や下町のようなゾーンは、単なる汚い余分な場所にすぎません。わざわざつくろうという人はなかなかいないでしょう。

でも、たとえばの話、かつて筑波学園都市ができたばかりのときのことです。もともとは東京都文京区にあった東京教育大学を現在の茨城県つくば市の広大な土地に遷し、企業の研究所などを誘致、広々とした道路が碁盤の目のように交差する、徹底的にクリーンで計画的な街づくりを国を挙げて行いました。それが筑波学園都市です。

80年代初期のオープン当初から、この街では自殺が急増しているという報道がありました。今はずいぶんと変わりましたが、当時、同地を訪れてみると実感できました。

あまりに広々として、あまりに整然として、人の気配がまったくない。下町も路地裏もない。非常に孤独な場所だったのです。つまり街の設計に、人間はどんな場所を好きになるのか、どんなところで暮らすと気持ちがいいのか、人間はどんな空間に集まりたがるのか、という、街を実際に利用する人間の気持ちへの洞察が欠けていたのでした。

人間の感情と本性を無視した、机上の合理主義でつくった街は、結局のところ人間が暮らせる街にならない。つまり、大きな意味での合理性を欠いた街になってしまうのです。

東京を見渡せばわかります。今も昔も人が集まりにぎわっている場所は、決して計画的な街ではありません。新橋のガード下だったり、新宿のションベン横町だったり、下北沢の商店街だったり、上野のアメ横だったり。「計画」とはほど遠い町に、人は好んで集まります。

新宿が象徴的ですね。70年代から超高層ビルが林立するようになり、都庁までが移転してきた新宿西口は、オフィス人口は多いものの、日が暮れるとあっという間に閑散としてしまいます。人が集まる場所が駅前にしかないからです。人々は、今も闇市の香り漂う、一見無計画な東口の歌舞伎町やゴールデン街や三丁目のショッピング街へ移動してしまうのです。

目先の合理主義だけでできた街の計画にないものは、「教養」です。人間は合理主義だけで動く機械ではありません。何を愛し、何を憎み、何を好いて、何に興味があるのか。人間に対する洞察力すなわち教養がなければ、魅力的な街を計画的につくることはできないのです。

11 理系の諸君、教養を学ぶのは、テクノロジーを担う君たちの責務です。

東京工業大学で私は2012年から現代史などを教えています。東工大は理系専門の大学ですから、現代史は「すぐに役に立たない」専門外の教養科目です。

着任した最初の年、理系の勉強ばかりをしてきた東工大の受験エリートの1年生2年生に、今の社会がどうやってできあがったのかその成り立ちを教えてあげよう、と私はとても素朴に考えていました。

けれども、実際に東工大に身を置いて現代史を教え続けるうちに、私自身の考えが浅かったことに気づきました。

東工大の学生たちにとって、現代史を学ぶということは、単に教養を深めるという話ではない。むしろ、東工大の学生たちが社会に出て、専門分野で活躍するときに、絶対に欠かせない要素である、と思うようになったのです。

なぜならば、現代社会においてテクノロジーは社会を変える巨大な力を持っているからです。人を幸せにも不幸にもしてしまう、ものすごい力を持っているからです。

東工大の学生たちは、そんなテクノロジーを生み出す現場に就職します。メーカーの技術部門のトップとなる人たちも少なくありません。ある東工大の先生がこう表現していました。

「東工大は、将来の工場長をつくる大学です」

つまり、日本の技術現場の指揮官に東工大の卒業生たちがなる可能性が高いわけです。

人々を幸せにするはずのテクノロジーは、巨大な災害をもたらすことがしばしばあります。その典型が日本の公害問題です。高度成長期のまっただ中、いけいけどんどんの日本経済の発展の陰で、ずさんに管理されていた工場や鉱山からさまざまな公害が発生しました。

四日市喘息(ぜんそく)であり、イタイイタイ病であり、水俣病であり、新潟水俣病です。日本の発展を支えるテクノロジーは、一方で日本国民と日本の国土に厄災をもたらしてしまったのです。さらに2011年3月11日の東日本大震災に伴って起きた東京電力福島第一原発事故では原子力のテクノロジーが最悪の災害を日本のみならず世界にもたらしてしまいました。

問われるのは現場の技術のあり方です。そして、その技術を担う技術者の生き方です。専門のこと以外は知りません、では済まされません。開発した技術は、技術の世界にとどまっているわけではないからです。技術は必ず社会のため人のために使われる。ゆえに、その技術のリスクについて、常に技術を生む者、担う者は考え続けなければいけないのです。

ちなみに、東京電力福島第一原子力発電所の所長で、事故の際に陣頭指揮を執って独自の判断で注水を行い、その後ガンで亡くなった吉田昌郎（まさお）さんは東工大の出身者でした。

今、私は授業の中で繰り返し学生たちに話しています。

現代史は君たちにとって、ただの余分な知識ではない。将来技術の現場で陣頭指揮を執る君たちにとって、現代史を知り、社会における技術の重さを知ることは、責務だ、と。

12 本当の教養はムダなものである。

このオリエンテーションでは、一見役に立たない教養が、実は仕事や人生に大いに役に立つ、というお話をしてきました。

ただし、勘違いしないでください。

教養が役に立つ、というのはあくまで結果論である、ということです。教養って、ムダなものです。教養を学ぶとは、時間をかけて何の役にも立たないムダなことに熱中することです。役に立つかどうかなんて、あとからついてくるおまけにすぎません。

誰しもが好きなことには寝食忘れて没頭する。そんな経験をお持ちだと思います。

教養とは、好きで好きでたまらなくて没頭するという体験によって、結果的に身につくものです。

だから、ムダなことに時間を費やしてください。どうでもいい分野に熱中してください。

役に立つかどうかは一切保証いたしません。

でも、あなたの人生がそれによって、豊かになる。

それだけは保証できます。

私の「教養」に関するオリエンテーションはこれにて終了です。

2限目では、東工大リベラルアーツセンターを率いる桑子敏雄先生と上田紀行先生と一緒に、理系大学にとって教養とは何か、を論じます。

2限目

［科　目］教養入門
［講義名］日本に教養を取り戻す
［講　師］桑子敏雄×上田紀行×池上彰

ニッポンが弱くなったのは、「教養」が足りないからです。

2012年春、私は大学教授として
教壇に立つことになりました。
東京工業大学が設立したリベラルアーツセンター
（現リベラルアーツ研究教育院）に迎えられ、
理系の学生たちに現代史などを教えることになったのです。
「教養」より「専門」志向の日本の理工系大学で、
なぜ「教養」を専門に教える
組織ができたのか？
「教養」を学ぶことで、日本の大学生は、
日本のビジネスパーソンはどう変わるのか？
設立メンバーであるの３人の教師、
哲学が専門の桑子敏雄先生、
文化人類学を研究している上田紀行先生、
そして私が2012年、設立記念の公開イベントを開きました。
2万2000人の「ニコニコ生放送」の視聴者と、
大岡山の東工大のホールに集まった二百数十人の前で、
繰り広げられた「教養談義」です。

桑子敏雄

哲学者

東京工業大学名誉教授。
１９５１年群馬県生まれ、
東京大学文学部哲学科卒業、
同大学院人文科学研究科哲学専修課程、
博士課程修了。名誉博士（文学）。
南山大学助教授などをへて東工大へ。
２０１２年よりリベラルアーツセンター
（現リベラルアーツ研究教育院）を率い、
東工大生の「教養」力向上に務める。18年より現職。
著書に『西行の風景』『感性の哲学』（ＮＨＫブックス）、
『風景のなかの環境哲学』（東京大学出版会）、
『生命と風景の哲学』（岩波書店）など多数。

上田紀行

文化人類学者

東京工業大学教授。
１９５８年生まれ。東京大学教養学部
文化人類学科卒業、同大学院博士課程修了。博士（医学）。
愛媛大学助教授をへて東工大へ。
「癒し」という言葉を日本に広め、日本社会の閉塞性の打破を説く。
沈滞する日本仏教の再生運動にもかかわり、ダライ・ラマと対談。
東工大では学生からの授業評価が全学1位となり、
著書『生きる意味』（岩波新書）は
２００６年度大学入試出題数第1位。
16年から22年3月までリベラルアーツ研究教育院長。
著書に『生きる覚悟』（角川ＳＳＣ新書）、
『「肩の荷」をおろして生きる』（ＰＨＰ新書）、
『ダライ・ラマとの対話』（講談社文庫）など多数。

日本の大学は、「無教養」か？

池上　東京工業大学リベラルアーツセンター（現リベラルアーツ研究教育院）は、私たち3人だけの小さな所帯でスタートしました。日々、いろいろな仕事を押しつけ合っています（笑）。お2人に学問ではまったく及びませんので、せめて司会役は、というわけで、私が進行役を務めます。「現代における〝教養〟とは」を一緒に考えていきたいと思います。

では、センター長（当時）の桑子先生、第一声をどうぞ。

桑子　桑子です。リベラルアーツセンターを2011年1月に設置し、準備を重ねてきました。池上先生、上田先生に着任いただき、2012年4月から本格的に始動し、東工大の学生たちに文系の学問を教えています。

このセンターの役割は2つあります。1つは、東工大の学生たちに文系科目を提供すること。もう1つは、これからの「教養教育」とはどうあるべきかを考えることです。理工系学生の持つべき教養とは何か、そしてもっと広く、これから社会を背負っていく、若い人たちにとっての教養とは何かについても、どんどん提案をしていきたいと思っています。

池上　桑子先生、なぜ今、教養なんでしょう?。

「大学に教養教育は不要」と言い出したのは文部省だった

桑子　私は以前、南山大学の文学部で哲学を教えていました。東工大に来たのは1989年。工学部の助教授として赴任しました。工学部の中に人文社会群があったのです。東工大の人文社会には、素晴らしい先生がたくさんいましたから、そういうところへ加われるのだと、興奮をしたことを覚えています。文芸評論家でもある江藤淳先生とも、2年間ご一緒しました。

前任の南山大学文学部では、文献を用いて主に西洋哲学を教えていましたが、東工大で理系の学生に教えるとなると、勝手が違う。さて、どうすればいいか悩みました。そこで一から「哲学とは何か?」「哲学的な思考法とは何か?」を教えることにしたのです。

ところが赴任して2年を経た頃に、当時の文部省の大学審議会が、「大学に教養教育はいらないのではないか？　むしろ専門教育や大学院を重点化すべきではないか」という方針を打ち出したのです。

実際にどうするかは各大学に一任されていました。東工大では、学部の教養教育を解体することになり、その代わりに大学院を新しく設置しました。私は社会理工学研究科という大学院に所属した上で、学部教育も担当することになりました。

90年代初頭、日本の大学では、教養教育、とりわけ文系学問の教養教育がものすごく軽んじられていたのです。状況が一変したのは、1995年です。この年には阪神淡路大震災がありましたが、そのあとにオウム真理教による地下鉄サリン事件が起こりました。

オウム事件でわかった。日本の理系は無教養である

池上　オウム真理教は、幹部に理科系出身者が数多くいたことが問題視されましたね。日本の大学の理系教育は専門課程の純粋培養がすぎて、教養や世間知を学生に教えていないのではないか、と。だから、オウムのようなカルトに対して、よりにもよ

って科学の徒が妄信してしまうのではないか、と。

桑子　すぐに文系の教養教育を理系の学生に再び施そう、とはならなかったのですが、しかし、若い人たちの人間性や社会性を育めるような大学教育のあり方が問われたのは確かです。もう一度教養教育を見直そうという動きが大学の中で起きました。

東工大では伝統的に、学部の1年生から大学院生までずっと教養教育を受ける機会を設けています。これを「くさび形教育」と呼んでいます。

池上　くさび形教育とは——と、私の悪い癖で解説をいたします（笑）。私自身、先日、新任教員採用研修で習ったばかりの話ですが。東工大では1年生の頃から教養課程と専門科目の両方を学びますが、専門科目が学年が上がるにつれて増えていって、次第に教養から専門へと移っていく。図式化すると、1年生に向かって専門科目のくさびを打ち込んだようなかたちのカリキュラムになる。つまり、1年から専門科目を習うし、4年生でも教養課程を学ぶ。ただし、その比重が違う。これが東工大の伝統的な教育方法です。

桑子　まさにその通りで、東工大では教養教育の場はもともとあったし、相対的に重視もされていたのですが、一方で大学院教育の重点化が進んでいたこともあって、あまり目立っていませんでした。そこで改めて東工大の伝統である教養教育の存在を示すためにも、制度面、組織面でも新しい拠点をつくろうじゃないか、という機運が巻き起こりました。それがこのリベラルアーツセンターです。教授は、私、池上先生、そして上田先生の3人ですが、今後充実させて東工大での教養教育だけでなく、日本における理工系学生の社会教養教育の一端を担っていきたいと考えています（注：リベラルアーツセンターを改組したリベラルアーツ研究教育院は、２０２２年現在、65人の教授を擁するに至る）。

池上　次にリベラルアーツセンターで文化人類学を教える上田先生にご登場いただきます。

上田　96年に東工大で教えないか、と声をかけていただいたときには驚きました。KJ法の川喜田教授から数えて3代あとの文化人類学者として東工大へ呼んでいただいたことになるのですが、当時の私が専門に研究していたのは「スリランカの悪魔祓い」と「癒やし」です。東工大には悪魔でもいるのか、そんなに癒やされていないのか、と思ったものです。

「教養とは何か」というのがこの対談のテーマですが、「教養」という言葉自体が昔ほどは使われない、もしかすると滅びつつある言葉のひとつかもしれません。でもね、今でも「教養」って言葉は死んでいないんです。たとえばですよ、「あなたって教養のない人ね」と言われたら、それはもうドッキーンとします。

池上　おや、上田先生、かつて女性に「教養がない人ね」と言われたことがあるんですか（笑）。

上田　その話はさておき、「教養がないね」という言い回しに人がショックを受けるのはなぜでしょう？「英語ができないね」「数学ができないのね」は、単に英語の能力、数学の能力、という個別具体的な科目の能力がないだけの話。「英語はできなくても数学はできる」「数学はできなくても英語はできる」のならば、言われた当人もそう堪（こた）えることもないでしょう。

でも、「教養がない」と言うのは、相手に対する人格否定、全否定です。つまり、「教養」というのはその人自身の人格にかかわってくる。

「彼は仕事ができるけど、勉強ができるけど、教養がないね」という言い方もありますね。一方で「教養が邪魔をして」という言い方もあります。つまり教養は、「かしこい」「おバカ」にも関係している。それも、単にある分野についてかしこいかそうでないか、ではなく、その人の全人格的なものを背負った上での「かしこい」「おバカ」にかかわるもの、それが「教養」なんです。

デカンショな大正教養主義が消え去った理由

池上　日本で教養が重視されるようになったきっかけは何でしょう？

上田　教養が日本で重視されるようになったのは、かつて「大正教養主義」と言われていた時代、大正時代に入ってからでしょうね。東京帝大などの旧帝国大学では、「おりこう」になるための専門能力を身につけることが重視されていましたが、帝大に入る前の旧制高校では、ゲーテを読んだりカントを読んだりして、学生は、理系文系にかかわらず、徹底的に「教養」武装をしていたのです。

池上　デカンショという言葉がありますよね。デカルト、カント、ショーペンハウエル。旧制高校の象徴でした。

上田　ええ、戦前、そんな旧制高校生的デカンショ的教養を担った出版社が、岩波書店でした。それに対して、庶民型の〝修養〟を担ったのが、当時の大日本雄辯會、今の講談社です。

戦前、「教養」は高貴とされていたんですね。世俗的な、一般庶民の生活の知恵につながる「修養」を下に見ていました。また、戦前の教養主義は、東洋を見ずに、西洋を重視していました。大正教養主義も、昭和教養主義も同様です。その流れは戦後も続きましたね。「岩波文庫を何冊読んだか」が競われるような時代がありました。

池上　昭和20年代（1950年）生まれの私は、まさにそんな時代に中学高校を過ごしました。

上田　昭和30年代前半（1958年）生まれの私などが、昭和教養主義の最後の残映を知っている世代だと思います。

池上　でも、いまやデカンショを必携の書とし岩波文庫で教養を身につける、という教養主義は、高校はもちろん大学からも消え去りました。いつ教養主義は消えてしまったんでしょう？

上田　私が考えるに、1970年代にこうした教養のあり方が崩壊します。説はいろいろありますが、私は、大学の庶民化があるだろう、と考えています。かつて大学はごく一部のエリートが通う場所でした。それが誰もが大学に通う時代になって、大学生はエリートではなくなってきた。大卒の大半がサラリーマンとして中産階級に属するようになりました。かくして教養と修養を差別化する必然性がなくなったのです。

池上　戦前の岩波の教養主義と講談社の修養の実践との間に差がなくなってしまったんですね。

上田　80年代以降は、教養よりもはるかに重視されるモノサシが現れます。「お金」です。端的に言ってしまうと、教養があって貧乏な人と、教養はなくてもお金持ちな人とどちらがいいか、どちらと結婚したいかと問うと、やっぱりお金を選ぶ、という時代になっちゃったんですね。教養がなくてもお金持ち、というキャラクターの方が圧倒的に人気を勝ち取る。社会を動かす要因が政治から経済になり、社会そのものが市場経済化していくようになり、以前からの古色蒼然とした「教養」は役に立たないものという烙印を押されてしまいました。

池上 時代でいうと、まさにバブル景気の前後ですね。先ほど桑子先生がおっしゃった、「大学の脱・教養、専門重視」もちょうど同じ時期から起き始めます。

上田 そうです。大学も変わりました。教養主義は廃れ、専門化が進み、結果として「できる人間」「できて儲けられる人間」を育てる場になりました。この10年くらいはさらにそうです。

ところが今、こうした大学の「専門」重視のカリキュラムが実は根本的にダメなんじゃないか、と問題となっているんです。

池上 なぜですか?

上田 一見役に立たない「教養」を学ぶ時間をどんどん削って、専門科目だけを徹底的に習得させると、たしかに学生たちは「できる人間」になります。でも、この「できる人間」とは、あくまで「決められた枠組み」で「できる人間」のことなんですね。

21世紀は「実学」より「教養」がビジネスを生む

価値観が多様化して、「枠組み」そのものをどう決めるかという時代には、実はこうした「決められた枠組み」の中だけでの「できる人間」や「専門家」は、新しい時代には対応できない。つまり新しいアイデアが出せない「使えないやつ」となってしまうのです。

池上　今までの「枠組みの中での専門知識」が役に立たなくなった瞬間、そんな知識しか身につけていない人間も、役に立たなくなってしまう、というわけですか。

上田　日本では、大学どころか中学高校から「決められた枠組み」の中だけで勉強させています。現在の高校生は入試科目しか勉強しません。かつての高校生が「学年で1番」を目指し理系科目も文系科目も全部勉強していたのとは違います。今は、大学入試に出ない問題なんかやってもしょうがない、効率が悪い、コストパフォーマンスが悪い、もっと言うと、試験に関係ない科目を勉強しても出世できない、金持ちになれない、というわけです。

これは、いまの受験そのものが抱えている本質的な問題でもあります。

誰かが出した問いをエレガントに解くには、コストパフォーマンスを追究する勉強法で「解法」を勉強するだけでいいでしょう。東工大生も、「この条件で最適解を出しなさい」という問いを解くのはすごく得意です。けれども、「決められた枠組みで、決められた問題を、いかにエレガントに素早く解くか」という力だけでは、「今の社会では何が問題か？」というように、問題そのものを自分で設定しその答えを自ら探していくことができないんですね。

問題設定そのものを自らやらなければいけない。決められた解が存在しない。その典型が「3・11」で明らかになった原子力発電の問題です。これから原発をどうしていくのか。優先すべきは経済合理性なのか安全性なのか。原発の技術開発をどう考えていくのか。さまざまなオプションの中で何を決めていくか。理系の専門知識だけでも、文系の経済知識だけでも、解は出てきません。つまり既存の枠組みを一歩も二歩も踏み出さなければ、対応できない。

じゃあ、そんな「解なき時代」に必要なものはなにか。「教養」です。既存の枠組みでは、役に立たないかもしれない。けれども、未来に必須の新しい思考体系をもたらしてくれるかもしれない。それが「教養」です。現代は、かつてエリートがエリートらしさを見せつけていた時代の、大正や昭和の教養主義の時代の教養とは別の新しい教養が求められています。

新しい教養とは何か？　その問いに答えていくのがこれからのテーマです。

池上　上田先生、ありがとうございます。今「教養」教育が必要である、ということが具体的にわかりました。

ここで私がリベラルアーツセンターに参加することになったきっかけについて、お話しいたします。２０１１年、東工大から突然声が掛かったときには、たまげました。小学生に向けてやさしくニュースを解説した男が、今度は大学生に話をするのかと。

理系と文系の垣根が教養の芽をつむ

先ほどからお名前が挙がっていますように、宮城音弥先生、江藤淳先生など、東工大には文系の立派な先生が数多く在籍していらっしゃいました。また、いただいた課題は、「理工系の東工大の学生たちに、文系的な常識、社会や政治や経済の常識やコミュニケーション力を教えてほしい」ということでした。

はたと気づきました。そういえば東工大から近年総理大臣が出たなあと。しかもその総理大臣は、人を動かしたり、コミュニケーションをとったり、ということがとっても苦手だったなあと。というわけで、私に声が掛かったときに、もう、東工大からはそういった卒業生を出さないようにするべきだという判断があったのかなと、勝手に解釈をしています。

もうひとつ、私の役割は、「理系」と「文系」の垣根を取り去ることだと思っています。

2011年の東日本大震災とそれに伴う津波、東京電力福島第一原発事故のあとに、ウェブでもメディアでも、理系出身者と文系出身者との間に情報の分断が起きてしまいました。理系の人が当然のように使っている用語が文系の人にはちんぷんかんぷん、ということがたくさんあったのです。一方で、官邸に呼ばれた理系の専門家が、政治家たちに問題点を理解させることができずまったく機能しなかった、ということもありました。

理系の人には、理系的な知識のない文系の人にも専門情報をわかってもらえるような説明やコミュニケーションの能力が必要ですし、一方の文系の人にも確率などの数字や科学に関するリテラシーが必要です。

理系と文系がそれぞれの専門分野に閉じこもってしまう専門バカでは機能しない。

文理融合が個々人に求められる。私自身は、慶應義塾大学経済学部を出た文系の人間ですが、理工系の東工大の中に入って何らかのかたちで理系と文系の橋渡しの役目を果たすことができれば、と思って、リベラルアーツセンターに参加しました。私も60歳を過ぎて、社会への恩返しをしたい、これからの世代を支えていく人たちを育てるお手伝いをしたいという思いもあります。

桑子　すでに授業がスタートしましたね。池上さんのご感想は？

池上　文系の学生には、数学ができないから消極的に文系の道を選んだ、という人間が少なくありません。東工大で学生たちに直に接して感じたのは、みんな理系を積極的に選んでいること、そのうえでさらに文系科目も得意な学生と文系科目がまったくダメな学生とがいて、両者の格差がものすごくあること、それが印象的でした。

上田　授業開始1ヵ月で、もう東工大の学生の特徴がわかっちゃったんですか（笑）。

池上　いえいえ、授業をやりながらの学生とのやりとりでの第一印象です。このあとリポートをかっちり書かせたら、また愕然とするのかもしれませんが（笑）。理系の学生に教養を授ける授業を実践されてきた桑子先生からご覧になると、東工大の学生はいかがですか？

桑子　まず、私の講義の内容について触れておきます。哲学や倫理学に加えて「社会的合意形成の技法」を教えています（3限目）。地域社会などのさまざまなプロジェクトが実際に進むにあたって、地域社会や利害関係者のあいだで、どのように合意形成が進むのかを実践的に学ぶ授業です。「社会的合意形成の技法」の授業はそれほど古いものではなく、私が東工大へ来てスタートし、学生諸君と考えながら進めてきたものです。ダムの建設や森林の保全をテーマに地域社会へ足を運んで、いろいろな人と話をしながら、合意の形成を体験します。こういった問題意識に目覚め、新しい分野を創造し、続けてこられたのは、東工大と学生諸君あってのことで、ありがたいと思っています。いきいきとやれています。

ただ、この社会的合意形成の技法の授業のように、少人数でディスカッションを行うような講義は、それほど多くないのが残念ですね。

池上　学生たちの反応はいかがですか？

理系の大学に女子が少ないからダメになった日本

桑子　東工大の学生は理系の知識と技術を持っているので、プロジェクトに参加している連中で有用な情報共有システムなどはあっという間に構築してしまう。ただ、その一方で、実際の合意形成に不可欠の生身のコミュニケーション能力や、あるいは文章力などが低いんです。私がそう断じるのではなく、学生自身が、「僕たち、このあたりが弱いんです」と告白します。

池上　なぜコミュニケーション能力が身についてないんでしょう?

桑子　東工大では女子学生の割合が約13%と極端に少ない。このため、そもそも男女間のコミュニケーション方法がわからないという悩みを多くの男子学生たちが抱えています(会場笑)。

いやいや皆さん、笑いごとではないんですよ。大学時代に男女間のコミュニケーションのいろはを学んでおくことはとっても重要なことです。ところが、東工大には、男子校出身者が多いんです。このため女子学生とのコミュニケーションをとるのが苦手な子がけっこういるんですね。青春時代ずっと女性と縁のないキャンパスライフを送り続けることになりかねない。生涯独身率が高い時代、東工大の学生は素晴らしい遺伝子をお持ちなのにそれを残せないのは問題ではないですか、と学生に真面目に話しています。

上田　僕も男子校から大学は理科系に進んだので、東工大の男子学生たちの気持ちは痛いほどよくわかります。中高6年間の男子校文化からのリハビリに10年くらいかかりましたからね。大学3年生時に文系に転身しなかったら、いったいどうなっていたことか。

実は男子だけの空間で女子とコミュニケーションをとらないでいると、「発想」の貧困化も招きます。つまり、女性の気持ち、フェミニンな発想が理解できなくなってしまう。世の中の半分は女性ですし、市場も教育もむしろ女性が主導権を握っている。

池上 では、次に「女のきもち」がわからない東工大生の話をいたしましょう。

教養における理系文系と男女の問題

池上　東工大に限らず、日本の理系大学では女子の比率が圧倒的に低い。その結果、理系の男子学生たちが「女のきもち」がわからないまま社会に出る、これは非常に危ない――。そんなお話を、桑子先生、上田先生にご指摘いただきました。

理系男子だけだと「枠の中の正しい答えを探す」ことだけに傾注してしまい、枠組みから自由に発想したり、他者とのコミュニケーションを積極的に行うことができにくくなったりする。まさに「男女交際」は、理系男子にとって必要欠くべからずの「教養」なんですね。

上田　その点を桑子先生にいま指摘していただいて、すごくよかったと思います。今の話とも関連するのですが、僕は、これからの教養には4つのCが必要だと思っています。

第1のCは、コミュニケーションです。日本の学生は、頭の中ではいろいろと考えてはいるが、なかなか意見を言いません。「僕は意見を持っていますが、言わないだけです」って（笑）。しかし、そもそも口に出さない考えは意見とは呼ばないわけです。情報は発していかないと、他をインスパイアできません。つまり、コミュニケーションからすべてのアクションは起こるのです。何かをつくる理系の人間にこそ、コミュニケーション力は必要です。

第2のCはコミットメント。状況にかかわっていくことですね。「僕は状況分析はできるけど、その現状にはかかわりません」といった批評家的なスタンスはもはやダメでしょう。

伝えるかかわる生み出す世話する

第3のCは、クリエイション。何かを生み出していく能力です。「デカンショ」的な大正昭和の教養主義は、ただ知識を吸収するだけの教養でした。すべては古典の中にあった、というスタンスですね。でも、今は情報をため込むだけでは教養ではない。あくまで次に何を生み出せるかが問われます。それから第4のCが、先ほどから触れている「女性」性とも大きくかかわる、ケアです。ケアについては、東大教授の川本隆史さんの著書『共生から』から、ある事例を紹介したいと思います。ハーバード大学にかつてローレンス・コールバーグという心理学者がいました。彼は子どもたちの知識の発達を6段階に分けて評価するために実験をしています。

まず、物語を聞かせます。こんな内容です。

「ハインツという男がいます。ハインツの奥さんはガンで死にかかっています。お医者さんは最近売り出された特効薬を使うしかないと言っています。その薬の開発者は、開発費の10倍の値段をつけているため、薬はとても高価です。ハインツは募金を集めましたが、値段の半分しか集められませんでした。ハインツは開発者に交渉しましたが、色よい返事をもらえませんでした。ある日ハインツは、愛する妻のため、薬のある倉庫に忍び込み、盗み出しました」

さあ、この行為をどう考えるか。子どもたちに答えさせます。

コールバーグは、男の子はより高い段階で判断を下していてスコアが高く、女の子は判断が下せずに、スコアが低いという結論を導き出しました。中には「開発者の所有権とハインツの奥さんの生存権のどちらが高いかという問題だから、そこを決定すれば正しい答えが出る」などと大人顔負けの論理を導きだす11歳の男の子まで現れます。

ところが、この結果に反発したのが、コールバーグの論争相手として知られる倫理学者のキャロル・ギリガンです。この物語で設定した問題は、現実に起きたとしたら算数のようにひとつの答えで解けはしないのだから、「答えは出せなくて当然」というわけです。ちなみにコールバーグの実験ではスコアが低いと見なされてしまう、11歳の女の子の答えはこういうものです。

「製薬会社をちゃんと説得する方法はないものだろうか、もっとお金を集めることはできないのか。奥さんのためにと盗みを働いた夫が捕まったら、自責の念にさいなまれた奥さんは病気が重くなってしまうのではないか……」

11歳の女の子はこういったプロセスを考えていて、結論が出せませんでした。コールバーグのやり方では、この11歳の女の子の発達段階は低いと評価されてしまいます。でも、ここで11歳の女の子が思いを巡らせているのは、ガンで死にかかっている奥さんを救おうとしているハインツのとった方法が正しかったか間違っていたか、についてではありません。ハインツの奥さんが助かるにはどうしたらいいだろうか、という具体的な状況に対するコミットメントのあり方であり、結果としてなるべく誰もが傷つかないで、最良の結果=奥さんが助かる道筋を円滑に見つけていこうとすること、つまりケアの仕方なのです。

そこまで思いを巡らせたがゆえに安易に答えを出せなかった11歳の女の子を、「発達段階が低い」と断ずるのは間違っているのではないか？　それがギリガンの指摘でした。

「正しい答え」にこだわる男子　「現実的な解」を探す女子

池上　男の子が物語の枠組みの中での「正しい答え」を見つけるのがうまかった。けれども、女の子は「正しいか間違っているか」よりも、現実にこうした問題が起きたときにどうすれば誰も傷つかずにうまくいくかまでをも考え抜こうとしていた。実社会で、どちらが有効なのか、という問いにつながりますね。

上田　はい、その通りです。僕も大学時代、女性とちゃんと付き合っていなかった頃は、ひたすら「正解を決めればいい」と思っていました。男子はややもすると正解を求めることが自己目的化する。だから「正しい」「間違っている」を決めたがって、そのあとは誰かに任せたがる。でも、女性と付き合うようになれば、現実社会では正解を決めているだけではダメで、コミットして、その問題に飛び込んでいく必要が多々あることに気づきます。そんな「現実」を早めに知るためにも、東工大の男子たちはもっともっと女の子と付き合うべきだなあ、と思うのです（笑）。

池上　まさに先ほどの「決められた枠組みの中では正答は出せる」というのは、前提条件が変わってしまうと役に立たない能力に陥る、という話と同じですね。現実はたとえば、ガンの特効薬の所有権かガンに罹った奥さんの生存権かの二択問題ではない――。

上田　そうです。もちろん男女内でも個人差がありますから、男はこう、女はこう、と決めつけるのも危険なのですが、与えられた問題の解だけを考えがちな「男性的」思考が行き詰まりを見せていて、その問題の外側までをも想定して、新しい解を自由に創造していく「女性的」思考のあり方が今こそ求められていると言えそうですね。

桑子　リベラルアーツのリベラル＝自由、とはまさにそういうことです。与えられた問題の解を出すのではなく、自ら自由に問題を設定し、新しい解を探していく。

そもそもリベラルアーツとは、ギリシャで生まれヨーロッパで育った考え方です。古代ギリシャ人は、自由人としての人間こそが、自分の精神を高めることができると考えていました。この場合の自由とは、「労働からの自由」を指します。背景には奴隷制度がありました。ギリシャ語で奴隷のことをドゥーロスと言いますが、これが転じてドゥレアとなると「労働」を意味します。「労働」に縛られることがすなわち奴隷状態。要するに「労働」とは、自由になろうとする人間を縛るものなんだ、というのがギリシャ人の考えでした。

池上　だから今もギリシャ人は働かなくて、ユーロ危機を招いてしまうんでしょうか（笑）。

ギリシャ人の教養は「自由」と「経済危機」を生む

桑子　笑いごとじゃなくて、まさにそうなんです。ギリシャ人にとって「労働」からの解放はとっても重要な課題でしたから。

そんなギリシャの「労働」と「自由」の考え方が、ヨーロッパ全体に伝播すると、今度はキリスト教的な信仰と理性の問題に発展し、教会というシステムから人間を解放するにはどうするかという話になっていきます。つまり、人間は、労働だの宗教だのという自ら設定した「枠組み」から常に自由になろうともがいてきた。では、現代の私たちは、何から自由になるべきなのでしょうか？

池上　何から、ですか？

桑子　先日、福島県の南相馬市へ行ってきました。南相馬市は東電原発事故の現場から近くて放射線の線量が高く、子どもが自由に外で遊べない状態が続いていました。そこで遊び場として体育館が開放されていたのですが、体育館に段ボール箱を積み上げて、そこで暴れていいよ、という『みんな共和国』がつくられているのを見ました。その入り口にはこうありました。

「自分の責任で、自由に遊ぶ」

ここでは何をしてもいいけれども、ケガをしようがケンカをしようが自分たちで解決しなさいよ、という、大人からのメッセージですね。では、この場合の「自由と責任」とは何か。この場合の自由の「枠組み」とは何か？ その「枠組み」を超えるとはどういうことか？ 現代における自由とは、つきつめれば教養とは、たとえばこうしたことを考え抜くことだと思います。

東工大生よ、その「サラリーマン根性」はアブないぞ

上田 今の桑子先生の「枠組み」論に引きつけて、今度は東工大の学生たちの話をいたします。僕が東工大に来てショックだったこと、それは、東工大の学生たちが「頭がいいけど『世間』に弱い」ということでした。まあ、東工大生に限った話ではない

のでしょうが。

池上　「頭がいいけれど世間に弱い」。いったいどういうことでしょうか？

上田　僕はこの10年間ほど、毎年講義で学生たちに同じ質問をしてきました。

まず日本の企業の閉塞的な状況を描いたビデオを見せた後で、こんな質問をします。

「あなたはメーカーに勤務し、東南アジアの工場で働くことになりました。そこでは有害物質を排出し、公害を引き起こしています。赴任早々それに気づいたあなたは、上司に報告しましたが、効率重視の上司は『そうはいっても』と、改善しようとしません。さて、あなたはどうしますか？」

次にこの問いに対する答えを3つ用意します。

（1）実名で告発する。

（2）匿名で告発する。

（3）何もしない。

で、学生に選ばせる。するとどうなるか。最悪の結果だったのが2006年です。

200人の学生のうち、（1）が数人、（2）が10数人、残り180人が（3）でした。

なんと9割が知らぬふりをするんです。答えたのはまだ会社に入っているわけでもない、会社に忠誠を誓っているわけでもない、学生たちなのです。これが果たして自由な社会で出てくる比率でしょうか？　今の学生たちはインターネットなどを通じて実にいろいろなことを知っています。しかし、真実を自由に話せない社会は豊かな社会とは言えないでしょう。なぜ、9割もの学生が「何もしない」を選ぶのか。愕然としました。

池上　うーむ、びっくりですね。その後、学生たちの回答の比率は変わったのでしょうか？

上田　ちょっとずつ告発派が増えていたのですが、一昨年（2010年）でも（1）と（2）を合わせても全体の2割にはいきませんでした。ところが、昨年（2011年）の震災と原発の事故の後に聞いてみたら、何と、（1）が30人、（2）が100人、（3）が70人と、告発派が過半数の130人になったのです。

池上　震災と原発事故で多少なりとも学習効果があったのかもしれませんね。

上田　悪いことを隠蔽してはならない、正しい意見を表に出していかなくてはならない。教養がもたらす「自由」が体現される社会とは、そういうことが当たり前の社会だと思います。日本がその意味で教養のある社会、自由な社会たり得るかどうか。もしかすると、今が潮目ではないかと思います。新しい教養教育を考えるとき、自分の意見を自由に発信していく力も同時に学生たちには与えていかないといけないでしょう。知ってはいるけど発言しない、という「悪しき教養主義」に陥ってしまっては絶対ダメだと思うのです。

池上　実は私も上田先生と似た経験をしました。先日、東工大の「現代社会の歩き方」という講義で、オリンパス巨額不正事件について触れたのです。外国から招かれた社長が、自社の不正に気づいた。さてどうするか、という話ですね。「この話をどう思う？」と聞くと、ある学生は「こういうことに巻き込まれないようにしようと思います」と答えました。

巻き込まれないように――。この言葉は好意的に解釈をすれば「不正に加担しないようにしていきたい」とも受け取れます。一方「事を荒立てると大変だから、見て見ぬふりをしたい」とも聞こえます。たしかに嫌だとは思うんですよ、自分が社長になったときに会社の過去の不正に気づくというのは。しかし、そういうときにどんな態度をとるかによって、その人の「生き方」そのものが問われますよね。

「モノ知り」なだけじゃダメなんです

桑子 今、池上さんが「生き方」とおっしゃいました。リベラルアーツセンターの理念は、まさに人の「生き方」とも深くかかわります。人間性と社会性。これが人間を構成する2つの柱です。

大学教育の中で、文科系はこれまで人文科学と社会科学とに分かれていましたが、リベラルアーツセンターでは人文科学系、社会科学系という学問上の区別を超えて、人間性と社会性をどう高め、養うかに取り組んでいきたいと思っているのです。ですからリベラルアーツセンターの柱は、人文科学と社会科学といった「分野」ではなく、人間性と社会性、の2本なのです。

それから上田さんからコミットメントという言葉が出ました。つまり社会性を持つ、社会に何らかのかたちで参加する、ということです。

かつて日本の行政は、一般市民の政治参加について「巻き込む」という表現をしました。英語でいうとインヴォルヴメント。主体はあくまで行政サイドです。ところが、この言い回しが変わってきました。インヴォルヴメントからパーティシペーション、つまり参加を求めるようになってきて、最近は、エンゲージメントを求めています。

つまり、市民が自らの責任で積極的に行政にかかわることを意味しています。エンゲージメントは、フランス語で言うとアンガージュマンですが、これはまさにサルトルが言っていたことです。巻き込まれるのではなく、市民が現実の社会、現実の政治に自らの意志でかかわっていくことが求められている。それが今です。

池上　教養を得るとは究極的な自由を獲得することであり、それはすなわち自らの意志で社会にかかわっていく、ということにつながるわけですね。従来の「教養」のイメージとは違います。大正や昭和の時代に「教養がある」というのは、たくさん本を読んでものをよく知っている人のことを指しましたが、今の時代は、コミットメントしたり、エンゲージメントしたり、さまざまな実践能力も兼ね備えていないと、教養がある、とは言えないわけですね。

上田　その通りです。すでにちょっと触れましたが、僕は、こんなに豊かな社会なのに我々日本人の発想も行動も置かれている立場も全然自由でないことが大きな問題だと思うのです。

教養は、専門より教えるのが難しい

教育社会学者の永井道雄さんは、かつて東工大で教授を13年間務めて、朝日新聞社へ移り、その後文部大臣を務めた方です。永井さんの講義を聞いたことがある人の話では、ものすごく面白い、弁舌流れるような講義だったそうですよ。その永井さんが、大学を辞める直前に『大学の可能性』という本を書いています。大学に何を望んでいるかを記したものですが、今も通じるものが多々あります。ポイントは2つ。第1に、教師も学生も自由に研究し、教育し、学習できる場であることを望むこと。第2に「人間らしい人間」になることを切望する、ということ。永井さんは主張します。人間らしいということの意味は「人間は他の何ものかのための、道具や手段であってはならない」ことだと。昨日この本を読み返していて、そうか「人間らしい」人間の追求というところが肝なのだとハタと膝を打ちました。それは永井さんの時代から変わらない、むしろ最先端の問いだと思います。

過去20年、日本の大学は、これまで述べてきたように、授業内容の専門化を進めて「できる人」ばかりをつくってきました。これはつまり、人間を「道具」や「手段」としよう、ということです。逆にいえば、「いい道具として生きなければ評価されない」

ようになってしまったのです。
でも、時代はむしろ枠外の自由な「教養」を求め始めています。いくら「できる人＝よい道具」となっても、枠が崩れたら、その道具自体が役立たずになってしまうかもしれないのですから。
そんな時代に求められる「教養」とは、大正や昭和の教養のようにトリビアルな知識をたくさん持っていること、ではありません。課題を探し出し、考えていくプロセス。そのプロセスを血肉化していることが、現代の「教養」なのです。

池上　まさに、そんなプロセスを今、この場でやっているわけですよね。〝教養〟なら ぬ〝強要〟はしていないつもりですが（笑）。

上田　もうひとつ、永井さんは非常に鋭い指摘をしています。教師にとって、教養課程を教えることは専門課程を教えることよりも難しいのだと。現在の日本の大学においては、専門課程の方が教養課程よりも重視されていますから、教養課程を教える先生も、僕の経験でもなんとなく専門課程の先生よりも下に見られている傾向があるような気がします。でも、永井さんはずいぶん昔に指摘しているんですね、実は専門課程よりも教養課程の方が教えるのが難しいのだ、と。

桑子　今の上田先生の話で、思い出したことがあります。先ほど触れたように、東工大に社会理工学研究科という大学院ができたとき、私は工学部の教養課程の助教授から社会理工学研究科の大学院の教授になったのですが、そのときに事務方にこう言われました。

「二階級特進ですね」

マニュアル化したら教養は死ぬ

そう言われてはじめて、私は日本の教育制度の中で、一般教養担当の先生がどう見られていたかを知りました。単に助教授が教授になったのなら「二階級」特進ではありません。一階級上がっただけです。ではもう一階級とは何か。そう、学部の教養課程から大学院へ移ったことです。つまり、工学部で教養課程の文系科目を教えるということが、大学内でどう見られていたか、ということです。私はそれまで、東工大という素晴らしい学校に呼んでもらって、前の大学の文学部哲学科から移ってレベルアップしたと思っていたので、正直、驚きました。

上田　永井さんの場合は、京大教育学部社会学の助教授からわざわざ東工大の教養課程へ移りました。今の話だと、「一階級」ダウンです。でも、永井さんは大学教育において教養こそが大切だと思われていて、下がったという意識はなかったはずです。

永井さんは、専門を掘り下げることも、体系的に学ぶことも、どちらも「教養」なんだと言っています。結局、教養とは「前進していく」ことなんですね。それから、「場が大切だ」とも言っています。教養は、枠にはまったカリキュラムをつくり、誰が教えてもいいようにマニュアル化した途端に死んでしまいます。そうではなくて、社会とのかかわりの中で問題意識が先鋭な人たちが集まり、熱く考え、議論する場があれば、そこで現代的な教養が育めるのだと思います。

池上　教養、というと、とにかくやたら本をたくさん読んでいて、実社会の役には立たない知識を集めている、というイメージがあったかもしれません。でも、桑子先生、上田先生のお話では、教養というのはそういうものではない。

教養＝リベラルアーツのリベラルとは、さまざまな枠組みから自由になることである。ではどんな枠組みからどう自由になることなのか。まず、それを考えること自体が教養の第一歩である、ということ。これまでの常識が通じない、変化の激しい今のような時代においては、教養こそが次の解を出すための実践的な道具になり得る、ということ。であるがゆえに、教養を身につけたからには、傍観していてはダメで、社会に対して積極的にコミットメントする、参加する、かかわっていかなければ、真の教養人とはいえない、ということ。

桑子・上田　その通りですね。

池上　桑子先生は「教養とは人間の根っこの部分である」とおっしゃいます。人間としての根っこの部分をどうつくっていくのか。そのための場を、リベラルアーツセンターは提供していきたい、と思っております。おっと忘れてはいけない、専門バカにならないために、東工大生の男子諸兄におかれては、「男女のコミュニケーションもとっても大事よ」ということですね。

桑子・上田　一番大事な部分です（笑）。

大喜利！こうすれば教養はあなたの手に入る

池上　ここからは質疑応答の時間です。

ニコニコ生放送をご覧の方からの質問と、ここ東工大の会場からの質問にお答えします。2万2000人もの方がご覧になっているそうで、コメント数も6000以上寄せられました。ありがとうございます（会場拍手）。こうなるとすべての質問に答えることはできませんが、時間の許す限りお答えします。

「つまらない大学の講義では教養は学べない？」

最初は「現代の大学のほとんどの教養の講義からは何も生まれない、教養の授業はつまらないものだという偏見を持っています」という方からの質問です。

「大学における教養は大学の外にのみ存在するのではないでしょうか？」

いきなり辛口の質問ですね。桑子先生、いかがですか？

桑子 教養が大学の中にのみあるのではないのと同じように、教養が外にのみあるわけでもないでしょう。まず、「大学の中」なのか「大学の外」なのかという発想そのものが既存の枠組みにすぎません。そんな枠組みそのものを破る思考が大切だと思います。私たちの常識を縛っている枠をまずは認識し、その境目を弱め、流動性を高めていく。これが教養教育の第一歩です。

上田 この方は大学の教養の授業が「つまらない」と指摘している。でも、僕は、どんなにつまらないことにも相応の意味があると思っています。なぜならば、「つまらない」ものを経験しないと、人間、何が面白いかもわからないからです。たとえば映画を10本観て、そのうち8本がつまらないから、2本が自分の好みに合うということがわかる。「つまらない」に出会う経験を惜しんではなりません。それは、「面白い」に出会うために必須の道なのです。

学校の講義もそうです。とりわけ大学にはいろいろな講義があるからこそ自分で選ぶことができる。だからこそ、「つまらない」講義を知るのも重要なんです。「つまらないけど単位が取りやすい」講義を自動的に選んでしまうという、自分の行動原理の見直しにもなります。その上で大学に面白いものがなければ外へ出てみればいいし、外に面白さを見つけられなければ、またどこかへいけばいい。世の中そんなに面白いことばかりではないですよ。で、何が言いたいかというと、つまらない講義にも意味があるということです。

桑子　さらにですね、つまらないことを言う人、それから文句ばかりを言う人、ネガティブなことを言う人には、それなりの理由があるんです。この先生の講義はつまらないなと思ったら、なぜつまらないのか自体を考えてみる――というのは面白いですよ。

上田　そもそも教養課程の先生は孤独なんです。学生に対しても「どうせオレの講義内容には興味がなく、点数だけが単位だけが欲しいんだろう」とひがんでしまったりする。そこへ、その先生が書いた本を1冊読んで「ここがわからないんです」などと質問をしたらどうなるか。その先生の心の中に花が咲きます。コミットメントは学生側からも必要なんです。そうしなければ、教養の先生の授業から面白いものなんてそう簡単に出ませんよ。

池上　つまり、「いい質問をしろ」ということですよね。私も先日の授業で新入生たちにこう言いました。東工大の先生の中には、自分は研究者であって教育は片手間と思っている人もいるかもしれません。もしそれで講義がつまらないと思ったら、なぜつまらないのかを分析すれば、その分析自体が大変面白くて、先生も反面教師になってくれて自分には力がつくんだよと。すると大学には、ためになる先生ばかりがいることになります。

「社会に属するための教養、自由になるための教養、どちらが大事?」

さて、次の質問にいきましょう。

「教養には、社会を形成する一員となるために必要なことを学ぶ面と、自由で豊かな人間性を学ぶ面と、二面があると思います。今の時代は、そのどちらの方が大事でしょうか?」

桑子　どちらも大切です。あまり面白い答えではないと思いますが。

上田　東工大の学生を事例に挙げますと、東工大生はみんな頭はいいけれど、多くの学生は恐ろしいほど知識がありません。自分が今、地図の中のどのあたりを歩いているかがわからない感じ、なんですね。地図を与えてあげると、それを見て歩いていけるんだけれど、そもそも自分の頭の中に地図がない。頭の中にある種の地図を置けるようになるには、ある程度の知識が必要ですし、社会的修練も大切です。両方あってはじめて頭の中に地図ができる。結果、どこに自由があるのか見つけられる。だから、どちらも大切、表と裏なんじゃないかなと思います。

「漁師が生きていくための教養って何が必要？」

池上　続いて、水産大学に通う女子学生の方からです。将来漁師になるのだそうですが、**「漁師として、生活を安定させ、休日には家族と過ごすためには、今どんな教養を身につけたらいいでしょうか？」**。すごい質問ですね。

上田　池上さんだったらどう答えますか？

池上　家族と休日を楽しむ、会話をするには、何らかの共通のベースが必要です。家族といえども、それぞれが持っている知識や常識の量や種類は違いますから、話を合わせる必要があります。相手を理解する力、コミュニケーション力が必要だと思います。

たとえば配偶者の祖父や祖母の話を聞くに当たっては、つまらない講義を面白く聞き、孤独な先生の心に花を咲かせるかのような教養が必要になっていくのではないでしょうか。

上田　私には、「漁師の生活」が的確にイメージされているとは言えないのですが、魚を売ってお金を得るというビジネス以上に、おいしいと言って受け取ってもらえるものを渡す、喜びの感覚を得られる職業ですよね。ですから大学でも、そういう人生の喜びのサイクルを見つけられるといいと思います。アートでも、ボランティアでもいいですが、誰かの作品やエネルギーを喜んで手渡す、受け取るという感覚を磨くといいと思いますね。

池上　漁師さんは、体験からの知識をたくさん持っていますよね。この季節はこれが採れる、潮目がこうなるとこの魚はこう動く、とか。一方で、大学で体系的にさまざまな学問を学ぶことからも、仕事に活かせるものはたくさんあります。地球が温暖化したら海流はどう変化するのか。BSEが発生すると、魚のニーズはどう変わるのか。社会と市場全体の中で漁業はどう位置しているのかを俯瞰（ふかん）する視点を持つには、大学で学んだことが役に立ちます。社会と学校、双方で教養を積む、というのが漁師としての生活に直接役に立つはずですね。

桑子　海岸の浸食対策事業で、漁師の人と仕事をしていますが、漁師の世界は独特ですね。地域社会も、農協ともまったく違う漁協という組織も、それから漁師の方々の人生観も。常に危険と隣り合わせの職業ですから、リスクへの考え方も普通の人たちとはだいぶ違います。だからこそ、漁師の世界に入る前に漁師以外の世界も知り、理解しておくことが大切です。そうすれば、単に魚を獲って生活を成り立たせるというだけでなく、漁業と地域、漁業と流通、漁業と日本の将来などを考えられるようになります。だからこそ、ぜひ大学でちゃんと勉強してほしいですね。

池上　農村と漁村とが共存する土地もありますよね。農業というのはリスクを減らそうとしますが、漁業はリスクを追いかけるところがあります。第一次産業とひとくくりにせず、農業と漁業の根本的な違いを比較できる力も、教養です。それから、子どもたちに対しては、漁業の喜び、大切さを話してあげること、そんな説明力も大切ですよね。

「大学で教養を学んで実社会で何の意味があるの？」

次の質問は、**「大学で教養を学び、社会に出ることに、人間としてどんな意味があるのか？」**。究極の質問ですね。

桑子　教養とは、教え養うと書きますが、では、誰が教え養うのか。先生、ではないんですね。自分です。自らが自らを教え養うこと。それが教養です。易経に「我、童(どう)

蒙を求むるにあらず。童蒙来たりて、我に求む」とあります。これは、「私は子どもに教えようとは思わない。子どもが学びたいと思ったときに、私ははじめて教える」という意味です。私はこの言葉をひとつの理想と考えています。学びたくないという若い人に無理矢理学べと言っても学びませんから、学ぶ前の段階として、学ぶとはどれだけ楽しいことなのか、それを共有することが、まず大事だと思っています。

上田　なかなか答えるのが難しい質問ですね。でも、なんやかんや言っても、社会にはプラグマティックに出て行かないといけないわけです。それまでに、自分にとってのツボというか、自分はどういうときに輝いて幸せだと思えるかを考えておかないと、バネのないまま、他者による評価の枠組みの中に入っていくことになって、それではただの労働ロボットになってしまう。大学時代に、ここを押すと痛い、ここを押すと気持ちいいと、若い自分なりのツボを見つける。自分の可能性を確かめてから社会へ出て行ってほしいです。

池上　私の答えは「自分の存在が社会の中でどんな意味を持つのか、客観視できる力を身につけること」です。そうでないと、ただ闇雲に働いたり生きたりすることになります。そこで少し客観的になれるかどうか。視野が広げられるかどうか。枠の外側から眺められるかどうか。そういう力をつけることが、大学で教養を学ぶということではないかと思います。

「東工大の先生方の『教養』はホントはどの程度ですか？」

ここからは、会場のお客さんからの質問に答えたいと思います。

質問者　東工大の大学院生です。**私たちは、社会に出る前に研究室に所属し、その研究室の指導教官から、研究や教養を学ぶことになりますが、3人の先生が会議などで接している東工大の先生たちの持つ教養をどう見ているか、聞かせてください。**

池上　いい質問ですねえ（会場笑）。

桑子先生か上田先生か、どちらか……お互いに譲り合っていますね（笑）。率直に、リベラルにお答えください。

桑子　私が東工大に赴任したのは1989年です。私はまだ40代でした。学長の下にできたワーキンググループで、次の大学教育をどうするかということを、工学部の先生たちと議論できたことは、とても素晴らしいことだったと思っています。

たとえば2011年のように大震災が発生し、道路が寸断されたり橋が落ちたりしたます。でも、そのあとでどうするか、というときの思考体系が、工学部と文学部哲学科ではまったく違います。工学部は、どうやって迅速にそれを復旧させるかを考えます。そういう使命を持っているんですね。哲学科は、そもそもなぜインフラが破壊されたか、どういう考え方でそれらを復旧させるかを、長々と議論します。だからこそ、工学部の先生方のやり方に触れられたのはよかった。もうひとつ、その当時から文理融合型の講義が始まっていました。今、私は他の先生方と『医に展開する工学と生命倫理』という講義を行っていますが、科学者や工学者が倫理を学ぶ必要があるという視点で生まれたものです。これも工学部の先生方と議論ができたから成り立ったものです。

私がかかわってきた工学の先生方は皆、とても議論好きな素晴らしい先生方です。私が知らない先生方のことはよくわかりません。これが私の答え、……になっていないような（笑）。

池上　答えるのが難しい質問には、長々と過去の経緯を説明することで、直接的な答えを避けるという手法があります。いやいや桑子先生、お見事です（笑）

上田　僕もよく知らないのですが、何度か名前の挙がっている超著名人の先生方の講義を受けた経験のある世代と、それらの先生方がいなくなって、大学が専門を重視してからの講義を受けた世代とでは、東工大の卒業生の資質が変わってきているという話はよく聞きます。だから若い先生の方が、非常に狭いところできっちりと成果を出さなければと、その前の世代に比べて実務的な感じになっているという噂は聞きます。実証的に確かめたわけではありませんが。
ただ社会の仕組みも変わってきていますから、これからはより開かれた教養が求められていくと思います。そのためにも会議の数は減らしていただきたいなと思いますね（笑）。
池上　今の上田先生の回答を、私なりに和文和訳をすると、そうそうたる先生方の講義を受けていた世代には教養がありますが、そうではない世代には……とも聞こえるような……。あ、次の質問に行きましょう。

「教養の教育にはどんな装置が必要ですか？」

質問者　建築学科の4年生です。学び、教養の教育には、どういった場がふさわしいとお考えですか。
桑子　今日の場はどうですか。
質問者　心地よかったです。先生たちの存在も大事ですが、設備も良かったと思います。

桑子　この講演会を企画したとき、どこでどうやるかをもちろん考えました。今ここに、お花や看板があって、どうですか、素晴らしいでしょう。これをどうするかも考えました。まず大切にしたのは、コミュニケーションのための空間デザインなんです。ただ、空間を選べないことは多々あります。たとえば東工大は、コミュニケーションのための空間デザインがとてもしにくい場です。大半の教室は、机や椅子が固定されていて、柔軟性がありません。

これからは、学びの場へ参加する人たちの自由な創意で、教育とコミュニケーションの場をデザインすることがいっそう求められます。場をみんなでつくり、そして、みんなで片付ける。そのプロセスを共にすることも、参加への意識を高めます。リベラルアーツセンターではそういったことをやっていきたいし、この質問をしてくれたあなたが建築家になったときには、それにふさわしい建物を提案してください。

質問者　はい。

上田　僕もまったく同意見です。建築家が建物をデザインし、建ててから、さあこの空間をどう活用しようかという時代はもう終わっていて、建築自体が場に開かれたプロジェクトであり、そのプロセスが大切なのだと思いますね。

池上　あえて付け加えるとすると、頭でっかちなやり方はダメだということです。かつて、文京区大塚のこぢんまりしたスペースに、東京教育大がありました。手狭になって、郊外の茨城県つくば市へ移り、筑波大学になったのですが、「つくば」の街はきれいに区画整理されていて、その点は素晴らしいのだけれど、建物が離れていて学生や教師たちの密なコミュニケーションが取りにくくなりました。大げさにいうと、精神の砂漠のような場になってしまった。

今はだいぶ歴史を積み重ねているので状況が変わりましたが、ただきれいな場所、というだけではダメだということです。人と人との物理的な距離が離れてしまっては、ガード下の赤提灯でのようには議論ができませんから。たまり場のような所が、どうしても必要なんですね。

もちろん、新橋のガード下で教養が身につくとはなかなか言えないのですが（笑）、目的意識を持った人が集まれる、居心地の良い場が結果的に生まれるような、その容れ物を建築家にはつくってほしいですね。

「閉塞した日本で自由への障害となっているのは何？」

質問者　修士課程の1年生です。**今の日本は閉塞感が強いように思いますが、自由への障害となってるものは何だと思いますか。**

桑子　21世紀になってだいぶ経ちますが、まだ20世紀の発想が根強く残っているなと思うことがたびたびあります。私は今、志賀高原の湿原回復のサポートをしていますが、志賀高原近隣のホテルのオーナーたちは、まだ、バブル景気の再来を期待しているんですね。いつかバブルのような熱狂的な消費景気の時代が訪れると思っているんです。あの頃は、黙っていてもスキー場には大勢の客がやってきました。1万円札をぎゅうぎゅうとゴミ箱に足で詰め込んでいたという話も聞きます。

上田　うわ、一度やってみたいですね（笑）。

桑子　バブル景気を味わった人たちは、まだその再来を夢見ていて、思考の転換ができていないんです。この話を聞くと、皆さん、笑いますよね。でも我々もまた20世紀的な発想に縛られています。最近ですと、私たち自身が、グローバル化が必須だとかコミュニケーション力が欠かせないと学生たちに説きますが、私たちのこうした言葉も疑ってほしい。先生に言われたからやりましょう、と安易に信じないでほしい。デカルトの「我思う故に我有り」の「思う」とはすなわち「疑う」ということです。ですから、「縛っているものは何なのか」という質問に対する私の答えも疑って、本当は何が縛っているのかを考える。そんなふうに「疑い続けるトレーニング」をしてほしいと思います。

池上　なるほど。まず、今壇上にいるこの3人はきっといいことを言っているに違いない、という思い込みからも自由になるべきだということですね（会場笑）。

上田　私は、同調圧力の強さが、日本人をがんじがらめにしているとずっと主張し続けてきました。同じでなきゃいない、違ってはいけない。職場も学校も地域社会もそうです。だからちょっと違ったことをするとすぐにいじめが起きる、とても苦しい社会になってしまった。しかし、そういう社会の中でも、自由に輝いている人もいます。リベラルに光っている人がいる。まずはそういう人を見つける。これはとても大切で、一見閉鎖的な中にあってもリベラルでいられることがわかります。そしてその人の近くに行ってみる。すると伝染します。なにが伝染するかはわからなくても、お互いにエンパワーし合えるようになります。

そういう友達をたくさんつくって、全体に閉塞感があると嘆く前に、まずは面白いことをしてみようと動けばいいのではないでしょうか。東工大にこのリベラルアーツセンターができたのも、小さな組織ではあるけど、リベラルな魂を持った人たちが面白いことをやってくれという、時代の要請であるように思います。

池上　ひとつ補足をすると「空気を読む」という言葉がありますよね。みんな、読みすぎるんですね、「空気」を。小学校の低学年では、先生の質問にはみんな手を挙げて答えようとします。ところが、だんだん空気を読んで手を挙げなくなる。その子たちが、わかっていても意見を言わない東工大生になるのかなと思うのですが、空気を読まずに発言する勇気が求められます。

もちろん、ただ空気を読まないだけでは、つまはじきになるでしょう。ただ、その発言が正しければ、みんながもっともだと思うものであれば、たとえKY（空気、読めない）と言われても「でも、たしかにそうだよな」「だけど、その通り」と思わせることができます。空気の流れに沿ってはいなくても、納得させる力をつけることが大切なんだと思います。

桑子　川喜田先生のKJ法は、ワークショップで学生に意見を言わせるのに有効です。これは、たくさんの意見を一斉にぶつけ合うからです。順番に意見を言わせると、前の人の意見にひきずられるからです。

池上　おっしゃる通りです。――という言い方も、前の人である桑子先生の意見に引っ張られているわけですが（笑）。その点、ＫＪ法は同時多発に意見を出させ、そこから議論をしますから、自分の意見として発言すること、ものごとへコミットメントしていくことのトレーニングになります。そんなトレーニングが必要だということをまず、認識してほしいです。自らの責任において発言していく力。これも、大学で身につけられる教養のひとつと言えるでしょう。

時間となりました。最後に、上田先生、どうぞ。

上田　本日はインターネットの向こうで、２万２０００人の人が見てくれました。このホールにいる私たちは二百数十人ですが、私たちの向こうには2万人以上の人たちが見つめている。その感覚は、まさに現代の「教養」に求められている感覚であると思います。大学という限定された場の中で行われていることが、その場を超えて、はるか向こう側での大きな動きとも連動している。その感覚を持てたことにも大きな意義がありました。

リベラルアーツセンターには、ここにいる3人しかいません。3人で何ができるかなと考え、３人では何もできないと言ってしまえばそれまでです。しかし、ここで起こっていることが、大きな世界と連動しているとするなら、実は無限の可能性を持っているのだというヴィジョンを持って進んでいければと思います。

リベラルアーツセンターはこれがお披露目ですが、今日を迎えられたのは、これまで協力、論議をしてくれた方々のおかげです。まずはその人たちに感謝を申し上げ、そして嵐の中を来てくれた皆さんには「あのとき、あそこにいたんだよ」といつか自慢話をしてもらえるよう、私たちも頑張りたいと思います。

これからも、こういった催しを進めていきたいと思います。今後ともぜひ、同じ船を前に進めていくためのお力添えをいただきたいと思います。

池上 自らを「チームB」でも「チームC」でもなく、「チームA」と名付けた学生ボランティアの皆さんの尽力もあって今日のこの場を迎えられました。ありがとうございました。

プラトン、アリストテレス、孔子に孟子に易を読め

最後に「社会人がどう教養を身につければいいのか」、３人の先生からメッセージとおすすめの「教養書」を。

桑子敏雄先生より

アメリカと日本の政治家を比べると、残念ながら教養に関しては完敗でしょう。オバマ大統領にしても、ヒラリー・クリントンにしても、大学時代にみっちりリベラルアーツも勉強をしているから、相当な教養の持ち主です。国際社会では、そんな教養溢れる人たちと伍していかなければなりません。

既存の枠組みやフレームワークをずらすことができるかどうか、既存のシステムを変えることができるかどうかは、その人の教養にかかっています。

アメリカでは、既存のシステムを組み替える発想のトレーニングを、大学の教養課程すなわちリベラルアーツの課程で教えています。このため、社会に出たあとも、大卒のエリートたちはシステムやフレームワークを変えることができる。

日本の場合、こうしたシステムやフレームワークを変える作業は、一部の優秀な個人に頼ってしまう。つまり、属人主義なんですね。アメリカでは、優秀なリーダーがいたら、そのリーダーをサポートしながらシステムの変化を促すチームづくりを周囲のスタッフが行っていく。そんな訓練が大学時代からできている。

日本も教養をベースとしたフレームワークやシステムの組み替え作業をチームで行うような訓練を、大学の教養課程で実践していくべきでしょう。

ちなみに、私のゼミでは、2012年に5人の社会人博士が入ゼミしました。40代から50代の現役ビジネスパーソンでもあります。東工大で一番平均年齢が高い、社会人の参加の多いゼミなんです。社会に出て、具体的なスキルを身につけ、問題意識が明確な人が、改めて一見遠回りに見える「教養」を体得しようとする。すでに社会経験がある人たちですから、私が施すのは場づくり、雰囲気づくり。こんな具合にもっともっと社会人が教養を大学で学び直すのが当たり前になっていくといいですね。

社会人がフレームワークを切り替えるにはどんな本を読めばいいのか。私は古典を教えていますから、やはりプラトン、アリストテレスのようなギリシャ哲学、それから孔子や孟子のような東洋哲学、両方をまっさらな状態で読むことをおすすめします。

それから、中国の古い占いである「易」。これも書籍で勉強したらいかがでしょう。易には、中国の占いの古い真理が隠されています。なにせ、「易を知るものは占わず」、易のエッセンスを知っていれば占う必要はない、という具合ですから。易を知れば、処世術がわかる。上下関係や男女関係の真実が見えてくる。

こうした本は理系の人にこそ読んでほしいですね。科学技術だけに埋没していくと、だんだん思考体系が行き詰まっていくからです。だからこそおすすめしたいんです、東西の哲学などを改めてちゃんと読むことを。それで、「異質な存在」を目指してほしいものです。

上田紀行先生より

今の30代40代の方々は、「教養」に触れる機会が少なかったかもしれないですね。日本の大学教育がもっとも教養から離れた80年代後半から90年代にかけて、学生生活を送っていますし、社会に出てからは専門性がすぐに求められ、仕事のパフォーマンスを要求されるカギカッコつきの「実力主義」にさらされました。

ただ、これから人生を折り返す年齢にさしかかって、手持ちの教養のストックがないまま、まだまだ長い人生の後半を、仕事で、プライベートでサバイバルすることは、けっこう厳しいのではないでしょうか？

ところが、そこで焦って飛びつくのが残念ながらすぐに答えが見つかりそうなビジネス書や実用書、というケースが多いんですね。短期的なパフォーマンスを出すには適切な場合もありますが、教養なき実用情報をいくらあさっても、5年先10年先20年先、といった長いタイムスパンでものを考えることはできません。

四半期ベースの短期的な思考だけではなく、10年後20年後なにを生み出せるかを考える。じゃあ、どうすれば考えられる？　まずは周囲を見渡しましょう。時間を超越した面白いことをやっている人をまず周囲で見つけ出して、友達になる。「あいつ、なんだか面白いことやっているなぁ」という人は、たいがい普通の人とは別の情報の入力法を知っているんですね。

「生きる意味」「スリランカの悪魔祓い」「深夜特急」「昭和16年夏の敗戦」

それから、おすすめの本、ですね。私の著書の**『生きる意味』**はまさにガチンコの直球ですが、30歳の頃書いた**『スリランカの悪魔祓い』**はいかがでしょう。タイトル通り、スリランカの悪魔祓いの儀式をフィールドワークした本ですが、人間がいかに周囲からの「まなざしの地獄」にとらわれているか、まなざしに縛られて孤独になって「悪魔が憑く」状態になってしまうのかがわかると思います。

スリランカではみんなのまなざしが怖くなり「悪魔憑き」になってしまった人に悪魔祓いを行う。踊りあり笑いありの徹夜の悪魔祓いでみんな楽しくなっていくうちに悪魔は祓われていく。これ、人間の心理や行動や関係性を読み解く、という意味ではビジネス書として読んでいただいても面白いと思います。

沢木耕太郎さんの**『深夜特急』**を改めて読むのもいいですね。今読んでも「脱出していく力」がある文章です。日本を離れ、計画もなしに、海外に、外部に平面的に脱出していく。改めてさまざまな気づきがもたらされます。

それから猪瀬直樹さんの**『昭和16年夏の敗戦』**。負けるとわかっていても、リーダーたちが時代の「空気」に支配され、無用な戦争に突入し、結果として日本人300万人の命が失われていく。戦争を決定した当時の政府関係者の中に、もし自分がいたら、どうしていただろう、と思いをはせることができる。

システムの手段や道具になっている人間は、決してリーダーにはなれません。そこを超え出ていく力をいかに獲得するか。大学生ももちろんですが、ビジネスにかかわっている皆さんにも、まさに「力としての教養」が必要なのではないでしょうか。

池上彰より

社会に出て、いかに自分が学んでいなかったか、はじめて気がつく。それが「教養」の問題です。大学でそれなりに勉強しているつもりでも、です。特に海外で向こうの人々とお付き合いするようになり、たとえばパーティなどで会話をしないといけなくなったとき、いかに自分に話題がないか、いかに自分に教養がないか、愕然とするんですね。

桑子先生、上田先生がおっしゃるように、時代に求められているのは型破りの発想。なのに日本人の多くは、鋳型にはめられて大学を過ごし、会社でさらに鋳型にはめられる。これでは、型破りは不可能です。型を破る、枠を超える。そのためにも社会人こそ教養が必要です。

幸いなことに、社会人入学制度も聴講生制度も東工大にはあります。こうした大学のカリキュラムを利用する手もあります。そして、この際だから古典を学びましょう。古典にはいろいろなものが詰まっていますから。

この際だから、古典を読もう「国富論」に「学問のすゝめ」

たとえば、アダム・スミスの**『国富論＝諸国民の富の性質と原因の研究』**。この本はとても有名ですが、ほとんどの人が読んだことはないでしょう。今改めて読むと、現代でも通用する経済学の基礎からトピックまでがみんな網羅されています。本書のタイトルではないですが、福沢諭吉の**『学問のすゝめ』**も必読ですね。

3限目

［科　目］哲学
［講義名］社会的合意形成
［講　師］桑子敏雄

哲学の力で公共事業の問題も解決できるのです。

３限目の授業を受け持つのは、

東工大リベラルアーツセンター（現リベラルアーツ研究教育院）

のセンター長を務め、

ギリシャ哲学が専門の桑子敏雄先生。

桑子先生が取り組んでいるのは、「社会的合意形成」の実践です。

社会的合意形成とは、異なる２つの意見の間に立って、

双方が合意する第三の意見をつくり出すことです。

たとえば、ある川でダムをつくる計画を行政が立ち上げた。

現場の村では計画に賛成する

Aグループと反対するBグループがいる。

この間に立ち、双方の意見を聞きながら、

A＝賛成でもB＝反対でもない

Cという答えを導き出す、というものです。

合意とは、妥協でも折衷でもなく、共に形成していくもの。

桑子先生の専門は「哲学」。一見、浮世離れした学問です。

けれど「人間とは何か」を問う「哲学」こそは、

現代社会の難問を解く上でもっとも役に立つ。

桑子先生の授業を、どうぞ。

社会的合意形成　第1部

「川」は誰のものだと思いますか？

池上　私は東工大のリベラルアーツセンター（現リベラルアーツ研究教育院）で教授をしていますが、上司にあたるのが、センター長の桑子敏雄先生です。桑子先生は、東工大で『社会的合意形成』という授業を持っていらっしゃいますね。

桑子　はい。学部の『社会的合意形成の技法』と大学院の『社会的合意形成の理論と技術』の2つの授業があります。

池上　「社会的合意形成」とはいったい何ですか？

桑子　「哲学」の力で、社会の争いを治め、よい方向にみんなを導く手法のことです。

池上　哲学の力で？

桑子　たとえば、川の自然環境を保全しつつ、防災対応をする。みんなが大切にしている郊外の森を守りながら、近隣の道路を整備する。自然保全と開発といった、二項対立に陥りそうな案件を「より創造的な方向に」うまく軟着陸させて、プロジェクトを前に進める。そのとき必要な「進め方」が、社会的合意形成、というわけです。

池上 むむむ、効用はなんとなくわかりましたが、そこでなぜ哲学の力なのかがもうひとつわからない……。そもそもの言葉の意味からお聞きしたいです。

桑子 そもそもの、ですね。「合意形成」とは、文字通り「合意を形成する」ということです。逆に言うと、合意形成する前には、必ず「合意のない状態」があるわけです。では、「合意のない状態」というのはどんな状態か？

夫婦ゲンカも戦争も合意形成の失敗事例です

池上 ……合意ができていない。つまり、人々の意見が一致してない。あるいは対立している、という状態でしょうか？

桑子 その通りです。意見をまとめようというときに、人々の意見がぶつかっている、対立している、反対を向いている。こんな状態ですね。では、社会におけるこうした対立が、悪化するとどうなるでしょう。

池上 喧嘩になったり……。

桑子 個人の間ですと喧嘩になりますね。もっと深刻な争いになると訴訟になったり、さらに意見が対立している集団の規模が大きいと、紛争になったり、最後には、戦争になったりします。

池上　そう考えると、私たち人間社会には、意見の対立によるさまざまなもめごとがありますね。個人から、地域から、企業から、国家規模に至るまで。

桑子　そこで、このような「意見の対立」が悪化しないよう、話し合いを行い、その結果、みんなの意見をまとめて、問題解決を図る。それが「合意の形成」です。

池上　ただ、「合意形成」の前に「社会的」とついていますね。なぜわざわざ「社会的」とつけているんでしょう?

桑子　別のシーンでの合意形成もあり得るからです。典型が「家庭内合意形成」。夫婦間ですとか、親子間とか、兄弟間の合意形成。これは、家庭という内輪の話なので、社会と分けて考える必要があります。

池上　「家庭内合意形成」。……想像するだに難しそうですね(笑)。

桑子　はい(笑)。「社会的」より合意が難しい部分もあるかもしれません。そもそも「家庭内合意形成」がうまくできずに、そこから悲劇が生まれる、というのは、昔から神話などで延々描かれ続けてきました。日本の神話の世界でいうと、たとえば、アマテラスとスサノオの姉弟喧嘩があります。これなどは、日本の紛争の原型ですね。

池上　海彦山彦、なんていうのもありますし、キリスト教でも、アダムとイブの息子たち、カインとアベルの争いも兄弟喧嘩ですね。どうやら人類は有史以来、家庭内合意形成に、ずっと苦労を重ねていたようです（笑）。

桑子　だから「骨肉の争い」なんて言葉も生まれる。その他にも、「社会的」ではない争いには、たとえば企業のように、ひとつの目的で集まっている組織内での争いもあります。

池上　「家庭内」や「企業内」と「社会的」合意形成とは、いったいどこが違うんでしょうか？

社会では敵と味方がはっきりしない

桑子　家庭や企業における当事者は特定できます。誰と誰とが争っているかが明確にわかります。けれども、社会の場合は特定が難しいんですね。対立する当事者の範囲が明確でないことがしばしばある。そんな状況で合意を形成すること。これを「社会的合意形成」と呼んでいるわけです。社会というのは、そもそもが曖昧なんですね。ここからここまでがひとつの社会、と線引きしにくい。

池上　なるほど。姉アマテラスと弟スサノオとか、企業内の副社長派と専務派、というふうに、誰が当事者かはっきりできない。ぼんやりとひとつの社会という集団となっている。その中での争いごとを止め、合意に至る道を探る。それが「社会的合意形成」というわけですね。

桑子　まさにそうです。私は学者ですが、これまで公共事業における社会的合意形成にかかわってきました。公共事業、つまり道路建設や河川の改修、まちづくりなどでは、事業を行う主体ははっきりしています。行政ですね。政府だったり、県だったり、市町村だったり。

でも、こうした公共事業の対象となる場所での利害関係者というのは、さまざまな人で構成されている。入札した企業。地域住民。特定政党。特定団体。他地域に住む納税者……。

池上　いろいろな利害関係者が出てきますね。

桑子　公共事業では、不特定多数の人々が当事者になり得ます。それゆえに、その公共事業に反対者が出てくると、合意を形成するのが難しいわけです。それぞれの利害が違いすぎるので。

池上　道路を通す。ダムをつくる。そんな計画が立ち上がると、「うちは道が通ってうれしい」という声もあれば、「おれの畑が道路でつぶれてしまう」という反対も上がる。「ダム建設を受注したぞ、万歳」という建設業者の声もあれば、「ダムのおかげで洪水が防げる」という下流住民の声もあり、「うちの村はダムの底に沈む」と当該地区の反対の声もある。さまざまな意見が出てきますね。NHKの記者時代に地方勤務をしていた頃、そんな現場を取材したこともありました。

桑子 利害の一致しない当事者同士だと、意見が対立したまま、状況が硬直してしまい、開発も保全もできない、というようなことになりがちです。そこで私のような第三者によって、利害が一致しない関係者の間の合意形成を図っていこうというわけですね。

池上 「社会的合意形成」とは何か、よくわかりました。利害関係が錯綜(さくそう)する現代社会において、なくてはならない重要な仕事ですね。

ところで、ちょっと根本的な疑問があるのですが。桑子先生のご専門は「哲学」でしたよね。なぜ哲学者が、河川改修工事の際の社会的合意形成にかかわるようになったんですか。そう、「哲学の力」が、社会的合意形成という、いわば実践的な調停行為にかかわってくる、という点がまだ見えません。

桑子 ははは、たしかにヘンですよね。別に私が「やらせろ！」と自ら手を挙げたわけじゃないんです。２００３年の話ですが、旧・建設省、現・国土交通省からお声がかかったんですね。地域で合意形成の場を設けるから、場を仕切ってほしい、と。

池上　ますますわからなくなってきました。なぜ哲学者に建設省が声をかけてきたんですか？

桑子　なぜ建設省が哲学者である私に声をかけてきたのか？　そこには、東工大の改組と、アリストテレスと、省庁再編とが、かかわってきます。

池上　？

桑子　話せば長いのですが……、いいですか？

池上　ミステリーの謎解きみたいですね。どうぞ！

１９６４年。子どもたちは川で遊べなくなった

桑子　話は、私が哲学を研究するきっかけまで遡ります。私が哲学で食べていこうと決めた一番の理由は、人間と自然との関係を考えたい、と子どもの頃に思ったからなんです。

池上　なぜ人間と自然との関係を？

桑子　私は1951年、利根川の中流域で生まれ、荒川の中流域で育ちました。利根川や荒川は恰好の遊び場でした。50年代から60年代にかけての荒川は素晴らしい川でした。信じられないかもしれませんが、子どもでも手づかみで魚がとれるほど魚影の濃い、きれいで豊かな川だったんです。

池上　東京郊外ですら自然が豊かに残っていた時代ですね。

桑子　川の周囲には泉が湧いていて、さまざまなタナゴや、いまや絶滅危惧種になっているトゲウオの仲間のムサシトミヨも棲んでいました。大きなカラスガイも川底に転がっていましたし、ヤツメウナギも捕まえました。けれども、私が小学校を卒業する頃、子どもたちが川で遊ぶ「楽園の時代」が突然終わりを告げます。

池上　何があったんですか？

桑子　「子どもは川へ行ってはいけない」と学校からお達しが出たんです。

池上　どうして突然そんなお達しが？

桑子　1964年、東京オリンピック開催の準備が始まったからです。それまでの日本の常識では考えられないほどの建築ラッシュが突然始まりました。そこで注目を浴びた建材が「砂」です。セメントと砂とを混ぜてコンクリートにして、建築物の鉄骨の周りに流し込むためですね。その砂はどこから調達するか。河原です。かくしてビルを建てる建設資材を調達するため、各地の河川敷が掘り起こされるようになりました。

池上　1960年代前半、川で川砂をショベルカーで採っている風景、私にも覚えがあります。

桑子　日本の河川の中流域下流域の川砂がもう総ざらいされた時代ですね。

池上　河底が円形のスリバチ状に突然えぐれているような場所が増えて、子どもが底に足を滑らせて……というような水の事故が多発しましたね。思い出しました。子どもは川に近づくな、なんて看板が堤防に立ったりしたものです。

桑子　しかもちょうど同時期に、全国の学校にプールがようやくできました。それまで子どもたちは川で泳いでいたのが、川ではなくプールで泳ぎなさい、という時代になったんです。

プールの普及と川の汚染は同時だった

池上　高度成長期のあの時代を象徴する話ですね。

桑子　その結果、日本の川は、忘れられた存在になってしまいました。川で遊ぶなと子どもは立ち入り禁止になり、高度成長期の工場排水が大量に垂れ流されて、川の水は徹底的に汚染されました。魚も自然も壊滅状態になり、かつてこんこんと湧いていた河原の泉も枯れてしまい、そこに棲んでいた貴重種の魚たちも絶滅してしまった。

池上 桑子先生、そんなに自然好きだったんですね。はじめて知りました。

桑子 そうなんです。生きものが大好きだったんです。

池上 じゃあ、生物学に進もうと……。

桑子 思っていた時期もありました。でも、少年期から思春期にかけて、自分が大好きだった自然環境が人間の都合で消えていくのをこうして目の当たりにして、ちょっと見方が変わったんです。人間と自然の関係ってそもそも何だろう、それを哲学的に考えたい、と思うようになったんですね。そこで大学進学後、哲学の道を歩むようになったのです。

池上 川で遊べなくなったのが、哲学者・桑子敏雄誕生のきっかけだった。

桑子 ギリシャ哲学という西洋文明の根幹から自然とは何か、自然と人間の関係とは何かを考えました。かのアリストテレスはその名も『自然学』を著しています。そこで学位論文もアリストテレスのエネルゲイアという概念について、でした。

池上 エネルゲイア、というのは……エネルギーのことですね。

桑子　その通り。エネルギーのもとになった言葉です。古代ギリシャ語では「仕事」のことを「エルゴン」と言います。その「エルゴン」の頭に「en」をつけると「エネルゲイア」という言葉になるわけですが、この「en」とは英語で言うところの「in」なんですね。つまり、（エルゴン＝仕事の）『中にあること』という意味です。つまり、これは要するに、物事がその能力を発揮している状態を指している。たとえば目という器官がものを見ていれば、それは目という器官が「見る」という能力を発揮している状態です。ある器官がその機能を発現している状態。それがエネルゲイアです。

一方で、目をつぶっている、というのは、今は見えていないけれど、目を開ければ「見る」という目の機能を活用できる状態ですね。こういう状態を、デュナミスといいます。

池上　ある機能を持った「もの」がその可能性を発現せず、眠っている状態がデュナミス、その「もの」が実際に機能を発現した状態がエネルゲイア、というわけですね。

桑子　そして、このエネルゲイアとデュナミスの関係で世界の現象を、自然そのものを説明しようというのがアリストテレスの考え方でして、私はこのエネルゲイアを中心にして学位論文を書いたんです。

池上　エネルゲイアとデュナミスで論文を書いた、というところまではわかりました。でも、そこでなぜ建設省から声がかかるんですか。

教養がなくなった90年代の大学

桑子　もう少し時間がかかります、そこに至るまでには（笑）。今話しましたように、私は西洋哲学から「自然」を考えたのですが、ケンブリッジ大学に2年ほど留学したとき、日本的あるいは東洋的な自然観についてもきちんと勉強をしたいと思うようになったんですね。

池上　海外に出たことによって日本を研究したくなったということですか。

桑子　学位論文を書きながら、同時並行で勉強しました。ところが西洋哲学と東洋哲学をいっぺんに勉強していると、外野がうるさくなるんです。哲学の学会から「桑子はふらふらして、何をやっているんだ」と言われるようになってしまった。

池上　東洋か西洋か、どっちかに絞れ！と。

桑子　そうなんです。ちょうどその頃、１９８９年、私は東京工業大学で一般教養の哲学を教えることになりました。ところが、そのとき東工大でカリキュラムの改組が始まったのです。私も、その改組のワーキンググループに入り、作文係を務めることになったんですね。

池上　つまり大学教養課程の見直し、ですね。かつて4年制大学では、1年生2年生は教養課程で一般教養を学び、3年4年生で専門課程を学ぶ、という体裁をとっていました。でも、1991年から始まった大学の教養課程の改組で、1年生の時点で教養課程を必ずしも選ばなくてもよくなり、いきなり専門課程を学べるようになった……。

桑子　そうです。いわゆる、大学の脱教養化、実学志向の走りの時期、ですね。当初は東工大に一般教養の哲学を教えるために着任して、とてもハッピーに過ごしていたんですが、すぐに改組が始まりまして、地獄のような日々が訪れたんですよ。

池上　地獄のような、とは？

桑子　改組の事務作業に忙殺されながら、博士論文を書かなくてはならなくなったんです。理系学問と異なり、哲学のような文学部系学問の場合、博士号をとること自体が珍しいんですね。よほど功成り名遂げた立派な先生だけがとる、というのが文学部系の学問の博士号でした。

池上　ああ、そういう話は聞いたことがあります。

桑子　ところが、改組まっただ中の東工大で、年上の先生方に言われてしまったんですね。ここは理工系の大学だから、生き残るためには、文学部系の先生であろうと博士号くらいとっていないと、まずいぞ、と脅された。一応、博士論文を書くつもりは以前からありましたので、改組の事務仕事をしながら、先ほどのエネルゲイアに関して書き進め、1994年にその名も『エネルゲイア』という書籍として出版しました。

池上　改組に必要な書類の作文をする一方で、ですね。

桑子　そう、まったく異なるタイプの作文を大量に進めないといけないので、本当に疲れました。改組の書類作成では、行政文書、概算要求書と概算要求説明書のつくり方を徹底的に叩き込まれました。

「環境」と「哲学」が出会うとき

具体的には、東工大の先生方のアイデアをまとめて文書をつくっていく。はじめはよかったんですが、大学当局から、文部省、それから大蔵省へと、この文書が渡っていくうちにお役所から文句がつくんです。

池上　なんと？

桑子　「お前の文章は理屈っぽい」と（笑）。

池上　哲学の先生なんだから当たり前じゃないですか、理屈っぽいのは（笑）。

桑子　ですよねえ。でもまあ、困りましてね。この手の文書づくりに長けている担当の事務官に聞いたんです。どうやって書けばいいんですか、と。するとその答えは、「箇条書きにするんだ」。この答えを聞いて、さらに困ってしまった。哲学に箇条書きなんてあり得ないですから。

池上　たしかに！

桑子　箇条書きにしろ。結論と一番大事な部分は最初に書け。ポンチ絵をつけろ――と、お役所向け文書の書き方を教わりました（笑）。その一方で、学位論文は書かなければいけない。東工大の理系学生に哲学を教えなければいけない。哲学を教えたからといって、彼ら理系学生にどれだけ役立つだろうか……。もう、頭の中がごちゃごちゃになりましてね。本は書けども売れないし。論文は書いたけれど学会誌に掲載されないし。まさに地獄の日々でございました。

池上　桑子先生にそんな時代があったとは……。

桑子　そんなとき、講談社から、アリストテレスの本の翻訳をやらないかという話が来たんです。ああ、これは大手出版社とコネをつくるチャンスだなと、一生懸命翻訳をやりまして、その結果、講談社学術文庫から１９９９年に出版されたのが『心とは何か』です。

池上　売れましたか？

桑子　これが存外売れました。今でも版を重ねています。そこで、講談社の編集者の方に、「あの、私の本も、出せないですかね」と聞いてみたら、「出しましょう」。ご褒美ですね（笑）。

ただ、研究者向けの専門書は誰も読まない、まったく売れない、ということは過去の経験からイタいほど知っていたので、まさに自然と人間と哲学の関係についてこれまでの私なりの思索をつきつめ、国土や環境の仕事にかかわっているような人の役に立てるような哲学書をつくろう、と思って執筆したのが、99年12月に出た『環境の哲学』という本なんです。

池上　反応はどうでした？

桑子　正直なところ、それほど期待はしていなかったのです。ところが、すぐに連絡をくれた読者がいました。それがなんと建設省の大臣官房だったんです。

池上　なんと！　ついに桑子先生と建設省が出会いましたね。それにしてもなぜ建設省が。

桑子　それは1999年末に発売された本だったからです。この当時、建設省は2001年の省庁再編に向けて準備をしている最中でした。

池上　なるほど。国土交通省になる準備をしていたわけですね。

長良川河口堰が建設省を動かした

桑子　お役所も、どういう方向へ国土政策を転換していくべきか、あるいは、公共事業のあり方をどう変えていくべきかを考えていたんです。そこで、政策提言してほしい、と言われたわけです。「建設月報」という建設省の広報誌に2度ほど意見を述べ、建設省の方といろいろとお話しする機会をいただきました。

池上　はぁあ、省庁再編にあたって、自分たちの存在意義を確認する意味でも、哲学のレベルまで環境問題を考えなければ、という問題意識が建設省側にあった、ということですね。

桑子　まさにそうです。また、当時建設省が環境について真剣に考えなければならないもうひとつの大きな理由がありました。長良川河口堰の問題です。

池上　90年代後半、ずいぶんメディアをにぎわしましたね。長良川は、下流部が木曽川、揖斐川と並行し、とても大きな氾濫原を形成することもあって、もともと氾濫が多く、水害を招きやすい川でした。そこで国は河口堰の建設を進めようとするんですが、周辺住民からは、サツキマスの遡上を阻害するなど自然環境に影響あり、と、反対の声が上がった。その反対の声の中で、工事が始まることが決まり、法廷闘争化するんですよね。

桑子 長良川問題は、建設省にとっても大きな傷になりました。それもあって、建設省の特に若い人たちは、これからどうやって河川対策を進めていけばいいのかと悩んでいたんです。建設省は1997年に河川法を改正して、2本の柱を入れました。柱と言っても本当に二言あるだけなんですが。それは『環境への配慮』、そして『流域関係住民の意見反映』です。

池上 この柱にどんな意味が?

桑子 当時の建設省が「環境への配慮」と記したことがエポックメイキングだったんです。もともと建設省の役人たちが、川をコンクリートで固めて無味乾燥な場所にすればいい、と思っているかというと、そんなことはないんです。環境への配慮をしなければならない、というのはずっとわかっていました。わざわざ建設省に入って河川行政をやろう、という人たちは、大半が「川好き」なんです。私と同様、川で遊んで育ったような人たちが多いんですよ。だから、川をなんとかしたい、という志で建設省に入っている。

池上　そうなんですか。世間のイメージとずいぶん違いますね。

桑子　だから建設省の河川官僚の多くは、ただコンクリートで固めるだけの河川整備は問題だ、と思っていたんですね。ところが、90年代後半に至るまで、建設省は自分たちで環境配慮型の事業が十分にできずにきた。なぜだかおわかりになりますか？

池上　なぜでしょう？　やりたいんだったらやればいいのに。

桑子　それは、これまでの河川法に「環境に配慮」という言葉がなかったからです。だから「環境に配慮」することに対して、予算がつけられないんです。

池上　法律の条文に入っていないとダメなんですね。

桑子　ダメなんです。そもそも基本的に河川の管理とは洪水への対応が第一です。つまり安全管理が最上位です。もしそこに、環境対応という要素を入れようとすると、ややもすると安全と対立しかねない可能性も出てくる。そうなると、法律の条文上も実質的にも環境対応はやりにくかった。そんな折、法改正がありました。そこで河川官僚たちが頑張って、河川法に「環境に配慮」という条文を追加し、建設省の中には河川環境課という部署ができあがったんです。それまで建設省に環境という名のついた部署はなかったんですよ。

池上　環境は当時の環境庁に任せておけばいい、という棲み分けだったんでしょうね。

「環境」という名がついた部署が建設省にできた

桑子　建設省の中でも、治水課は治水のためにダムをつくらなければなりませんし、河川環境課は環境を守ろうとする。役割が違う部署があるために、しばしば矛盾した政策が行われました。

池上　省庁ごとどころか、省庁内での合意形成すら難しかったというわけですか。それから、「環境への配慮」の他に、河川法に追加された言葉は「流域関係住民の意見反映」ということでしたが、こちらのインパクトは？

桑子　これも長良川河口堰問題のときに、市民やジャーナリズムや多様な人たちの意見をどう政策に反映させるべきか、考えなければならないことが明らかになったんですね。特に重要なのが、当該河川の流域関係住民の意見です。すでに、都市計画法や道路法の中には「関係住民の意見反映」という文言はありました。ただし、この場合の関係住民とは主に地権者です。彼らが影響を受けることは明確で、だから彼らの意見を聞かなければならないというのは、非常にわかりやすいですよね。ところが、河川法にはそういう考え方がなかったんです。つまり「関係住民」という発想がなかった。

池上　なぜでしょう？

桑子　河川は基本的に国のものであり、河川敷には私有地がないからです。

池上　なるほど。関係住民＝地権者が存在しないわけですね。まあ、勝手に住んでいらっしゃる方はときどき見かけますが（笑）。

桑子　そう。河川敷で生活をしているのは、そういった家を持たない方々を除くと、魚や植物などの生物になります。これら生物は公共物ですからステークホルダー＝利害関係者とはなり得ません。けれども、実際に河川政策を進めると、たとえば環境保護団体が反対をします。

池上　まさに長良川河口堰問題のときに、サツキマスの生態環境が荒らされる、というのが争点のひとつになりましたものね。環境保護団体が、そこに住む生きものの代わりにステークホルダーとなるわけですね。

桑子　はい。それに川の「中」に住む人は公式にはいないことになっていますが、川の「流域」にはたくさんの人が住んでいます。だから、川が氾濫したりすれば、多くの人々が被害を被る。一方で、川は市民の憩いの場ともなっていたりする。周辺の自然環境のハブともなっていたりする。しかも、源流部、上流部、中流部、下流部、とそれぞれの地域に住む人たちがいて、それぞれ利害が異なるケースが少なくありません。

池上 それはそうですね。ダムができる上流部の人たちが、ダム建設に反対する。ところが、下流部の人たちは、ダムができないと洪水の恐れが増大するし、渇水も怖いから、ダム建設に賛成する――。

生身の哲学を東工大生に教えよう

桑子 そんなケースが多々あるわけです。川の流域に住むあらゆる人たちの意見を調整しない限り、河川事業は進められません。過去の失敗なども踏まえ、「流域関係住民の意見反映」という文言が河川法に追加されたわけです。

池上 かくして、環境への配慮や流域住民の意見反映に対応した事業にも予算がつくようになった、というわけですね。

桑子　たまたま建設省にお声がけいただいて、河川にまつわるさまざまな問題に対する意見を述べていくうちに、「これこそ、哲学者としての自分のライフワークだ」と思い至ったんです。もともと自然を守る仕事がしたいなあ、と哲学者になる前から思っていたわけですし、行政とかかわることで、思想的なレベル、ややもすると机上の空論になりがちな話を、実践的なレベル、目の前の川をよりよい環境にして、みんなが幸せになる方法を具体的に編み出していく——そんなプロセスの形成をお手伝いできれば、それこそが思想的にも実践的にも自分のやりたいことじゃないか、と。こうしたさまざまな利害関係者が錯綜する現場で合意形成を行うお手伝いを10年間、ずっとやることになったわけです。しかも結果として、ですが、哲学を学ぶ東工大の学生たちにも、お返しができました。

池上　え、そうなんですか？

桑子　ただ哲学を座学で教えるだけではなく、こうした合意形成を行う現場に学生たちを連れていき、生身の体験と学習をさせることで、大きな学習効果が得られたんですね。東工大には土木系の学科もあり、建設関連の企業や関連省庁に就職する学生もたくさんいます。こうした学生たちにとって、「合意形成」の現場を知る、というのは、就職時はもちろん就職後も役に立つんですね。今年（２０１３年）も、合意形成に関する論文を書いて、土木系の企業に就職する学生がいます。

池上　まさに桑子先生は、「合意形成」を学問する、という新しい分野を開拓されたんですよね。合意形成を学びたいと門を叩く学生もいるのではないですか。

桑子　増えています。インターネットの影響は大きいですね。私たちが手がけた合意形成のプロジェクトにはけっこう有名なケースもありますので、ウェブで検索すると出てくるんです。

社会的
合意形成
第2部

「ヤマタノオロチ」を鎮めた対話集会

池上　桑子先生に社会的合意形成とは何か、なぜ哲学が専門の桑子先生が、河川工事などにまつわる社会的合意形成にかかわるようになったのかをうかがいました。ややもすると「机上の空論」と見られがちな「哲学」の知恵が、なんと環境問題や開発問題、社会問題の対立をほぐし、プロジェクトを前に進める、超実践的な側面を持っている――。

桑子　びっくりしたでしょう（笑）。

池上　びっくりしました。次に、具体的に、どこで、どんなふうに社会的合意形成をしてきたのかをうかがいます。最初は、どこで、社会的合意形成の実践をされたんですか？

桑子　最初に手がけたのは淀川水系の川です。2004年のことでした。

池上　淀川といえば関西の大河川ですね。琵琶湖から京都、大阪湾へと流れ出る。

桑子　淀川の水源である琵琶湖に流れ込む川も全部淀川水系ですし、紀伊半島の山奥のほうまで支流が伸びています。私がかかわったのは、淀川水系のひとつ、京都から奈良県、三重県にまたがる木津川水系の上流につくろうという川上ダムの建設にまつわる意見調整でした。

池上　ダム建設にまつわる合意形成とは、いきなりハードルが高そうですね。なぜ川上ダムの案件が桑子先生のところに舞い込んだんですか？

桑子　淀川を管理しているのは、国土交通省の近畿地方整備局です。こちらは昔から東京の霞が関に対抗意識があるようで、官僚組織でありながら先進的な試みをやろうとしていたんです。

池上　この場合の先進的な試み、とは？

桑子　従来、ダム建設などにまつわる周辺住民への説明は、アリバイづくりのようなものでした。つまり、「住民にダム建設をご理解いただくための説明会」にすぎなかったわけです。この「常識」を近畿地方整備局は変えようとしました。「もっと積極的にダム建設に関して住民の意見を聞き、反映していかなければならないぞ。これは新しい河川法の精神に則ったものです」と。

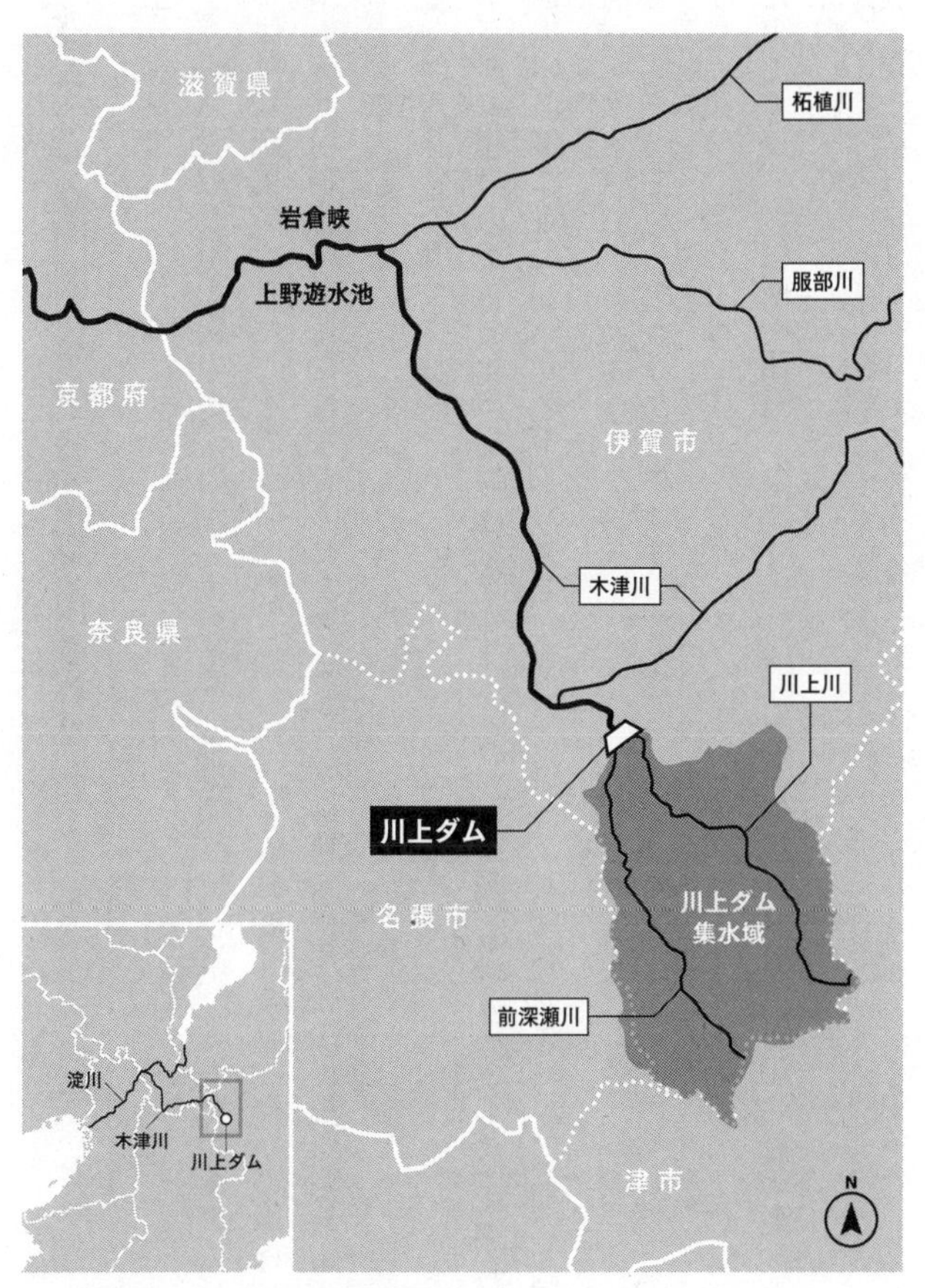

三重県木津川水系川上ダム建設の概要
（地図は国土交通省近畿地方整備局、独立行政法人水資源機構関西支社の資料より作製）

ダムの対立問題に哲学者が担ぎ出された

池上　今まではそうでなかった、というわけですね。

桑子　そこで取り組んだのが、丹生、大戸川、余野川、天ヶ瀬、そして川上ダムに関する住民対話集会でした。そのうちのひとつ、川上ダムに関する話し合いの場は、木津川上流河川事務所で持たれることになりました。事務所は現在の三重県伊賀市、当時の上野市にありました。

池上　伊賀忍者の郷ですね。

桑子　ダム建設のための住戸移転は完了しつつあり、道路の付け替えもほぼ終わり、いざ本体工事に着工というタイミングで「本当に川上ダムは必要なのか」という議論が始まったんです。

池上　桑子先生がかかわるきっかけは、なんだったんですか？

桑子　住民対話集会では、中立的な第三者をファシリテーターに据えることになっていたのですが、お役所が用意したファシリテーター候補者リストの中に私の名前があったらしいんです。

池上　で、桑子先生に白羽の矢が立ったと。

桑子　リストに名前のあった在阪の方々はみんな断ったそうなんです。結果、東京にいる私が、なぜか最後の候補として残ってしまいました。

池上　大阪より遠くて、時間も旅費もかかるじゃないですか。

桑子　まさに。でも、国交省の木津川上流河川事務所の所長自ら東工大の研究室までいらっしゃいまして、土下座せんばかりに「先生お願いします。先生に断られたらもう他にやってくれる人がいません」と。社会的合意形成の研究に着手し始めた私は、ダムという巨大な利害関係がからむインフラの建設において、どうすれば有効な合意形成を図ることができるのか、この眼で確かめるにはまたとないチャンスだ、と考えました。そこでファシリテーター役を引き受けたんです。

池上　桑子先生から、「私にやらせてくれ」と話しに行ったわけではなく、当事者である役所から頼まれたわけですね。

桑子　そうです。けっこう重要なポイントです。こうした現場では、研究者は評判が悪いので。

池上　研究者の評判が悪い？　なぜですか？

桑子　研究者が、問題が起きている現場に押し掛けて人に話を聞いたり、資料をあさったりして、しまいには自分の理論を振り回して、最後はデータだけ持っていってさようなら。で、論文を書いたり、本を書いたりして、場合によると、その成果を地域に還元しない。そういう話をよく聞きました。だからです。

池上 押し掛け研究者、ですね。そりゃ、評判悪くなります。

「先生、怖いよ、やめた方がいいですよ」

桑子 しかし、私としては、「お助けコール」があったら、助けないわけにはいかないという気持ちでした。

池上 頼まれたわけだから、堂々とフィールドワークできますし。

桑子 川上ダム問題のファシリテーターを引き受けたときは、学生たちが「先生、やめた方がいい」「そんな危ないことはやっちゃいけない、怖い人たちがいるから」と心配しました。ダム問題は怖い、というイメージが強くあったんです。でもこの機を逃したら、もうこういう機会はないだろうと、引き受けました。結局、8ヵ月通いました。

池上 それで、合意形成はうまくいったのですか。

桑子 木津川上流住民対話集会では、プロセスに対する納得を実現するためにさまざまな工夫をしましたが、特に重視したのは、河川事務所と参加住民との信頼関係の構築です。たとえば、第2回の対話集会で、水没地住民が「話し合いはこんなホテルではダメだ。ダムの建設サイトで直接議論したい」と述べ、進行役を務めた私は、「所長、このような意見が出ていますが、いかがですか」と尋ねました。すると、所長は、「わかりました。次回は、現地で議論しましょう」と即答してくれたのです。

第3回は、バスに参加者が乗り込んで現地を直接見て、近隣の公民館に対話の場を移しました。河川事務所の所員には「集会では事務所職員同士では話をしないこと。そして、住民の隣に座り、できる限りコミュニケーションをとってください」と依頼しておいたのです。この日の対話が雰囲気を一変させました。職員と住民との間に「厳しい意見を出しつつ、笑顔も見える」話し合いの場が生まれたのです。

池上　なるほど。「正確な情報を伝えればそれでいい」ということから、信頼の醸成につながる態度を見せるように変えたら、会話ができるようになった、と。

桑子　もちろん、表面的な対応が多少変わっても、信頼感など生まれません。この現地見学の際、ダムがどうして必要なのかを説明していた若手の職員に、住民からきつい質問が次々と出たんですね。この職員は私に「科学的でわかりやすい説明を心がけているはずなのに、どうして理解していただけないのでしょうか」と、困りきって尋ねてきました。

池上 どう答えられたんですか。

桑子 「では、あなたは一人ひとりの住民がなぜそのような質問をしたのか、厳しい言葉が、その人のどんな人生経験や、関心、心配ごとから出てきたのかを聞いたことはありますか」と言いました。彼は、「いや、そんなことを考える必要があるとさえ思いませんでした」と言った。知る必要があることも、知るための方法も、現在の土木工学のカリキュラムにはありませんから、学ぶことができなかったんですね。

池上 科学的な合理性があればよし、と教えられてきた結果なのでしょうね。

桑子 そこで、その後の対話集会では事務所の若手に「意見を聞くときは、その意見に至った背景・理由・経緯について、常に聞く姿勢を持ってほしい」と依頼しました。第4回から第6回に至る話し合いの場は、当初の雰囲気からは想像できないほど改善されたんです。そこから、いい話し合いの方向を生み出せました。このときの経験から、私たちは「対話集会木津川モデル」をまとめました。それが次ページの表です。これは第4回の集会の冒頭で参加者が合意したもので、対話集会の成功にもっとも大きな力を発揮しました。「対話集会が何のための集会であり、何を目的とし、参加者はどのような態度で参加すればよいか」を参加者全員の合意のもと決定したのです。

対話集会木津川モデル

1　集会を進めながら、対話の進行をデザイン
スケジュールも臨機応変に。期日のみを目標とした運営をしない。

2　手を挙げれば、誰でも参加できる仕組み
参加者のハードルなし

3　全員が責任を持って発言する体制
議事すべての公開

4　新しい「反映」のかたち
「反映」＝「提案＋対応・説明」

5　提案は提案書で、提案書は「前文＋チェックリスト」で
提案書は、河川管理者が川上ダムの問題に対して意思決定する際の検討項目を提示するもの。チェックリストには、対応欄、説明欄もつけるので、提案項目リスト＋対応・説明のチェックリストとして機能

6　対話集会は、住民、河川管理者、進行役による、よりよい提案書をつくるための協働作業

7　対話集会の成果は、「提案書」＋「進行役による報告書」による二段構え
同意できる考えは「提案書」で、対立する考えは「報告書」でもれなく報告

池上　これが桑子先生の合意形成の基本モデルなのですね。さて、桑子先生はこの他にもいろいろな公共事業での合意形成を手がけていますね。

桑子　2004年に、島根県出雲地方を流れる斐伊川（ひいかわ）の一部、大橋川での治水に関する合意形成に参加したケースをお話ししましょう。次ページが現場です。

池上　大橋川は宍道湖と中海をつないでいる短い川ですね。松江市の真ん中を流れている。宍道湖には、斐伊川という一級河川が注いでいますが、大橋川は、この斐伊川水系の下流部にあたります。宍道湖も中海も汽水湖ですから、汽水（海水と淡水が混じった水）の流れる川です。

桑子　私が呼ばれた大橋川の治水に関する問題も、斐伊川の治水事業の一環で巻き起こった話でした。そもそも、斐伊川の大治水事業は、昭和・平成のオロチ退治とも言われたほどの大掛かりな事業だったのです。

ヤマタノオロチ神話は河川治水の象徴だった

池上　オロチとは、日本の神話に出てくるヤマタノオロチのオロチですね。

桑子　ええ。ヤマタノオロチはスサノオが退治したという神話が残っていますが、な

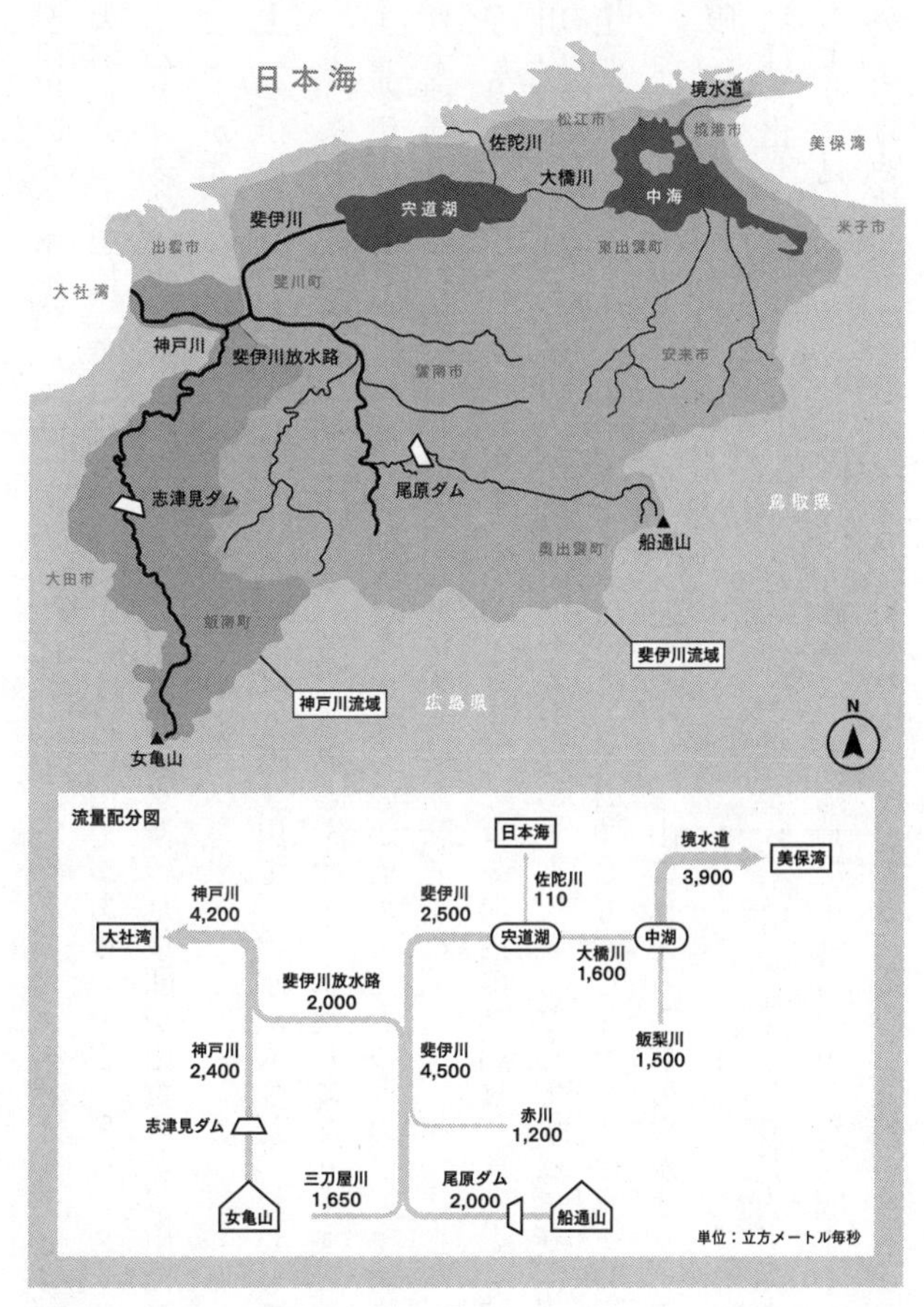

島根県斐伊川の治水対策の概要　（地図は国土交通省中国地方整備局出雲河川事務所の治水計画ページを参照）

ぜ斐伊川の大治水事業がオロチ退治と呼ばれたかというと、ヤマタノオロチとは河川の大洪水のことを指しているのでは、という言い伝えがあるのです。私も、スサノオによるヤマタノオロチ退治の神話とは、治水能力を持った集団が出雲の斐伊川治水をしたことが元になっているのではと思っています。

池上　斐伊川自体が、古来しきりと氾濫を繰り返す川で、治水が大変だったわけですね。しかも河口部には宍道湖と中海という汽水湖があって、水浸しになりやすい地形です。斐伊川はまさにそれを治水職人たちがなんとか治めた、というのが、ヤマタノオロチ神話の元になっているのでは、と、そういう話ですね。

桑子　3年半出雲に通って、ああ、あのヤマタノオロチ退治の神話は、きっとこの斐伊川の治水の大変さを昔の人が物語にしたんだなあ、と実感したんですね。斐伊川には上流に支流がたくさんあって、まさにいくつもの頭をもったヤマタノオロチのようで。それから出雲では、たたら製鉄が盛んですが、山に見える製鉄の火がオロチの赤い眼に見立てられます。

鉄は酸化して酸化鉄となると赤くなりますね。それが川に流れると水も赤くなり、血のように見える。たたら製鉄に使う砂鉄は、風化した花崗岩の中から採取するんですが、この砂鉄も流れて川に砂鉄の砂州がたくさんできる。これが大蛇のうろこのように見える。ですから斐伊川のイメージは本当にオロチなんですよ。

池上　ということは、桑子先生、神話の時代のスサノオに倣って、斐伊川で昭和・平成のオロチ退治に参加されたわけですね。治水事業の内容は、どんなものだったんでしょうか？

桑子　2つのダムと巨大放水路の建造、それから大橋川治水を3点セットでやるというものです。すでに40年近く前から計画されたものでした。ところが進んでいなかった。

池上　なぜ、そんなに長い間、工事が頓挫していたのでしょう。

桑子　河川の治水工事は、多くの場合、下流部から始めるものです。斐伊川流域でいうと、最下流部は、斐伊川が流れ込む宍道湖とさらにその先の中海をつなぐ大橋川です。ところが、こちらの治水工事が進まなかった。大橋川が注ぎ込む中海で、干拓に関するトラブルが起きていたからです。

池上　汽水湖である中海を干拓して農地を造成し、淡水化も同時に図ろうという農業推進策が進んでいたんですよね。けれども、計画は1950年代のもので、減反政策が進んだ70年代に計画そのものに疑問符がついたうえに、淡水化による水質汚染や環境破壊を懸念した反対運動が起きました。マスコミでもずいぶん報道されましたね。

桑子　あの中海こそが斐伊川流域の河口部にあたるわけです。問題はその中海の干拓事業が農地造成を目的とした農水省の事業だった、ということです。一方、河川の治水を担うのは旧建設省、現在の国土交通省。農水省がトラブルを抱えているため、建設省としてもおいそれと中海につながっている大橋川の治水工事に着手できなかった。それが治水工事が頓挫していたおおもとの理由でした。

池上　で、どうしたんですか？

「下流と上流」「右岸と左岸」は仲が悪い

桑子　下流からは手がつけられないのならば、上流から治水事業を行おう。ダムを2つつくって、放水路もつくろう、と計画を切り替えたのです。

ところが、今度は別の問題が持ち上がった。この上流部の治水事業は、何のために行うのか。目的は下流部の低地にあたる松江市を中心とする街と人とを洪水から守ることです。

工事の受益者は、下流の松江市の人たちになる。一方、ダムをつくるのは上流です。ダム工事のために移転を強いられたりするのは上流部の人。そうなると、上流部の人たちには下流部の人たちのために自分たちが犠牲になった、という意識がどうしても芽生えてしまう。

池上　上流と下流の利害が一致しない――河川の流域問題では必ず出てくる問題ですね。

桑子　そうです。河川を巡る問題では、合意形成が非常に難しいんです。上流下流で意見は対立しますし、それから右岸左岸もたいがい仲が悪い。

池上　右岸と左岸でも仲が悪かったりするのですか？

桑子　はい。増水したとき、反対岸の堤防が決壊して洪水になれば、水はそちらに流れる。つまり自分たちの方は洪水に遭わないで済むわけです。つまり、治水に関しては、利害が相反する。川の近くでは、「対岸の村には嫁にやるな」という地域もあるそうですし、増水時に、実際反対岸の堤防が切れたときは万歳三唱した、なんて話も残っている。

池上　あからさまですね。

洪水の被害を止め、川のメリットをもらう信玄の知恵

桑子 ライバルという英語があります。あれもリバー＝川、が語源なんです。

池上 そうでした。同じ川の水を使う人々という意味ですね。だからこそ争いになる。

桑子 少し話が逸れますが、九州の延岡に北川という川があります。五ケ瀬川という川の支川なんですが、ここでは霞堤（かすみてい）があります。

池上 霞堤って、あの武田信玄が考えたという霞堤ですか。信玄堤とも呼びますね。

桑子 そうです。霞堤の場合、堤防が連続しておらず、たなびく霞のようにところどころが切れ切れになっています。

池上 堤防が切れていると、いざというとき水が出てきてしまうのでは？

桑子 それがいいのです。増水すると、どこから溢れるかがわかる。つまり、堤が切れているところから水が溢れる。だから、あらかじめ対応できるわけです。これが連続堤だと、決壊まで時間がかかる代わりにいざ決壊するとどこから水が出るか予測がつきません。

池上 なるほど。逆転の発想ですね。

桑子 天然の川は大雨が降れば必ず増水しますし、ときには洪水が起きる。それが全

部悪いかというと大間違いです。そもそも平野部というのは、川の氾濫と浸食作用でできているわけです。平野部で農業が営めるのは、山林豊かな山から肥沃な土砂が川の水とともに流れてきて、それが洪水などで堆積するからです。

池上　たしかに！

桑子　そこで、霞堤です。霞堤は、洪水などのときに、切れ目から水を堤防の外に出します。で、いったん出した水に含まれる土砂は外側の土地に堆積し、水だけが再び本流に戻るよう、設計されているのです。霞堤の切れ目は、上流に向かっています。つまり流れと逆を向いています。このため、洪水が収まると下流方向に水が流れる力を利用して、水だけを本流に戻すわけです。運ばれた土砂は土地に残る。これが田畑を形成するんですね。

池上　うーむ、合理的ですね。水が溢れることを前提にしているんですね。しかも洪水のプラスの機能である土砂の運搬をちゃんと汲み取っています。

桑子　霞堤の考え方は、洪水は許容する、ただしその結果起きる水害は防ごう、さらに洪水が持っている機能＝土砂の運搬は積極的に利用しよう、というものです。一方、洪水そのものを全部防いでしまおう、というのが近代以降の治水の考え方になり得ます。実は先ほど話した、出雲の大橋川の治水も、かつては霞堤のような柔軟な考えがあったんですね。

池上 え、そうなんですか？

桑子 現在、宍道湖と中海を結んでいる大橋川ですが、江戸時代はじめまでの流路は異なりました。斐伊川は直接日本海とつながっていたんです。

ナイルのたまものがアスワン・ハイ・ダムで痩せていく

池上 では、斐伊川は中海とはつながっていなかったんですか？

桑子 はい。江戸時代初期に大洪水が起きて、そのとき斐伊川は流路が変わって中海とつながったんですね。そのあと、江戸時代から宍道湖では洪水を利用して干拓事業を始めたのです。上流から流れてくる土砂をうまく使って土地をつくっていったんです。

池上 洪水を利用して土地を造成したわけですか。実に柔軟で合理的です。

桑子 近代治水以前には、非常に柔軟な考え方が存在したんです。

池上 それで思い出しました。「エジプトはナイルのたまもの」という言葉がありますよね。あれは、ナイル川が定期的に氾濫することにより、肥沃な農地がつくられていったという意味です。ところが現代になって、洪水を防ごうとしてつくった上流のアスワン・ハイ・ダムのためにナイル川流域の土地はどんどんやせてしまいました。洪水をすべてシャットアウトしたために、土砂が堆積しなくなったんですね。皮肉にもアスワン・ハイ・ダムの中には本来下流に流れるはずの土砂がどんどん溜まって、いずれ使えなくなるんじゃないかとも言われています。これも、近代的な治水思想が引き起こした事態ですよね。

桑子　出雲の大橋川に戻しますと、この事業は、国と県と市、つまり国と島根県と松江市の共同事業です。

池上　どうやって合意形成を進めたんですか。そもそも何が課題だったんでしょうか。

桑子　大橋川の治水工事には、4つの異なる目的が含まれていたのです。治水だけでなく、景観保全、環境保全、そしてまちづくり。この4つの目的をうまく総合して、工事を進めたい、というのが行政の考えでした。

池上　単に治水をすればいいというものではない。それは面倒ですね。

桑子　行政がとっていたチームづくりはこうでした。まず各組織から責任者2人ずつトップの人たちが出てコアのプロジェクトチームを組み、次に大橋川周辺まちづくり基本計画という計画をつくり、それに基づいて事業を進める。その中に、大橋川にかかった松江大橋と新大橋の架け替えの話もありました。さらに白潟（しらかた）という地域の活性化もしたいということでした。

池上　聞くだけで難しそうです。

桑子　いろいろな立場の人がいますからね。たとえば大学の生物の先生は、環境保全の観点から工事に反対します。地元のホテルの経営者は、景観が悪くなるといって工事に反対する。

池上　どのホテルか、想像がつきます。実はNHKに入局した私の初任地は、松江だったんです。

桑子　なるほど！　道理で先ほどからやけに地元の地理にくわしいはずですね。

池上　赴任は1973年でしたが、その前の年に大洪水がありました。洪水の直後に赴任して、洪水の被害を取材して回っていたのですが、その年は大渇水になったんです。

桑子　水に左右されやすい土地柄なんですね。山が迫っていて、ヤマタノオロチのごとき枝分かれした一級河川が低地に流れ込んでいて、巨大な汽水湖が2つつながって、日本海に面している。そういえば、私が行っている間も、一度、洪水になりました。

池上　大丈夫だったんですか？

桑子　ええ。あそこの洪水というのは、濁流が押し寄せてくるような洪水ではないんですね。宍道湖が巨大なダムとして機能している。まずあの湖に川水が溜まる。オーバーフローしても、じわーっと水がゆっくり溢れてくる。土砂が溢れるわけではないので、その水も濁流ではない。静かに床下浸水、床上浸水する感じです。

自然、景色、観光、商売は両立できる？

池上　合意形成が必要な場所は、そもそも複数の課題を抱えているところでもあるわけですね。

桑子　そうです。ところが近代治水は、こうした複数の課題を工事ひとつで片付けてしまおうという乱暴なところがありました。杓子定規の近代治水の結果、土地が痩せてしまったというのは、今もかかわっている宮崎県の海岸浸食対策事業もその典型です。宮崎県にフェニックス・シーガイア・リゾートってありますよね。

池上　90年代前半に鳴り物入りでできた大型リゾート施設ですね。宮崎の海岸と言えば、戦後しばらくまで新婚旅行の目的地でした。

桑子 そう、海岸が美しいので観光地としても名高かった。ところが今、このシーガイアが面している宮崎の海岸、200m幅の素晴らしい砂浜が消滅しようとしているのです。

池上 なぜですか。

桑子 宮崎県の海岸には多くの川が流れ出しています。これらの川がもともと砂の供給源だったんですね。それが川の上流にダムができて、土砂が海岸に供給されなくなってしまった。砂浜がどんどん波に浸食され、いまや風前の灯火になろうとしています。

池上 どんな対応策がとられようとしているのですか？

桑子 砂浜の浸食を止めるためには何が必要かということで、2008年、政府が宮崎河川国道事務所に海岸課を設置しました。基本的に全国のあらゆる海岸は国の管理下にありますが、普段の維持管理は都道府県に委託しています。しかし、この宮崎の海岸浸食のように緊急の回復事業が必要なときは国が直轄するんです。実は、宮崎の海岸が浸食されたのはこれがはじめてではありませんでした。

池上 その前にもあったんですか？

桑子　はい。この南の赤江浜です。こちらは砂浜に加えて、サーフィンのメッカとして知られていました。ところが宮崎空港の拡張工事で大淀川の河口と赤江浜が空港で遮られるようなかたちになり、やはり土砂が供給されなくなったために、海岸がどんどん浸食されてしまったのです。それに大波が来て、侵食が起きました。そこで宮崎県は、災害復興として海岸沿いに人工リーフを設置しようとしました。ところがこれにサーファーたちが怒りました。人工リーフを設置すると、サーフィンができなくなってしまうというわけです。裁判が起き、私が訪れたときはまさに係争中でした。

海岸問題でサーファーは重要なステークホルダー

池上　海で波に乗るサーファーもステークホルダーなんですね。

桑子　宮崎の海岸では重要なステークホルダーです。あの地域はサーファーに愛されています。サーフィンが観光産業となっています。

砂浜の浸食に関してすでに裁判沙汰まで起きてしまったという経緯があるので、国も県も、また同じような裁判が起きてしまう可能性があるのでは、と心配したんですね。こちらもウミガメの産卵地で、環境保護の方たちも行政の対応に注目していました。

池上　桑子先生が入られたときには、ある程度話が進んでいたんですね。

桑子　そうです。当初の計画では、ヘッドランドというT字型の巨大な堤防をつくるという構想があって、話し合いの前にその完成予想図を出してしまっていたのです。

池上　先にもう答えを用意して、住民やステークホルダーに事後承認してもらう……典型的なお役所仕事です。

桑子　結果、ものすごく反発を受けていました。それで困った行政が私に声をかけてきて、サポートをすることになりました。

池上　本当にあちこちで河川や水の問題の合意形成にかかわっていますね。

桑子　冒頭話題に出した淀川水系の木津川の事業にかかわっていたときには、佐賀の筑後川水系のダム問題にも同時並行で呼ばれていました。東京から佐賀県へも月に一度くらい行っていまして、そこで、佐賀平野の治水管理の思想を学びました。あそこでは江戸時代初期の成富兵庫茂安(なりどみひょうごしげやす)という人が、渇水と洪水の両方を総合的に管理するシステムをつくったんですよ。

池上　どんなシステムですか？

桑子　佐賀平野は急峻な脊振(せふり)山地と有明海とにはさまれています。少し雨が降るだけで、すぐに雨は川から海へと流されてしまいます。このため、土砂を低地に溜めるために堀やクリークをつくり、洪水が起きたら、逆にその水を低地に溜めてしまう貯水システムをつくったんです。堰堤がたくさんありますが、これは洪水を利用して堀に水を溜めるための装置です。渇水が起きたら、洪水のときに溜めた水を利用して対応することができます。

池上　昔の人は機械がないから、逆に天候を利用して徹底的に合理的なシステムをつくりますね。

桑子　ええ、素晴らしいシステムです。洪水対策と農地づくりと渇水対策をいっぺんに行うわけですから。ところが、今はこういった合理的な治水がなかなかできないんです。治水は国交省、農業は農水省と、縦割り行政になっているからです。

池上　省庁間の合意が形成されていないんですね。

桑子　河川区域を担当するのは国交省、農地区域を担当するのは農水省。お互いにコミュニケーションはほとんどない状態です。同じ「水」についても、農業用水は農水省ですが、飲料水を扱うのは厚生労働省です。さらにこの水を発電に使うと、経済産業省の出番になります。

池上　複雑ですねえ。

桑子 ただ、基本的に水利権は国交省の所管ですし、官庁間の規制はだんだんと緩める方向で議論は進んでいます。今は官庁間というより、官庁内部の合意形成が問題になりつつあります。

池上 桑子先生はもともとは河川工事の主体と住民の間の合意形成のお手伝いのかたちで参加したわけですが、主体である行政の中でも合意を形成する必要があったということですね。

桑子 考え方の点では2000年に、国交省は治水の大方針転換をしていました。何が何でも川の水を防ぐという治水から、ある程度の洪水を想定しながら対応策を講じて水害を減らす、という方向に、です。先ほどの大橋川でも、少しぐらいの洪水は許容した方がいいという意見も出てきました。一理あるのですが、それは浸水する地域の声ではないんですね、やはり。

賛成派と反対派はそもそも議論をしない

池上 洪水の被害に遭う可能性のある人にとっては、冗談じゃないという話になりますよね。

桑子　その通りです。ただ、従来型のがちがちの治水をやると環境や景観に対応できなくなる。実に難しい。それでも、3年半ほどかけて、大橋川周辺まちづくり基本計画ができました。

池上　意見の異なる住民の間の合意形成をしたわけですね。

桑子　はい。先ほども「木津川モデル」をご紹介しましたが、川の問題では、住民の中での合意形成がものすごく大事です。利害が異なる住民同士を同じテーブルにつけなければ、話が先に進みませんから。実は、たいていの場合、住民側の賛成派と反対派とは、ほとんど議論をしていないんです。

池上　賛成派と反対派は、そもそも議論をしない——そうなんですか？

桑子　賛成派は「早くやれ」と行政に言い、反対派は「絶対反対」と行政に言うだけで、お互いに話を聞くということをしていない、というケースがとても多いのです。合意形成以前の状態で、膠着している。

池上　そこで桑子先生の出番ですね。では、どうやったら合意が形成できるのでしょうか？

徹底的に「建前」で議論せよ。しからば合意に至らん

池上　河川改修のような公共事業を行っていく上で、社会的合意形成は不可欠であることが、これまでのお話で理解できました。とはいうものの、そもそも意見の合わない者同士の間で合意を形成するのは難しい。合意形成、まず、どこから始めるのですか？

桑子　条件によってやり方はいろいろありますが、最初に考えるべきは、話し合いの場とプロセスのデザインをどうするかということです。そのためには、それぞれの事案のステークホルダー＝利害関係者の分析が非常に重要になってきます。この事案に関しては、いったい誰がステークホルダーなのか。それを知る必要があります。

次に、それぞれのステークホルダーの意見を把握する必要があります。英語でいうと、オピニオンですね。さらに重要なのは、その意見の理由、なぜそのような意見を持っているかということです。これは、「どういうことに関心を持っているか、どうい

うことを心配しているか、つまりどういうことに懸念を持っているか」ということで、「意見の理由」です。

この意見の理由、つまり、インタレストを把握する必要があります。ダム建設に関して、海岸の改修工事に関して、どんな意見を持っているのかだけではなく、どうしてそういう意見を持っているかをしっかり知っておかねばなりません。その把握がデザインのスタートです。

池上　なるほど。

桑子　インタレストという言葉は「利害」と訳されることもありますが、私は「関心」とか「懸念」と訳することにします。たとえば、話し合いをするとき、あなたの利害は何ですか、とはなかなか聞けません。

池上　あまりにあけすけな聞き方になりますね。

桑子　しかし「あなたがそういう意見を持っているのは、どういうことに関心をお持ちだからですか」「どういうことを懸念されているんですか」とは聞けるわけです。

池上　たしかにそうだ。

合意形成は「落としどころ」じゃない。第3の答えです

桑子　「あなたがそうおっしゃるのは、どういうことを懸念されているからですか」ならば聞くことができる。そうやって聞いていくことで、それぞれのステークホルダーのインタレスト、つまり意見の背後にある理由がわかってきます。

ここでポイントとなるのは、合意形成とは、対立する「意見の調整」ではない、ということです。

池上　え、合意形成とは、意見の調整ではない？　てっきり、ダム賛成派と反対派の間に立って、お互いの意見を調整することだと思っていました。違うんですか？

桑子　違います。表面上の意見の対立を調整しようとしてもまず無理です。そう思いませんか？

池上　まあ、そうでしょうね。じゃあどうするんですか？

桑子　なぜそれぞれが賛成、反対の意見を持つに至ったのか。その意見を持った理由をちゃんと掘り下げる。そしてそれぞれの意見＝インタレストの対立構造そのものを露わにした上で克服する。それが合意形成なんです。調整というと、賛成と反対の間に立って、だいたいこのくらいの感じでいかがでしょうか、というかたちですよね。

そうではないんです。

池上　さまざまな意見の背後にあって、必ずしも表には見えない対立構造が生まれている。その構造自体をまず明らかにせよ、と。

桑子　しっかり構造を認識する。そこから合意形成が始まります。

池上　個別の意見の理由を掘り下げていくと、同じ意見、たとえばダム建設「反対」、であっても、当事者それぞれの反対する理由は違う、ということがありますよね。

桑子　その通りです。反対するにしても、具体的にこういうデメリットが生じるから反対だという人もいれば、役所のやることは信用できないからとにかく反対だという人もいる。

対立の原因は「かあちゃん同士の仲が悪かった」

池上　役所にかつて嫌な目に遭わされた人だと、役所が介在するだけで反対、となる――。

桑子　ええ。私がかかわったケースでも、「何年にここに来た行政の責任者が嘘を言った。だから反対だ」という人がいました。約束が守られなかったという記憶が心の中に残っている、だから信用できない。そんなことが現実にあるんです。それから、別のとある現場では、「同じ意見」を持っているけれど、お互い非常に仲の悪い人たちがいたのです。

池上　理由はなんだったんですか？

桑子　それぞれに話を聞いてみると、理由は単純で、その人たちの「かあちゃん同士の仲が悪かった」（笑）。これは相当解決困難な理由で、これがわかったら、2人の間をとりもつことは止めるという戦略をとれます。

池上　なるほどなあ。でも、そんなものかもしれません。

桑子　と、種明かしされれば納得できることでも、ちゃんと個別に話を聞いていかないと、とても想像がつきません。だから「意見の理由」を深く認識する必要があるんです。これは、面と向かって聞いただけではわからないことも多いのです。

池上　その通りですね。

桑子　今の「奥さん同士の仲が悪いのが原因だった」という話は、一緒に調査に入ったうちの学生たちが、地元の人たちと酒を飲んでいるときに出たんです。通り一遍の聞き取りでは出てきません。このように工夫しながら、ある意見を持つに至った歴史的な経緯を認識することが、非常に重要になるわけです。これを「理由の来歴」と言っています。

池上　桑子先生はよそから突然現場へ入るわけです。地元の輪に入るのは、難しくないですか。

桑子　そんなとき頼りになるのは現地のコンサルタントです。誰のことも知っていますからね。

池上　集めた意見や理由はどう整理していくんですか？

桑子　どんな事業でも、100人くらいのステークホルダーのリストをつくり、それを①意見②意見の理由③理由の来歴で分類します。どういう来歴でその理由が形成されたかが整理できると、コンフリクト＝対立の構造がよくわかってきます。これを「コンフリクト・アセスメント」と呼んでいます。

池上　環境アセスメントならぬコンフリクト・アセスメントを行って、どんな対立が存在するのかを見極める、と。そして？

桑子　次にこの対立構造をどう合意に導くか、そのプロセスをデザインします。ここでいうプロセスとは、合意が形成されていない状態から、合意が形成された状態、という異なる状態に移行する過程です。スタートがあってゴールがある作業です。つまりこれは「プロジェクト」なんです。

池上　徐々に整理されてきました。問題はここからです。どう合意点を見出すのですか。

桑子　ケースによっては、スタート時点で合意点は決まっていません。もちろん、計画ありき結論ありきで、決まった目標を何がなんでも実現するための「ご理解いただく」説明会というのはあります。でも、それでは合意形成にはなりません。合意の形成の場合には、ゴールは「合意が形成される」ことですが、「どんな合意」が形成されるかは決まっていないのです。

池上　決まっていない？

桑子　そう、決まっていません。もちろん、公共事業であれば、お役所には「こういうことをやりたいんだ」という青写真はあります。しかし、今は割合に柔軟になっていて、順応的マネジメント、アダプティブマネジメントという、その都度改善して、最適な状態に導くという考え方に変わりつつあります。「当初の目的を達成するのが合意形成である」とすべてのお役所が考えているわけではなくなってきました。

「ゴールを決めない」ことが合意形成につながる

池上　お役所といえば、先に結論ありきで、アセスメントなどもそこに行き着くための言い訳のような気がしていました。でも、変わってきたんですね。そもそも、ゴールは決まっていない、必ずしも見えていないと。

桑子　少なくとも私が呼ばれたケースは、結論ありきで進められないケースです。トラブルで困っている状態ですから。それで「住民や他のステークホルダーと一緒に考えながら最善の方向を目指しましょう」という姿勢を打ち出しているわけです。「結論ありきでない状態を目指すこと」こそが、社会的合意形成の意義ですね。だから、私が従事した事業では、計画をつくってから事業を実施するというかたちをあえてとっていないケースもあります。具体的なゴールは議論を進めながらつくっていきます。

池上　計画が必ずしもつくられていない――。かつての、役所がつくった計画を住民に説明し、受動的に合意を得る、というスタイルとは、ずいぶんと変わってきているんですね。では、お話に出た宮崎の海岸のような事例では、どうやって合意を形成していくのでしょう。国や県は護岸して砂の流失を防ぎたい。サーファーは波がなくなるような工事をされたくない。環境の側面からはウミガメの産卵地を荒らされたくない。みんなばらばらです。

桑子 スタート時点では、インタレストのコンフリクトの構造や関心事の衝突構造が関係者に理解されてもいなければ、共有されてもいないわけです。ですから、そのコンフリクトの構造を、関係者同士が、まずはしっかり理解するプロセスをつくっていくことになります。そのためには、私自身、関係者と直接会って、意見とその理由を聞く努力をしました。他のケースでも、同じように関係者と直接会って話を聞きます。大事なのは、それぞれの意見とそれぞれの理由の構造を整理し、かつ利害のぶつかる人々の間で対立の構造を共有することですね。自分の立場からだけ問題を考えるのではなく、いろいろな立場からさまざまな見え方があることを互いに理解する場を設計するんです。

池上 意見の違う人間同士がそれぞれの立場の見え方を理解する場を設計する——。理屈はわかります。でも、それこそ難しくないですか？　どうやってそんな場をつくるんですか？

桑子 基本的には、完全にオープンな場を用意します。みんなが意見を自由に言える場を最初につくる。その場においては、どんな人が来てどんな意見を言ってもいいというのが大前提です。淀川水系の木津川のケースでも、島根の大橋川のケースでも、そうしました。

池上　そんなことをしたら賛成反対入り乱れてめちゃくちゃになってしまうのでは？

桑子　私も最初は心配しました。でも、完全にオープンな場を用意しても、100人単位で人が集まることって滅多にないんです。

池上　なぜでしょう？

桑子　オープンな場、といっても、話し合いの場です。ただ賛成、ただ反対、という自分の立場を鮮明にするだけではない場です。そうなると明確な意見を持った人しか集まらないことが多いんですね。一番人数が多かったのは、木津川の話し合いのときで220人でしたね。もちろんもっと多く集まるだろうと思って、大きな体育館を会場に選んでおきましたが。

池上　会場選びに関しても、かなり柔軟というか、ざっくりしているというか。

桑子　もちろん、実際に何人くらい集まるかについては事前に調査し、予測します。ここでひとつ、こうした話し合いの場がちゃんと機能するための秘策をひとつお教えしましょう。

池上　え、どうするんですか？

桑子　たとえば当日100人くらい出席しそうだとわかったとします。そんなときは、並べる椅子の数を70脚くらいにとどめておく。

集めたい人数より3割少ない椅子を並べなさい

池上　なぜそんなことを。

桑子　日本でこうしたイベントをやると、参加者はほとんど後ろから座っていきます。そういうイベントの席をたくさん用意しておくと前の方が必ずガラガラになります。そういうイベントの場、出くわしたこと、あるでしょう？

池上　よーくわかります。学生が教室の席につくときに後ろから埋まっていくのと同じですね。

桑子　まさにその通り（笑）。そこでわざと見込み来客数より3割くらい椅子の数を減らしておく。そうなると、70人来た時点で席は一杯になり、最前列も埋まります。で、71人目が来たら、あとからあらかじめ用意した椅子を追加していけばいいのです。

池上　その手があったか！　大学の授業で最前列に学生を座らせるために同じ手を使いたいところです（笑）。

桑子　残念ながら、大学の教室の席は固定されちゃってますからね。このようにコミュニケーションがやりやすくなるような場を柔軟に設計することを、私は「コミュニケーション空間デザイン」と呼んでいます。このコミュニケーション空間デザインと、合意形成のためのプロセスのデザインとを両方同時に進めていく。

池上　合意形成は机上で行われるのではなく、生身の人間の意見がぶつかり合ってできるわけですから、コミュニケーションが行われる空間をいかにうまくつくりあげるかが成否を決める、ということですか。

桑子　はい。ダム建設にからむ問題だと、故郷がダムに沈むといったつらい立場の人もいるわけです。当然、利害関係者の間の話し合いは緊張感が生まれます。こうした緊張を和らげるための工夫も欠かせません。飲み物や甘いお菓子を用意するとか。それも必ずしも休憩時間ではなく、話し合いの最中でも飲んだり食べたりすることができるようにする。厳しい話し合いだと、喉は渇くし、糖分が不足すると人間は怒りやすくなりますからね。

池上　そこまで気を配るんですね。

桑子　それから、途中から話し合いに参加するのも大歓迎、というふうにしておきます。そうしておかないと一部の人たちだけの議論になってしまいますから。途中参加の人から、すでに議論した内容についての質問が出たりします。すると、「堂々巡り」

になったり、「振り出しに戻る」となったりしますからね。途中から参加した人でも内容についていけるように、これまでどういう話し合いがされてきたかを示すための資料を、壁に貼り出しておきます。これによって、ムダな議論の繰り返しも防ぐことができます。途中から参加して、話し合いが後戻りするような質問をした人に対しては「その問題については、今までずいぶん議論しました。その経緯はそこにありますのでご覧くださいね」と説明します。これが、合意形成のプロセスの設計であり、運営であり、進行方法、というわけです。そのほかにさまざまな工夫を行います。そうすることによって、誰でも参加でき、発言の機会を持てる場を保ち、しかもお互いに安全な気持ちで議論できる。そんなルールをしっかり定める。

池上 オープンで、フェアで、それでジャスティス＝正義を実現するということですね。

女性や子どもをメンバーに入れると議論の質が高くなる

桑子 そうです。それは私のジャスティスでもあります。オープンと言えば、印象に残っていることがあります。先ほど挙げた出雲の事例では、まちづくり計画検討委員会の委員長を務めた、島根大学の島田雅治名誉教授が、あらゆる会議の最初に「本日の会議で秘匿すべき情報はございますか」と確認をするんです。それを受けて、松江市の事業担当者のトップが「本日の会議で秘匿すべき情報はございません」と宣言して、それで会議を始めるんですよ。もちろん、個人情報だとか、秘匿すべき情報は出しませんが、それ以外は全部オープンですよ、というのを話し合いの場で、その都度共通の認識として市民も含む参加者全員が確認するために行っていたんです。

池上　面白いですね。もう少し、そのあたりのお話をうかがいたいです。合意形成をしていくためにどんな工夫をしているのか。

桑子　ときには、「女性」や「子どもたち」が重要な役割を果たします。ダムや道路などの厳しい話し合いに出てくるのは、高齢の男性が多い。すると、「おじいさんだけ」「おじさんだけ」の話し合いになってしまうのです。そのような場は、似たような意見ばかりになってしまう。そこに多様な意見があるということをみんなが認識することが重要です。

池上　ダイバーシティ＝多様性、が合意形成を担保する、ということですか。

桑子　はい。女性や子どもたちがいると、とてもいい効果があります。まずですね、女性や子どもたちの前では、高齢男性のほとんどは、本音を出しにくくなります。ジコチューの意見は恰好悪いですからね。ですから、多くの高齢男性は格好のいいことを言います。まあ、女性や子どもの前でも平気で本音を言う人もいますが、少数派です。一般には、子どもの目の前で己の私利私欲をむき出しにする、というのはなかなかできません。

池上　日本の国会も子どもに傍聴してもらった方が議論の質が上がるかもしれません（笑）。

桑子　冗談抜きでそう思います。私がファシリテーターを務める「場」では、子どもには積極的に参加してもらうケースもあります。子どもには本音と建前がありませんから、非常にフラットな意見が出てきます。

池上　王様は裸だと言えるのも子どもの特権ですからね。

桑子　社会的合意形成の場は、正論を闘わせる場です。だから建前をぶつけ合う議論になります。でも、それがいいんです。

池上　本音で語るのではなく、建前で語った方がいいんですか。

桑子　私はあえて、本音で語ろうという方法は採りません。徹底的に建前で議論をします。というのも、本音というのは、個人的な、自己中心的なことなんですよ。社会的な合意形成には不向きなんです。それから、ちゃんとした建前は何度も繰り返して言っているうちに、その建前が個々人の本音に変化していくんです。

「本音」はいらない「建前」をぶつけろ

池上　建前が本音になる。発言によって人が変わって、成長するわけですね。

桑子　そうです。議論を重ねていくと、別人のようになります。ある現場では、長い話し合いを続け、また、一緒に地域の環境を守るための活動も一緒にやったおじいちゃんが、みんなと一緒にビールを飲んでいたときに突然ぽつりと言いました。「先生、アイ・ラブ・ユーだよ」

はじめは厳しい文句ばかり言っていた人がですよ。

池上　おお！　とはいえ、強固に自己中心的な発言を繰り返す人もいるでしょう。

桑子　それはいますね。でも、そういう「変わらない人」も大事なんですよ。みんながいい人になってしまうと、対立がなくなるでしょう。すると、話し合いに参加する人が少なくなってしまうんですよ。こういう話し合いができるんだったら、あとはもう任せておけばいいと。すると、議論が寂しくなってしまう。よりレベルの高い合意形成に至らなくなってしまう。

池上　まさに弁証法ですね。ある意見に対して、反対意見や同意をぶつけて議論を深めていく。

桑子　ですから、うるさい人はいた方がいいのです。排除してはダメなのです。また、非常に自己中心的な発言をし、他者の批判に終始するような人たちもいますが、その一方で、静かにずっと話し合いに参加してきた人たちがたくさんいるわけです。そういう人たちの中から、ある日、自己中心的な人に対して意見がポンと出る。「あなたはそう言うけれど、みんなが互いに話を聞いて、きちんと議論をしているんだから、あなたもそれを踏まえて自分の意見を述べるべきだ」というふうに。場の雰囲気はがらっと変わりますね。自己中心的に持論を振りかざすだけだった人も、己を省みざるを得なくなる。

池上　それによって、合意形成ができていくわけですね。

桑子　そうです。合意形成は裁判で訴訟をするのとは違うんです。裁判は、ひとつの議案に関して、ある意味で勝ち負けを決める場になります。片方が勝って片方が負ける。でも、実は根本的な解決にならない。というのも、負けた方が納得していないと、対立構造そのものは裁判の結果とは別に温存されてしまうからです。裁判は必ずしも合意形成の手段になり得ないのです。

池上　それはとても重要なポイントですね。

桑子　一方で、まったく逆に聞こえるかもしれませんが、合意形成とは妥協ではありません。妥協ではダメだと思うんです。人が妥協をしたなと感じるのは、別の言葉では、敗北をしたと感じているということなんです。結局、勝ち負けの話になってしまう。訴訟と妥協は一見真逆の結果を導き出すようでいて、片方が「負け」になる、という時点で似ているのです。

池上　そう言われると、いろいろ思い当たります。

桑子　合意形成とは妥協ではありません。新しい意見の創造です。だからクリエイティブでなければいけない。では、合意形成をクリエイティブにするにはどうすればいいのか。

池上　どうすればいいんですか？

クリエイティブな答えは物静かな少数派が持つ

桑子　少数意見に目をつけます。話し合いのときには、いくつかの多数意見が出ます。当たり前ですね。けれども、私が一番大事にしているのは、その他の少数意見です。

その少数意見の中に問題解決のアイデアが潜んでいるというのが、私の基本的な考え方です。

池上　だから、誰でも意見を自由に言えるような場をつくるんですね。

桑子　その通りです。大事なのは、サイレントマジョリティーなんです。参加しているけれど、黙っている人たちです。彼らサイレントマジョリティーにも、いろいろなタイプがあります。意見があって言わない人も、意見がなくて言わない人もいる。意見がない人の中には、関心はあるんだけれどもどう考えたらいいかわからない人もいます。もちろん、そもそも関心のない人もいますが、関心のなさにも理由がある。問題をよく知らないだとか、情報を持っていないというのも関心がない理由、意見がない理由になります。意見の理由だけではなく、意見のないことの理由も、コンフリクト・アセスメントではとても大事なことです。

池上　そうか。同じ意見でも理由が違うように、一見、同じように黙っている人にも、それぞれの理由があるということですね。

桑子　そして、サイレントマジョリティーの中に潜む少数意見の中には、対立する多数派が思ってもみなかったようなアイデアがあるかもしれない。その意見を掘り起こすことによって、みんなが納得するというプロセスをつくりあげるのが、私の考える合意形成です。もし、多数意見の間の調整にすぎなければ、それはただの妥協です。

池上　社会的合意形成って、そういうことなんですね。

桑子　だから多数決も採りません。社会的合意形成の必要な場におけるステークホルダーは「特定多数」ではなく「不特定多数」ですから。多数決が意見を代表するとは限らないのです。

困ったら「神社」を探せ！合意につながるカギがある

池上 これまで、具体的にどう計画し、どう実行し、どう合意形成に結びつけていくのか、話をうかがってきました。重要なポイントは、ダム工事や河川改修など事業の主体である国や自治体が、積極的に合意形成をしようという姿勢を持つかどうか、だと思います。従来の自治体の立ち位置だと、あくまで合意形成というのは「建前」だけでやるもの、のような感じを受けましたが。自治体の対応もずいぶん変わってきたのですか？

桑子 社会的合意形成の重要性を理解してくれる自治体や官公庁は確実に増えていきます。ケースバイケースですが。少しだけ私がかかわったある事業で、当該自治体は、話し合いは完全にオープンにし誰でも参加できるようにすべきという、私のアドバイスを一切聞きませんでした。

池上 自治体側が必ずしも協力的じゃない場合、どうすれば合意形成に至るのでしょう。

桑子　いい事例があります。道路にまつわるお話です。関東のある町で、県の都市計画に基づいて大きな道路を通す計画が立ち上がりました。ところが道路予定地には地元で親しまれている森があったんです。地元のとある家族が代々受け継いできた私有地なのですが、市民に開放され、子どもたちの環境学習などにも使われていた。その森をぶち抜いて道路を通す計画だったんですね。

池上　そこで、桑子先生に助けてほしいと連絡が入った――。

桑子　このときは自治体側ではなく、地元の森を守りたいという立場の方から呼ばれました。

池上　まず、どうしたんですか。

スサノオ＝神社の立つ場所は洪水・津波に強かった

桑子　現地に行って、そこがどんな場所かを調査して認識します。で、実はこうした環境開発にからむとき、私は周囲に神社がないか、注視します。

池上　それはなぜですか。

桑子　もとはといえば、日本の神様の故郷、出雲で長く仕事をしていた影響ですね。現場へ行くと、必ず神社を回るようにしているんです。これはスサノオに感化されたせいです。

池上　素戔嗚尊（スサノオノミコト）ですか。

桑子　ええ、スサノオを祀った神社はすごいんです。震災後、私は研究室の学生と東北に行き、被災地の神社を巡りました。祭神、祀られている神様によって被災状況はどう違うかを調べ、論文にまとめました。これは仮説として考えていたことですが、実際調べてみるとびっくりする事実が判明しました。スサノオを祀った社はどこも津波の被害を受けてないんですよ。

池上　なぜですか？

桑子　それは、スサノオを祀るというのがどういうことなのかを考えるとわかります。スサノオは、ヤマタノオロチ伝説で有名ですが、私は、これを斐伊川の治水の象徴と考えています。

治水をするということは洪水から人々を守ることです。洪水になると被災した地域には感染症が発生しますから、洪水の被害だけではないですね。実際、スサノオは治水だけではなく、オロチから救ったクシナダヒメと結婚しますので、国づくりの神様、さらに災害から発生する感染症をはじめとする病気から人々を守る神様として信仰されてきました。つまり、スサノオは人々を災害や病気から守る神様、「無病息災」の神様です。たとえば、京都に八坂神社がありますね。そこのお祭り、祇園（ぎおん）祭は、無病息災を祈るためのものなんです。

池上　なるほど。

桑子　スサノオは、災いを防ぐこともできるし、災いを起こすこともできる。これは日本の神様にみな共通のことで、両面の力を持っているんです。さらにいうと、スサノオは、洪水や水害を起こすこともできるし、防ぐこともできる。スサノオを祀った社は、だいたい高いところにあるんです。洪水が押し寄せても、津波が来ても、その社の下、ぎりぎりのところで止まるようなところ、そこに逃げれば助かるというロケーションに立地しているんです。

森を守る合意形成に一役買った「たたり」

池上　洪水だけでなく、津波でも大丈夫と。

桑子　もしかしたら、と考えていましたが、実際に現地に赴いて、社殿の地に立ってみると、その場所は津波からも守られるというのには、驚きましたね。いかに歴史的経験に踏まえて建てられていたかがわかったので。

東北では、出雲神社とか八坂神社という名前が多いですが、こうした名前の神社は、その名前を聞いただけでスサノオを祀っているということがわかるんです。おそらく、出雲系の治水にかかわる技術屋集団が、いろいろなところで仕事をして、その一環として神社も建てて、そこにお参りするような仕組みをつくったのだと思います。

池上 いざ洪水や津波が来たときは神社のあるところに逃げろ、という教育もしたわけですね。

桑子 それで、道路を通す話に戻るんですが、この森の道路を通すまさにその場所に熊野権現という銘を刻んだ石碑があるのを発見したのです。熊野権現は、いろいろな経緯があるようですが、出雲には熊野大社があり、スサノオが祀られています。紀伊の熊野にも関係していますが、どうやらスサノオを祀っているように思いました。江戸川の河岸段丘上の非常に重要な場所に当たっていて、段丘の下には、水の守り神、弁天社がありました。江戸川と深い関係にあると判断したのです。さらにその石碑の上には大きなツツジの木が枝を広げていました。春になるとそれは見事に花を咲かせます。この石碑とツツジがポイントです。

池上　神様の力を借りたということですね。

桑子　その町には、住民なら誰でも知っている噂がありました。行政トップだった人が区画整理を進めるに当たって、予定地の八坂神社を移転させ、しかもご神木を倒したらしいんです。そのトップの人はまもなくお亡くなりになった。「これは……」という噂が、市民の間にはあったんですね。これも合意形成のベースになる「大事なインタレスト、関心事」なんです。

池上　これもその土地を知らないとわからないことですね。

桑子　この町で道路に関する講演会があったときに、文化人類学の先生が講演したんです。つまり、今回話題になっている森にある石碑は、こういう神様を祀っていて、と。すると、聞いている市民は、いろいろなことを連想します。もちろん、過去のことも含めて。

池上　「あ、あの人と関係している、あの神社か」、と。

桑子　そうなんですよ。結果として、その講演が功を奏して、それまでは強硬だった市の態度が軟化して、交渉の場にトップが出てきて合意に至りました。

池上　道路はどうなりましたか。

桑子　その森を迂回しました。

池上　森は生き残った。そのお方も生き残っていますか（笑）。

桑子　ええ、ご存命です。

池上　神社というのは、昔から人々が自然とどう共生するかという知恵を絞った中でつくられていったものですよね。

神社＝歴史にビルトインされた災害対策システム

桑子　そうです。実は、社会的合意形成とは別に、自然との共生の歴史を掘り起こすためのプロジェクトというのを1983年から5年間かけてやったんです。テーマは、「日本文化の空間学」です。

池上　そのタイトルで、本にもなっていますね。

桑子　この研究を通じて、いろいろなことを学びました。たとえば、昔の人が分水するときには、分水地点の前に弁天様の祠（ほこら）を置いて、その前で必ず議論をしたとか、あるいは八幡社の境内の中に分水地を置いたとか、いろいろな工夫をしているんですよ。その理由のひとつには、日本は災害の多い国ということがあります。資源だけでなく、リスクも共同体の中で負担配分してきたんですね。

池上　リスクの負担配分は、災害が起きてしまった後にも大きく影響しますね。

桑子　そうです。災害の後には必ず、復興のための負担をどう配分するのかという問題が起こります。ですから、災害が起きる前に、リスクをどう避けておくか、負担を配分しておくかが共同体の中でとても大事になるんです。それは、いざというときの紛争解決のための文化でもあります。日本の文化の根幹にはそういった知恵がインストールされている、というのが私の持論です。

池上　古くからの知恵を現代にどう活かすかも社会的合意形成の一助になるわけですね。

桑子　たとえば、私が今お手伝いしている佐渡島の福浦というところでは、公民館の床の間に「赤井神社」という文字の掛け軸を掛けています。「赤井」というのは、もともとサンスクリット語のアクアから来ています。水という意味ですね。その地域は佐渡の重要な水源地で、水を大切にする文化のいわば「空間の履歴」がその掛け軸に表現されています。そういう神様を前にすると、みんな真面目になるわけです。

池上　なるほど。

桑子　罰が当たるのは、怖いですからね（笑）。

池上　本来なら政治が機能すべきところで、文化人類学が役立つというのは、面白いですね。

桑子　間接民主主義では、最終的には代表者が多数決で決めることになります。その意思決定の仕組み自体はもう否定できない。でも大切なのは、選ばれた議員さんたちが、自分たちの考え方をどのように形成してきたかというプロセスの部分です。つまりできあがったマニフェストの手前で、自分の支持者たちだけではなくて、地域住民の意見をきちんと聞いて政策形成をしていくという段階をしっかり踏んでいたかどうか。それが議員の役割を果たす上で重要なのです。

池上　日本ではそれができていませんね。

桑子　そうなんですよ。実際に議員さんたちのインタレスト分析をすると、関心事は票ですね。選挙のことが圧倒的に一番です。

池上　やはりそうですか。

政治と議員は合意形成より「票」

桑子　残念ながら。私が組織した話し合いに議員さんたちも来ましたけれども、意見を聞くと、その理由が言葉に出てしまいますね。議員さんたちは、市民の話し合いの場を、自分の意見を主張する場に使おうとするんですよ。人の話を聞く場にしない。所属する政党の主張などの宣伝に使おうとする人もいます。

池上　これは、どの政党が、ということではありませんね。政治家全般がダメ。

桑子　政党とは関係なくそうなんです。だから、議員さんには「黙っていてください」と私は言うんです。「黙って皆さんの意見を聞いて、それを議会に反映してくださいね」と。

池上　なるほど。これが日本の政治の悲しい現実ですか……。

桑子　公共事業に関する予算を決めるのは、議員さんたちです。ですから、どういう事業をするのかについても、本来なら議員さんたちは市民の声をしっかりと聞き、その上で自分の政見をつくり、議会できちんと議論すべきです。しかし、実際には、行政が住民参加型の話し合いを主催しているんです。議員はつまるところ自分が生き残る方法、つまり選挙のことしか考えていない。私も、目の前の問題を解決するには、議会を通じてやるよりも、実権を握っている行政とやった方が早いと思っているので、やっているわけです。社会的合意形成の現場でわかる、たしかに日本の政治の悲しい現実です。

池上　考えてみるとそうですね、本来は政治がやるべきことですから。皮肉にもそれが、政治家がいるとできなくなってしまう……。

桑子　ただ、松江では、市民意見交換会で計画案を練って決めていったんですが、一部の反対する人たちが、議会に質問書を出すかたちで「市民意見交換会のやっていることはけしからん」というようなことを言ったんです。そうしたら、議会はきちんと議論をしてくれました。最終的には、すべてを踏まえて市長が最終的な意思決定をするというかたちを取りました。

池上　ということは、政治もそれなりに機能した。

桑子　稀な例ですが、機能したんです。一方、国、県、市の行政はしっかりと手続きを進めたのですが、ただ、一時、足並みが乱れたことがありました。洪水があったとき、対応の悪さの責任をなすりつけ合うような記事が、新聞に出ちゃったんですよ。行政はしっかり一体となって、災害対応しなければいけないのに、これでは、市民の信頼は得られません。私が怒って、関係者に激しいメールを送ったのですが、みんなびびったのだそうです。それ以来、私はひそかに「桑子大明神」と呼ばれていたのだそうです。あとで知ってびっくりしました。

「大明神」ひとりがいても合意形成はできない

池上 桑子大明神！ そんな大明神的な人の存在も、合意形成には必要でしょう？

桑子 実際は合意形成のマネジメントをする人たちは、全体を把握してないといけない。それが大変ですね。だからひとりでは絶対にできないのです。プロジェクトチームを組んで、それぞれが役割分担をしてマネジメントしていく。これが合意形成の実務になります。

原発問題で合意形成はできるか？

池上 ここまで、社会的合意形成についてうかがってきましたが、どうしてもひとつお聞きしたいことがあります。それは、原子力発電所、原発についてです。おそらく読者の皆さんも、ここまで読んできて、社会的合意形成は原発の是非を問うときにこそ必要なのでは、と思っていらっしゃるはずです。原発問題について、どうやって合意形成をしていけばいいでしょうか。

桑子 実は今、とある被災地でこれから町をどうしていくかという合意形成にかかわっているのですが、原発にからむ問題は難しいですよ。

池上 どんなところがですか？

桑子 私がこれまでかかわってきた、たとえばダムの問題、道路の問題については、みんな意見を持っていました。その意見には賛成反対ともにちゃんとした理由がありました。その理由の来歴もありました。

池上　原発の問題ではそれがないんですか。

桑子　ない。なにせ、2011年3月11日のあの原発事故によって根っこの部分から全部、壊れてしまっているわけです。町によってはコミュニティそのものが崩壊している。しかも高度な科学技術がからむ話で、専門家ですら意見が割れている。一般市民が、自分がどういう意見を持っているのか、持ったらいいのかということがわからない。何かを心配しているんだけど、どう心配しているのかもわからないんです。

池上　うーん、たしかにそうですね。

桑子　わからない。意見を形成したいんだけれども、その意見形成の根拠となる科学的説明というのがどうも信用できない、何を信用していいかわからないという状態の中にいます。

賛成と反対、対立の「構造」が揺らぎ続けている

池上　たとえば放射線量が体に与える影響についても、専門家によって言うことが違います。

桑子　そういう中で、自分たちがこれからも生きていく地域をどうすればいいかにつ

いて合意を形成しなきゃいけない。難事業です。

池上 桑子先生のお話では、合意形成の大前提として、意見の対立構造を明らかにする必要がありましたよね。

桑子 そうです。対立している明確な意見があって、コンフリクトの構造がはっきりしていれば、私も何かしら「こうしたらいいんじゃないか」と言えるんですが、それがないんです。もちろんさまざまな賛成や反対がある。つまりコンフリクトの構造はある。ところがそれがどんどん動いてしまう。新しいニュースや新しい状況で、構造そのものが揺らぐ。当然、人々の意見も動揺しっぱなしです。意見も、意見の理由も揺らいでしまう。

池上 しかも、個人レベルで前提が変わります。たとえば家庭環境によっても、高齢者を抱えた家と独り身では違うでしょうし、職業でも違うでしょうね。現場に張り付かなければいけない農業や漁業と会社勤めの人の間でも異なるかもしれない。

桑子 同じマンションの住人でも、1階と5階とで違います。放射線量が地面に近い方が高い、という理由で。ですから、仮にお互いに自分たちの置かれている状況について意見交換をしたとしても、その背景が違ってしまっている。同じ仮設住宅に暮らしていても、原発の被害から避難している人には補償金が出て、津波から避難している人には出ないという状況があります。繰り返しますが、科学的にも、社会的にも、自分がどういう意見を持っているのかわからないし、互いにそれを共有することも難しいんですね。私が今までやってきた合意形成の方法論が、こんなにも当てはまらないのかと、驚いています。これまで、なぜ「賛成」か「反対」なのか、意見の理由を知ることが合意形成の前提という話をしました。その理由を私たちが知るには、話を聞くという方法もありますが、ある程度は空間構造を見るだけでも、わかるんですよ。

池上　空間構造ですか。

桑子　それを空間の価値構造認識と呼んでいるんですが、それをもっとわかりやすく言うと、「ふるさと見分け」という言葉になります。ちょっと脱線しますけど、いいですか。

池上　ええ、どうぞ。

桑子　私が旧・建設省（現・国土交通省）と接点を持つことになった著書『環境の哲学』のキーワードは「空間の履歴」という概念なんです。その空間の中に潜む時間的な積み重ねをベースにして、地域、あるいは国土の構造を理解しようというわけです。履歴の概念で空間と人間の両方を包括的に理解する道筋がつくれるんじゃないかというのを、１９９７年のある朝に思いついて、それを本のテーマにしたんです。それまで時間と空間をセットにして地域を見るという考えはなかった。建設省の希望は、そういう考え方で方向性を提案してほしいというものでした。

チッソはなぜ水俣に工場を設けたのか

池上 ははあ、わかってきました。桑子先生の研究、そして事業へのかかわりには、必ずその時間と空間がからんでいますね。

桑子 そうです。神社のロケーションを見て、つまり、神社が地域の空間のどんなところに祀られているかを見て、そこに祀られている神様がどういう神様かを知り、または、その神社の名前を知ることだけで、そこに神社を置いた人々のインタレスト、関心事がわかるわけです。それは、今も地域空間と人の心の中に残っています。

池上 森に道路を通さずに済んだ話のポイントとなったのもそこでした。

桑子 ですから、「その森は、第1に、どんな地理的、地質的空間構造の中にあるのか、第2に、どんな空間の履歴を持った土地なのか、第3に、そこに暮らしている人々が地域に対してどんな関心と懸念を持っているか」という、空間の価値構造を認識すること、つまり、「ふるさと見分け」をすること、そして、もし人々の関心・懸念の間に対立構造があるときには、第3の選択肢を探し出す合意形成を進めることと、合意形成というプロジェクトをマネジメントとすること。以上をセットにして考えるんです。

池上　では、空間の価値構造認識、これ、原発の現場についてはいかがですか。

桑子　その前に、水俣のお話をしますね。この間、熊本の水俣へ行ってチッソの工場見学をしてきました。なぜあそこにチッソの工場があるのか。近代の科学工業の発展、九州の水資源など、さまざまな要素がからみ合う中で、野口遵（したがう）という実業家があの土地をピンポイントで指定しました。そしてその後、あの地で水俣病事件が起きました。水俣病の本質を理解するには、少なくとも九州全体を視野において、なぜあそこにチッソの工場があるのか、という歴史的かつ空間的構造を理解することが絶対に必要だと感じました。

池上　あの場所に工場があったのには、明確な理由があるということですね。

桑子　そうです。では原発はどうかというと、だいたい、弱小の市町村の境目に立地していますよね。福島第一原発だって、双葉とか大熊とか、弱小の町にまたがっています。そして、それぞれの町にそれぞれ補助金をつけ、結局、町同士は合併しなかったわけですね。といいますか、合併しないようにさせられてきたわけです。

池上　なぜ市町村をまたぐのでしょう。

「安全」よりも「誘致しやすい」が優先された？

桑子　そこには、建設した人たちのインタレスト、関心事が反映されているわけです。たとえば、経済的に厳しい状況にある市町村に立地することを狙えば、受け入れる可能性が大きい。人口が少ない自治体であれば、反対運動は大きくならないでしょう。反対運動の可能性があれば、金をつぎ込んで、お互いに結束しないように分断工作をするだとか、もし私が原発建設推進の当事者だったら、そういったことを考えますね。そうした工作を受けた人から、鞄の中に札束を詰めて個別に訪問して、反対している人や、あるいはどうしようか迷っている人の目の前に積んだ、というようなまことしやかな話も聞いたことがあります。

そのようなインタレストの分析は、地理的な構造を見れば相当わかります。どうも、この地理的な構造が地質的な構造よりも推進事業主体には重要なことだったのではないか、と最近の議論を見ていると感じますね。つまり「活断層があるかどうか」という地質構造の境界よりも、地域社会の境界のほうを優先して事業推進してきたのではないかと。

池上　地域住民を分割統治しようというわけですね。だからたとえば「柏崎刈羽」原発なんですね。柏崎でもなく、刈羽でもない。

桑子　ええ。意見がひとつにまとまらないようにする。こうしたインタレストが働いている場所は、事故があった福島第一原発に限らず、その場所を見ればわかりますよね。

池上　そうか、そもそも対立構造がわかりにくくなるような空間を選んでつくられているのですね。それが、問題が起きた際に合意形成を妨げる要因になるわけだ。

桑子　そういえば原発に関しては九州でも問題が起きました。

池上　玄海原発の再稼働を巡って、経済産業省が主催する会合へ、九州電力がやらせメールを出しました。組織的動員もありました。

桑子　あれを聞いて、まるで1970年代から80年代の日本の公共事業の典型的なやり方だなと思いましたね。

池上　つまり、2010年代の公共事業にはもうすでにそういうものはないと。

桑子　河川とか道路であういうことをやったら問題が大きくなってこじらせるだけだ、ということは、少なくとも国交省の役人たちはわかっていますよ。

池上　ということは、経済産業省はわかっていない。あるいは電力会社はわかっていない。

桑子　そういうことだと思います。私がやってきた話し合いというのは全部オープンで、情報も共有して、お互いが何を考えているか、つまりコンフリクトの構造をみんなが理解することを前提にしてやってきて、それでうまくいっています。逆に、隠蔽したら、うまくいかないんです。第3部では、出雲の「秘匿なし」の話をしましたよね。

池上　ええ、会議の前に座長が「この会議で秘匿すべきことはございますか」と尋ね、責任者が「ございません」と答えるという。

桑子　あの宣言を、原発に関する会合でも、きちんとやったらどうかと思います。

池上　国交省の経験で蓄積したものを経産省も学ぶべきだと、こういう話ですね。

桑子　そうですね。もちろん国交省も万全ではありません。担当の人が替わると、過去の経験が継承されていないことが多い。なので、そういういい経験をどう継承していくかも合意形成にはとても大事なことになります。

池上　ただ、国交省の役人の間には合意形成の哲学とノウハウを重視していこうという認識は広がっているわけですね。

桑子　私がどこに呼ばれたときだったか、ある国交省の役人がこう言ってくれました。「今、私たちの仕事にこそ、哲学が必要なんです」と。

池上　いよいよ、議論の核に迫ってきました。「哲学は机上の空論じゃない、世の中のために役に立つ」んですね。

桑子　古くから哲学者、たとえばプラトンとか孔子とかは、国づくりのアドバイザー的な活動をしたけれども、結局うまくいかなくて、教育に戻ってきました。プラトンは、シチリア島のディオンという王様が、理想の国家を建設するときのアドバイスを行ったんですが、うまくいかなくて、アテネに戻ってアカデメイアという名の学校をつくるんですね。これが「アカデミー賞」の「アカデミー」のもとになっている。だから少なくとも、私が尊敬する偉い哲学者たちは、かなり実践的だったわけです。

池上　では、時代をぐっと現代に戻し、舞台をたとえば米国に置いてみましょう。現在の米国には、桑子先生のやっている社会的合意形成とはどんなふうに見えているんでしょうか？

桑子 私のもとで合意形成を学んでいる学生たちが米国に行き、公共事業の関係者に一連の取り組みの話をしたら「すごい、それはまさしくスーパー・ステイクホルダー・メソッド」と言われたようですね。

池上 向こうは、何かあったら、「じゃあ、裁判で決着しよう」となりますからね。

米国も「裁判一辺倒」を改めている

桑子 それも、だいぶ変わってきているようです。「ジャパン・アズ・ナンバーワン」と言われた時代から、彼らは日本のことを研究して、裁判やストにつながらない問題解決法を研究しています。ブッシュシニア政権のときに、「これからは裁判ではなく話し合いで決着する仕組みをつくる」と宣言して、ADR（Alternative Dispute Resolution）という、判決の代わりになるような紛争解決をやるという方向を進めているんです。むしろ今、日本はそれを逆輸入している格好です。

池上 そうでしたか。裁判で勝ち負けを決めるのではなく、第3の答えを見つけていこう、と。

桑子　そうです。ただし、ダムのようにつくるかつくらないか、原発のように動かすか動かさないかという問題の場合には、それ以外の第3のオプションには導きにくいわけです。

池上　合意形成をするとは、ある意味で賛成でも反対でもない弁証法的な、第3の選択肢をつくっていくということですよね。

桑子　ですから、合意形成とは、「選択肢をつくり出す作業にどういう人たちがどういうふうに参加できるか、そのための場をどうデザインできるか」ということに尽きるのです。

池上　こうしたプロセスのつくり方を、幼いうちから勉強できるといいですね。

桑子　子どもを対象に、いい話し合いとはどういう話し合いか、という授業をやらせてもらったことがあります。子どもたちはいいですね、本当にクリエイティブで。

池上　それはいいですね。大学でもディベートの授業がだいぶ盛んになりましたが、ディベートだけじゃなく、合意形成の方法論も学ぶといいですね。

桑子　合意形成で大切なのは、ディベートのように、自分が勝つことではなく、対立構造を認識し、それを克服するような案をどれだけ提案し、対立する者同士が合意できる案をつくりあげることができるか、つまり、提案能力です。

池上　その能力は、地域で住民対話集会をファシリテートする人だけに求められるものではなさそうですね。

桑子　どんなものでも、プロジェクトを引っ張る人は、ファシリテーターであるだけではダメですね。リーダーでもなければいけないし、単にまとめるだけじゃなくてクリエイティブな方向に引っ張っていくこともできないといけない。

池上　桑子先生についたあだ名「桑子大明神」というのは、それを象徴する呼称ですね。

桑子　ただ、その大明神も、必ずしも最終的なアウトプットを持っているわけではないんです。結局合意形成をするのは、参加しているみんななんです。ひとりじゃない。みんなで合意形成する喜びというのがあるわけで、その喜びをステークホルダーで共有するということが大事ですね。

池上　授業を通じて、東工大の学生たちにも教えているんですよね。

桑子　ええ。理屈では言いません。実際に合意形成の現場に参加するという想定のもとで考えてもらいます。場合によっては、本当に問題解決にあたってもらい、これを関係者に提案するということもします。そうした実践をしながら、あるいは、それを踏まえて理論的なことを教えます。理論が先ではない。理論が先だとその理論を複雑な現実に押しつけようとします。それでは、現実の複雑性、多様性、そして変化をとらえることも、問題に対する適切な答えも見出すこともできない。想定している答えを現実に押し付けるだけですから。そう考えて、授業も行っています。これまでお話ししてきたようなことは、学生の諸君には、知らないうちに身につけてもらいたいと思っているからです。一応理屈は言いますけれども、理屈を知ってから実行するのは、なかなか難しいわけですよ。理屈はあくまであとからです。

池上　たしかに、知らず知らずにやっている方が、身につくでしょうね。

向いているのは、哲学を持った愛されキャラ

桑子　一番いいのは、実際に何かをやりたい、という思いがあることです。それをやってごらんなさい、と言っています。学生はそれをやりながら、今やっていることはどういうプロジェクトの中の、どういう位置にあるのか、マネジメントやスケジュール、人との付き合いをどうするかを考えなくてはいけなくなります。私の役目は、何気なくアドバイスすることですね。

池上　手応えはいかがですか。

桑子　すごいですよ、東工大生の働きは。うちの学生は本当に優秀だなと思います。今、『社会的合意形成のプロジェクトマネジメント』という本を書いているのですが、ここには、リベラルアーツセンターで学生たちに私が行ったアドバイスも活かしています。

池上　学生たちがやりたいことをやらせるというのは、実にいいですね。桑子先生がやってきたような、河川や道路といった難しいプロジェクトでは、挫折してしまいそうですが、やりたいことなら頑張ってやり抜こうとするでしょう。

桑子　ええ、やっていて楽しいと思わないと、合意形成の仕事はつらいです。私がかかわったような事案では、参加者がみんな最初は怖い顔をしていますから（笑）。

池上　そりゃそうだ。どうしたらそんな「怖い顔」の場を乗り切れるようになるのでしょう？

桑子　ねえ、どうやっているんでしょうね。自分でもわかりませんけど、かなりストレスはあると思いますよ。最初にかかわった木津川のときの写真を見ると、かなり顔がこわばっているんです。でも、出雲のときはだいぶリラックスしている。だからやっぱり、経験が大事なんですよ。

池上　人とかかわる仕事は、結局、経験に尽きるところがありますね。

桑子　あとは素質もありますね。大学生を地方に連れて行って合意形成の現場に放り込むと、地域のおじいちゃんたちにぼろくそに言われて、つぶれちゃう子もいます。めげそうな子にはさせられないです。

池上　向いているのはどういうタイプですか。

桑子　人と付き合うのが全然嫌じゃないことでしょうね。それから、案外いるんですよ、さんざん怒鳴りつけられながら、一方で妙に可愛がられる子が。いったん可愛いと思ってくれると、地方のおじいちゃんたちのそれはハンパないですからね。そういう「愛されキャラ」の子も、向いています。

池上　哲学からスタートした社会的合意形成というのは、実学、まさに役に立つ学問だなと思いました。学生に身につけてほしい教養のひとつです。

桑子　日本の政治家にも、身につけてほしいんですけどね、ほんとは。

池上　おっしゃる通りでございます（笑）。

4限目

［科　目］文化人類学／宗教学
［講義名］無宗教国ニッポンの宗教
［講　師］上田紀行

ニッポンの会社の神さま仏さまとオウム事件と靖國問題と

4限目の授業を受け持つのは、
東工大リベラルアーツセンター
（現リベラルアーツ研究教育院）の同僚で
文化人類学と宗教学が専門の上田紀行先生。
宗教、といえば、日本人の多くが
「私は無宗教です」と答えます。
でも、日本人が無宗教って本当なのか？
上田教授は疑問を投げかけます。
1995年、カルト集団のオウム真理教の信者が起こした
地下鉄サリン事件。
2013年末、安倍晋三首相（当時）が参拝したことで
世界的に〝注目〟された靖國神社。
年間3万人が自殺する国。
日本人にとって宗教とは何か？
上田先生と考えます。

無宗教国
ニッポンの宗教
第1部

東大至上主義をぶちこわしてくれたのはインドでした

池上　上田紀行先生は、私と同様、東京工業大学でリベラルアーツを教えています。文化人類学と宗教学がご専門でしたね。で、実は私たち、もうひとつ共通点がありま す。それは、2人ともダライ・ラマと対談をしたことがある、ということ。

上田　対談どころか2人とも共著まで出しています。東工大リベラルアーツセンター（現リベラルアーツ研究教育院）の教員のなんと5割がダライ・ラマと共著を出していることになりますね。ま、全部で4人しか教員がいない、ということなんですが（笑）。

池上　ダライ・ラマの話が出たところで、宗教の話をうかがいましょう。日本は無宗教の国とよく言われますし、理系の合理主義者が集まりそうな東工大は、とりわけ宗教と無縁に感じられます。

上田　たしかに、授業で「皆さん、宗教を信じていますか」と聞いて手を挙げてもらうと、誰も手を挙げません。

「無宗教」なのに初詣のご利益とお守りを信じている日本人

池上　まあ、そうでしょうね。

上田　ところが、です。その次に私が「初詣に行ったことのある人は」と聞くと、ほとんどすべての学生の手が挙がります。次に「お守りを持っていたことがある人」と聞いても、やはりほとんどすべての手が挙がる。そこでさらにつっこみます。「じゃあ、今ここでハサミを持ってきたら、そのお守り、切り刻むことができますか？」。学生はめっそうもない、という顔で言うわけです。「そんなこと、できません」。

池上　宗教を信じていないはずなのに、お守りは切り刻めない？

上田　そうなんです。そこで「じゃあ、君はどうして切り刻めないの？」と聞くと「だって、罰があたるじゃないですか」と答えるんです。

池上　誰が罰をあてるんでしょう？

上田　そう私が聞きます。学生は即答します。「神様に決まってるじゃないですか！」

池上　信じてるじゃないか、神様（笑）！

上田　さらに、なぜ初詣に行くの、と聞くと、「ご利益があるからですよ」。ご利益は誰がくれるの、と聞くと、「神様」と即答します。そこで、なんだ、みんな神様のこと、信じているじゃないか、だったら君たち無宗教でも何でもないよね、と言うと、「いいえ、僕は無宗教です！」とキッパリ否定する。そのまま、押し問答です。

池上　神様は信じているのに、無宗教です、と言い張る東工大生。面白いですね。でも、これ、日本人の代表的宗教観かもしれません。昔は飲み屋さんの脇の電信柱に鳥居の絵が描かれたりしていました。立ち小便防止の意味を込めて。ここにおしっこをかけると罰が当たるぞ、と。

上田　ほんとかどうかわからないですが、仏壇のある家の子は、ない家の子に比べると、非行が少ないと聞いたことがあります。ご先祖様がお見通しだぞ、というわけです。それから、どんな子でも、いや、大人もそうかな、仏壇の前でエッチな本は読めない（笑）。

池上　つまり日本人は具体的な宗教に対する帰依の意識はない。にもかかわらず、神様仏様の視線はどこかで感じていて、それに対する畏怖の意識がちゃんとある。七五三では神社へ行き、キリスト教の教会で結婚式を挙げ、死んだらお寺に世話になる。なんというか、特定の宗教に対する信仰心はなくても、神様を意識する宗教心のようなものは持ち合わせている。自分は人智を超える力によって生かされていて、その存在を神様や仏様と呼んでいる……。日本人の宗教観はつくづく不思議です。

上田 まさにその通りです。外国から文化人類学者が訪れて、お守りを持ち、初詣を欠かさず、神社に手を合わせ、お葬式で焼香している日本人の姿を見たら、「この人たちは宗教を信じている」と書きますよね。その実態と私たち自身の「無宗教だ」という自己認識のギャップが、実は日本人の宗教意識なんですよね。

池上 ところで、なぜ上田先生は宗教を研究しようと思ったんですか？

上田 もともと高校から大学にかけては理科系なんです。

池上 東京大学入学時点では理科二類を選んでいますよね。もっとも宗教から遠そうじゃないですか。でも、実際は文化人類学で、宗教＝仏教の研究にまでたどり着いている。どうして、理系から宗教へと極端な「転向」をされたのでしょう？

上田 高校時代に「自分とは何か？」というお決まりの問いに悩んでしまって、どうにもならなくなっていたんですが、通っていた高校が、１９７０年代にちょうど脚光を浴び始めた分子生物学の実験校のような存在だったんですね。ワトソンとクリックがＤＮＡの存在を明らかにし、二重らせんのブームが日本に訪れたときで、教科書にはワトソン・クリックの訳本を使っていましたし、なんと授業で、遺伝子実験までやっていた。目の前でＤＮＡを見たのは衝撃でした。これがオレたちの本質なのか?、って。

池上　高校は?

上田　東京教育大学附属駒場高校、今でいう筑駒です。で、ＤＮＡの秘密が解明されれば、生命の神秘も人間の神秘もすべて解明される、という話で、火がつきまして、これからは分子生物学の時代だ!と、それまで特に理科好きでもないのに思い込んじゃった。当時は『沈黙の春』も話題になっていましたし、生命とか環境とかがかっこよかったんですよ。

池上　レイチェル・カーソンですね。『沈黙の春』は環境問題の啓蒙書です。

上田　だからとにかく大学は遺伝子をやろう。だったら分子生物学かな、生態学かな、と思い始めたんですが、そこで大きな問題がありました。数学がまったくできなかったんです。駿台の模試などを受けても「志望校検討の要あり」とばかり判定されていました。ああ、こりゃどうせ現役合格は無理だから、1年浪人して、進路はそこでもう一回考えようと思った。

池上　でも、上田先生、東大現役合格ですよね。数学ができないのに、どうして東大理科二類に合格できたんですか?

上田　実は奇跡が起こりまして。今思うと入試問題が漏洩していたのではないか、というくらいの「事件」があったんです。東大二次試験のそれはそれは難しい数学の問題6問中のなんと2問が、たまたま直前に受けていた代々木ゼミナールの『テスト・ゼミ』という講義の内容とほぼ同じだったんです。

池上　なんと!

上田　普段では絶対解けない難問が2つ解けちゃった。それからもう1問はなんとか自力で解けた。6問中3問解いたわけです。試験場からの帰り道に、同級生で天才的に数学のできるやつに聞いたんですよ、「今年の東大の数学、難しかったのかな」。

池上　つまり、上田先生自体は、試験が難しかったかどうかすらよくわからない……。

上田　そうなんです。すると、その天才が青ざめた顔で「すごく難しかった。1問半しか解けなかった」とか言っているわけです。たまたま直前受けた予備校模試と同じ問題が2つも出た、という幸運により、問題が難しいかどうかすらわからない僕が、合格してしまいました。

受験合理主義で東大に入るとやりたいことがない

池上　おめでとうございます（笑）。

上田　いえいえ、そこからが苦難の道の始まりでした。なにせ、くじ運で東大理系に入ったようなものですからね。理系科目、とりわけ数学の授業にまったくついていけないんですよ。周りはできる人間ばかり。取り残される一方です。その上、大学の数学の先生って学生に理解させようという努力、皆無ですから。

池上　まあ、東大の数学の先生だったら、よもや学生がついて来られないなんてはなから考えていないでしょうね。

上田　結局、1年1学期が終わってみたら、解析、幾何、物理、化学、全部不可。大学に入ってつくづくわかったのは、僕みたいにチャート式数学みたいので勉強して一度やったのと同じような問題ならばなんとか解けるというのは、つくづく凡人なんです。本当に数学をわかっている連中は、脳内で複素空間が90度回転してるのが見えるらしいんです。

池上　わけがわからない。

上田　僕もです（笑）。数学で不可をくらってつくづく思いましたね。好きでもないことがやっぱりできなくて、でもそれをやらなくてはいけない、という状況は、人生における大いなる不幸なんだ、と。もし、好きでなくても、ちょっとできれば社会の中でなんとかやっていける。逆に、できなくても、やっていることが好きだったら気分はハッピー。どちらかがあればなんとかなるんだけど、僕の場合は、好きでもなく、かつ、できない。

池上 遺伝子ブームに乗っかってしまっただけ。

上田 いやいや、実はまだ遺伝子ブームというほど過熱はしていなかったので、それからの大発展を考えると先物買いの勘は当たっていたのです。ただ自分の適性も考えずに理系に進んだ自分がバカだった。何をしているんだ俺は、と呆然となりました。そのとき、はっと気づいたんです。自分の視野の狭さ、考えの浅さに。まず原因は、通学にあったんじゃないかと。

池上 といいますと?

上田 同じ駅にずっと通っていたんですよ。教育大付属駒場高校も東大の教養学部も同じ京王井の頭線の「駒場東大前駅」。中高6年間同じ駅で乗り降りしながら、大学は同じ駅の反対側に行っただけ。しかも実家も、井の頭線なんですよ。自分の人生はわずか数キロ圏内で完結していた。

池上　京王井の頭線というのは、渋谷から吉祥寺まで運行している路線で、駒場東大前という駅があります。たしか、総延長でも10数キロですね。

上田　その端にも行かない狭い範囲で生き続けてきたわけです。で、もっと自分を型にはめていたことがあって、それは受験勉強的な合理主義です。目の前に試験問題を置かれたら、無自覚にいかに楽をしていかに合理的に100点を取るかだけを考えて頑張ってしまう。

池上　なにせ教駒から東大ストレートですからね。

上田　この受験勉強的な合理主義が身につくと、たとえばどうなるかといいますと、中学や高校の中間試験や期末試験があるじゃないですか。1時間目が地理で2時間目が古文だったとして、間に10分の休みがある。周りはみんな、前の時間の試験の答え合わせをしているわけです。

池上　地理だと、「世界一長い川は?」という問題が出たとして、その答え合わせをしている。わかります。ついやっちゃいますよね。

上田　「ミシシッピ川だろ」「ナイル川だろ」「やべえ、俺、信濃川って書いちゃった」などとバカなことを言い合うわけです。その脇で僕は（お前らは本当にバカだなあ）と内心思って、次の試験の古文のテキストを開くわけです。この10分間は古文の暗記にかけるべきであって、いまさらミシシッピだのナイルだの言ったところで、地理の点数は上がらないだろ、と。

池上　なるほど、クールにして合理的ですね。

上田　これはまあ一例なんですが、そうやってあらゆる場面で合理主義に徹し、効率化をした子が試験では1点でも2点でも点数が高くなるんです。東大入試のときも、中学受験から身につけたその要領の良さが効いたと思います。でも、それって「試験に受かるため」が目的の技術だから、そこに「面白い」や「好き」はなかったりする。

僕の場合が、まさにそうでした。

池上　上田先生はよく「今どきの東工大生は、教養がない。目先の合理主義だけで動いている。もっとムダなことをしろ」とおっしゃいますが、あれは昔のご自分を叱っていたのですね。

上田　バレましたか(笑)。そうなんです。受験主義的な合理主義で動いてしまう東工大生の連中の気持ち、死ぬほどわかるんです。で、それが当人にとって不幸な結末を招きかねないことも。だから受験の洗脳をいかに解くかという授業もやっているわけです。

池上　ははあ。それで、理系が好きでないしできない上田青年は、どうしたんですか。

上田　好きなことを探せばいいんでしょうが、そうやって大学に入ったので、大枠のところで、自分が何を好きなのかわからないわけです。数学でも地理でも、そのことを考え出すとわくわくして止まらない人がいるでしょう。僕にとっては古文も地理も交換可能で、それは結局、古文とか地理を学んでいるわけではなくて、古文とか地理とかいう分野で点取り競争をやっているだけ。僕は古文も地理も愛していない。ましてや数学も理系科目も愛せない。だからこそ、本当は愛するものが必要なんだと思ったわけです。

池上　愛に目覚めたんですね。

上田　ところが見つからない。これはいかんとなって留年して、翌年はなんとかしてわくわくするものを探そうと少人数のゼミに出てみようと思って、見田宗介先生のゼミに出たわけです。

池上　社会学者として高名な見田先生ですね。真木悠介名義でもたくさんの本を書いています。

上田　見田ゼミに出てみると、とてつもない変なやつばかり。東大にこんな変なやつがいるのかと。

池上　東大って、変なやつばかりだと思うんですが。まあ、いいや（笑）。

上田　同じように悩んで留年したあげく見田ゼミに来たやつの中に、太宰府天満宮の孫っていうのがいまして。太宰府天満宮といえば菅原道真。あまりに優秀なのに、出世できずに恨みを残して死んで、たたりがないようにと神様として祀られた。その子がやはり僕と同様、東大に入ったはいいけれど何をやったらいいかわからない、と悩んでました。で、そいつがどうしたか。

見田宗介ゼミに入ってインドを放浪したら、目が覚めた

池上　どうしたんですか？
上田　インドに行っちゃった。
池上　そっちか！
上田　インドは効きますよ。インドに半年行って帰ってきたら、素敵な人になっていたんです。使用前、使用後の違いが明らかで、すごく存在感のある男になっていた。こいつが周囲をたぶらかすわけです。「インドへ行け、インドへ行けば道は開ける」と。そこでまんまとひっかかったのが、悩める僕でした。彼に折伏(しゃくぶく)されて、ほんとにインドに行っちゃったわけです。

池上　井の頭線からインドへ。

上田　そうです。インドへ行ってみてものすごくびっくりした。時間もなければ秩序もないようなところで生き抜いているインドの人々。彼らの人間としてのエネルギー、存在感を目の当たりにして、自分の人生はなんだったのか、と。インドでヒッピー同然の暮らしを2ヵ月くらいしている間に、だんだん服もぼろぼろになってインド化して、頭でこちょこちょ正論を述べるよりも体を張って意見を通す方が大事なんだとか、気合いを入れてインド人にぶつかり合い、ケンカもコミュニケーションのひとつだとか、まあいろんなことを学んで帰国したわけです。そうしたらインドの民族衣装を着て東大へ通う変な学生になっちゃったんですけど。

池上　インド行きを進めてくれた太宰府天満宮の彼に感謝しないとなりませんね。

上田　インドを経験して思ったのは、僕みたいにもともと感性があまり豊かじゃない人間は、日常生活を繰り返していても、都市生活や合理的な思考から自分を脱洗脳できない、ということです。ショック療法で、まったく違うところに身を置いて、あ、自分のこれまでの人生は違うんだと思わないとダメ。となると、出かけていって、そこで考えなくてはならない。となると僕がやる学問は、文化人類学だなと思ったんです。

池上　ご専門につながりましたね。堀田善衛さんや椎名誠さんに倣って「インドで僕も考えた」。

上田　ユルゲン・ハーバーマスという社会学者は「生活世界の植民地化」ということを言っています。私たちの生活世界は、点数を取らなきゃいけないとか、金を稼がなきゃいけないとか、効率化して短時間で最大限のアウトプットを得なきゃいけない、という近代社会の考え方の植民地になってしまっている。つまり、我々は「効率やシステム社会の植民地」に生きている。それに気がつかなきゃいけないと指摘しています。僕もインドに行くまでその植民地で暮らしていることに気づいていなかった。完全に洗脳されていたわけです。その後バリ島や韓国に行ったり、いろんな人と出会い、刺激を受け合ったりし、泣いたり笑ったり……、その植民地から出て行くのに、20代全部を使い切ったといってもいいかもしれません。

日本のお寺は風景にすぎない。オウム信者の宗教観

池上　インドに行って、受験勉強的な合理主義の洗脳から脱した上田先生は、しかし、研究者としてはインドではなく、スリランカを対象にしていますよね。これはなぜですか？

上田　もちろんインドを研究対象にしたいと最初は思いました。自分の洗脳を解くきっかけになった場所ですから。でも調べ始めて気づきました。インド学って、ものすごく大きいんだと。

池上　インドにも専門家がいるし、かつての宗主国であるイギリスにもインドの専門家が山ほどいますね。そして日本にも。

上田　その人たちはみんな、サンスクリット語もパーリ語も読み書きできる。日本にも仏教学の中村元（はじめ）先生という大家がいらっしゃる。僕が2年間くらいフィールドワークをしても、世界のインド学者から「ところであなた、サンスクリット語はお読み

になれるんでしょうね」と言われたら、もう、アウトなわけです。サンスクリット語まではとても手が回らない。

スリランカの「悪魔祓い」に出会う

池上 好きなものは見つかったけど、あまりに巨大すぎたわけですね。

上田 そうです。インドは巨大すぎて深すぎる。やるとなるとインドと心中しなければいけない。僕の興味は、インドそのもの、というよりも、インドを比較対象として、日本社会はなぜ抑圧性が高いのかとか、言論の自由があるのにみんなモノを言わないのかとか、周囲の目をこんなに気にしているのかとか、なんで自殺率がこんなに高いのかというような、日本における「生きづらさ」をテーマにしたいな、と思うようになっていたんですね。目指すのはインド学者ではないんです。

池上 受験勉強的な合理主義の洗脳から抜け出したご自身の経験を研究対象にしようと考えた。インドは日本を考える上でのいわばモノサシだったと。では、研究対象そのものとしてスリランカを選んだ理由は？　インドの隣だったからですか？

上田 文化人類学の先輩たちが、過去にどこへフィールドワークに行っているかのリストを手に入れたんですね。何を調べたのかというと、先輩が行ってない国はないか。すでに誰かがフィールドワークしている国に行っても、絶対に頭が上がらなくなる。ブルーオーシャンを探さなければ、というわけです。そうしたら誰も行ってない国があった。それがスリランカでした。

池上　おや、それってきわめて合理主義的な最適化の発想ですよね。与えられた条件の中で最適な答えを探すという、東工大生が得意なやつですよ（笑）。

上田　あ、まだ抜けていなかった。いや、違うんですよ。このときはむしろ動物的な本能で選んだ。自分が自由に生きられるところを考えました。先輩がいるところに行っても、全部食い尽くされているぞ。自分がサバイバルできる場所を探さなきゃ、というわけです。

池上　棲み分けをしたわけですね。たしかに動物的です。スリランカは仏教国です。仏教への関心が高まったのは、スリランカを研究対象にしたのがきっかけですか？

上田　いや、その時点では、まだ宗教そのものには興味はなかったんですよ。なぜこんなに自分は元気がないのか。どうやったら生きる道を見つけられるのか。これほどまで孤独感にさいなまれるのはなぜか。――僕が考えていたのはそんなことです。今にしてみれば、インドに行かなくても、スリランカを研究対象にしなくても、最初から日本で宗教と向かい合えば、自分のこの問いに対する答えを探すことだってできたはずでした。でも、そうしなかった。

池上 なぜでしょう？

上田 日本の宗教に対してネガティブだったからです。まず、自分の中に、まだまだ受験勉強的な合理主義がどんとあった。宗教なんかまやかしじゃないか、という気がありました。それに日本の仏教は檀家制度にあぐらをかいて、ただの葬式仏教じゃないか、坊さんだって生臭が多いじゃないか、と。京都の祇園で一番のお客さんは坊さんというくらいだし。後から考えてみると、僕のこのときの思い込みは、正しい部分もあるけどそうでない部分もいっぱいあった。真面目なお坊さんもたくさんいますからね。

池上 神道についてはどうだったんですか？

上田 大学時代は左翼的な立場だったから、国家神道はもってのほかでした。こちらも知識がなかっただけの話なのですが、なんとなく敬遠していましたね。

池上 宗教、といえば、1970年代以降、アメリカではヒッピーカルチャー由来のニューエイジ運動が流行り、日本にも伝わってきます。精神世界とかスピリチュアルとか、当時流行ったでしょう？

上田　覚えています。チベット仏教は素晴らしいとか、アメリカでは禅が流行っているとか、そういう話はたくさん聞いていましたし、そういったワークショップとかにも参加してみましたが、海の向こうからやってきた流行という感じで、自分の身にはつかなかったんですね。

池上　じゃあ、なぜ上田先生は宗教に目を向けるように？

上田　日本人としての自分はお寺も神社も宗教の場ではなかった。多くの日本人と一緒です。葬式の場所であり、初詣の場所。それ以上じゃなかったわけです。とても信仰の対象とは言えなかった。スリランカへ行って、「悪魔祓い」という民俗仏教に出合い、人びとの信仰の中心であるお寺もたくさん見て、スリランカの人はすごいなあと思って、文化人類学者として研究を進めていったんですが、まさに研究対象としての宗教だったんですね。あくまでも彼らの信仰であって、自分が何を信ずるか、という自分ごとには結びついていきませんでした。

池上　「宗教」が自分ごとじゃない。すごく日本人的ですね。よくわかります。

上田　ですから、スリランカでのフィールドワークから帰ってきたあとも、仏教を研究する、という方向には行かず、むしろ宗教の効果としての「癒やし」に着目するようになります。そして「癒やし」が時代のキーワードになっていく、と。そこで「癒やし」についてずっと研究を重ね、本を書いたり、いろいろなところで発言していたら、いろいろな仏教系の教団やボランティア団体から声がかかるようになったんです。

「癒やし」ブームの火付け人から現代仏教へ

池上 上田先生、90年代からの「癒し」ブームの火付け人ですよね。

上田 結果としてそうなっちゃいました。それで、相前後して書いた僕の処女作が『覚醒のネットワーク』という、一人ひとりが意識を目覚めさせてネットワークをつくりながら世界を変えていくという、今読んでもなかなか良く書けた本があるんです。1990年当時、よく売れたんですが、この本が僕を仏教の世界に引きずり込みました。本を読んだ当時曹洞宗ボランティア会のトップだった有馬実成（じつじょう）さんに「あなたこれはね、仏教そのものだよ」と言われたんです。

池上 ほう。

上田 「あなた、仏教の神髄をよくこんなにやさしい言葉で書けたね」と言われて、「あ、俺の考え方、仏教なんだ」と（笑）。

池上 お坊さんに言われて気がついた。

上田　ちょっとそれは衝撃的でしたね。それからどんどん素晴らしいお坊さんにも出会うわけです。本当に人々を救いたいと献身的に活動している僧侶がいるんだと驚かされた。そこで日本仏教を再活性化することで日本はもっと幸せになれるのではないかと、『がんばれ仏教！』という本を書き、「ボーズ・ビー・アンビシャス!!」という、若手僧侶を励ますような運動を始めたわけです。

池上　なぜ若手僧侶に注目したんでしょうか。

上田　日本の仏教は、儒教的なところがあって、長幼の序列を重んじるんです。アメリカではそういうことはありません。アメリカ中にたくさんある禅センターなどを見ても、先輩のことは尊敬しますが、日本の禅寺のように1日でも早く入門した人には頭を下げて言うことを聞かなくてはならないという風土はありません。男女も平等です。ところが日本の仏教は男性主導で、なおかつ年長者主導。すごく儒教的、東アジア的、日本的なんです。

坊さんの世界は50代でも若手

池上　中国大陸、朝鮮半島を通って伝わってくる間に、そうなったんでしょうか？

上田　そうですね。なおかつ家の仏教とも結びついている。先ほど、若手僧侶と言いましたが、仏教界では50代でも若手なんですよ。政治の世界と同じ。かつては人生50年だったので世代が循環したんですね。ところが今はかつての中国共産党みたいで、誰も死なないからどんどん上が詰まっていてなかなか引退者が出ません。だから50代が若手。20代、30代なんて卵です。

池上　日本社会の縮図ですね。

上田　でも、仏教界の人は二言目には、若い人への布教が足りないと口にする。実際に、寺に来るのはおじいさんおばあさんばっかりで、若い人は来ない。それなら若い坊さんに布教させればいいわけでしょう？　それに仏教界のエライさんたちは、もちろん素晴らしいお坊さんも一部にはいますが、自分がその地位まで登りつめたことに満足し、ふんぞり返っている人たちも少なくない。まあそれは仏教界に限りませんけど。それで、未来の日本仏教を本当にいいものにするならば、若い坊さんよ、大志を抱け、若い者から活性化した方がいいということで始めたのが、若手僧侶たちの会合「ボーズ・ビー・アンビシャス!!」なんです。

池上　若い人と仏教やお寺ってものすごく距離があるでしょうね。

上田　ええ。昔は、もし日曜日にご先祖さまの法事と子どものサッカーの試合とが重なったら、間違いなく法事が優先されました。でも今は、子どもはもちろんサッカーの試合に行ってしまう。法事でサッカーの試合に来なかったと言われたら、その子のクラブでの地位はガタ落ちですよね。日本人と仏教、お寺が触れ合う機会というのは、葬式を除くとどんどん減っている。重要度も減っている。もともとお寺って神社と同様、共同体の広場のような位置にあって、子どもたちは寺内や境内で遊び、老人は井戸端会議をしたりしていました。生活とお寺の関係が密接でした。

池上　江戸時代の寺子屋という仕組みがその象徴ですね。公教育が発達していなかった時代、地域共同体の教育機関を寺が担っていた。キリスト教の教会で開かれる日曜学校と同じ。お寺で地域の子どもたちは読み書きを教わり、お釈迦様の教えもさりげなく教わっていた。つまり誰もが寺に足を運んでいたんです。

お寺は村の中心から風景へ。オウム信者は語る

上田　明治維新以降、公教育が発達すると寺子屋機能は廃れました。近年は、憩いの場としても、遊びの場としても、地域の人々や子どもたちが活用する、というケースが減りました。かくして日本人の大半は葬式でもないと寺に行かなくなってしまった。

1995年、一連のテロ事件を起こしたオウム真理教の信者が「寺は僕たちにとって風景でしかなかった」というショッキングなことを言っています。寺は、田んぼなどの向こうにただぽつんと建っているだけで、風景の一部にすぎない。オウムに帰依した若者たちは、寺に何の宗教心も覚えない、魂は感じられず、必要な教えを説いてくれる場には思えない、と語ったわけです。1960年代生まれの彼らが事件を起こしたときの年齢は30歳前後。その世代にとって、もはや寺は宗教の場じゃない、と認識されていた。これはショックですね。

池上　オウム真理教事件のときに、伝統的な宗教はこれまでなにをやっていたんだという批判をされました。本来ならば、仏教なり神道なりキリスト教なり伝統的な宗教が、悩める若者たちの生きていく上での道しるべになるべきはずなのに、彼らは伝統宗教に魅力を感じず、オウム真理教のカルトな教えに惹かれていった。皮肉にもオウム真理教は仏教やヒンドゥー教やさまざまな宗教の教義をミックスしています。若者がオウムに惹かれたある部分に仏教的な要素もあったはず、ですね。

上田　オウム真理教に帰依した若者は高学歴者が多い。東大卒や東工大卒や医学部卒の信者もいました。そんな彼らの言葉で一番はっとさせられたのが、「僕が僕の人生を生きている気がしない。誰か別の人の人生を生きさせられているような気がする」。他人事じゃない、と思いましたね。これは、受験システムに乗って、ただテストの点数を競って、やりたいことも情熱もないまま東大に入って戸惑っていたかつての俺のことじゃないか、と。この言葉はしかも、事件が起きた1995年から20年近くたっても通用します。東工大の学生たち、いや日本人の大半にとって、思い当たる言葉です。

池上　社会システムが用意したレールの上で競争し続ける。競争し続けるうちに、自分の存在が「置き換え可能」なもので、かけがえのないものじゃない気がしてくる……。

上田　オウム真理教の信者で林郁夫という医師がいます。慶應義塾大学の医学部を卒業してお医者さんになった。絵に描いたようなエリートコースです。でも、彼は本当に「医者」になりたかったのか？　彼自身のオリジナルな人生の道筋ではなくて、偏差値様が選んだ序列に従ったら、慶應医学部に進んだだけではなかったのか？　偏差値の数字じゃない、「私」はどこへ行ってしまったのか？　これは置き換え可能な人生じゃないか。オリジナルな人生じゃないんじゃないか――こういう悩みに行き当たる受験エリート、僕もたくさん見てきました。僕自身がそのひとりでしたし。

受験エリートが陥る「自分の人生が自分のものじゃない」感

池上　東大生にも多いそうですね。本人は東大の理一で工学の研究者になりたいと思っていたのに、すさまじく勉強ができてしまって偏差値が高いために、別に医者志望でもないのに学校の先生や親から「こんなに偏差値が高いなら理三を受けろ」と言われて、実際に医者の道を歩んでしまう人がいるといいますから。

上田　東大を頂点とする受験エリートの危うさって、まさにそこにあるんです。どんなエリートでも、どこかで自分の存在を疑っている。モノサシが受験勉強と偏差値ですからね。自分自身の力で生きている、という実感がどこか希薄なことを感じているし、不安にも思っている。そんなふうに自己の存在について不安を抱く現代の若者たちにとって、オウム真理教はある意味で逃げ場となってしまった。だから、自分で生きている実感を持てないエリートたちが集まった。ちなみに先ほどの林医師は病院では非常に良心的な医師として知られていたわけで、それゆえ悩みも深かったのだと思いますが。

池上　なぜ、そんな現代のエリートたちの悩みに、仏教をはじめとする伝統的な宗教は応えられなかったのでしょうか？　オウムに対する抑止力にならなかったのでしょうか？

上田　そもそも、なぜ日本から伝統的宗教が存在感をなくしてしまったのか？　原因のひとつは、村社会のような共同体に代わる、新しい強固な共同体が戦後、日本でスタンダードとなったからです。

池上　その共同体とは？

上田　会社です。会社という強固な共同体ができた結果、伝統的宗教がその存在意義を失ってしまったのです。言い換えれば、日本において、会社は神様仏様の代わりになった。実は、これが日本の問題の根っこにあります。

池上　なぜ、伝統的な宗教は、オウム真理教へ走る若者を救えなかったのか、という話を上田先生におたずねしました。

上田　そもそも伝統的宗教に力がすでになかった、というのが大きいですね。伝統的な仏教界には、檀家制度があります。檀家さんが豊かになれば、お寺の実入りが増えます。戦後30年間、日本の高度成長期に檀家は破竹の右肩上がりで豊かになりました。そのお布施がお寺に回ってくるから寺も豊かになります。屋根を葺き替える際には普段のお布施のほかに寄付もしましょう、という具合に。

池上　戦後の高度成長期は、お寺をも豊かにしたのですね。

上田　檀家、つまり社会の側にしてみても、生老病死の苦しみはありましたが、でも、そうはいっても豊かになって儲かればいいじゃんという楽観的な雰囲気がありました。そんな明るい高度成長期には、「生きることは一切苦であって、その苦を引き受けながら不浄の世を生きるのだ」という本来の仏教の教えは、とても暗くて教えられないし、流行らないわけです。だから法事のときも、お布施は十分払うから、お坊さん、お経をさっさと上げてちょっとだけいいこと言って帰ってくれ、という雰囲気に社会がなっていきました。

池上　葬式と法事のときにしかお寺と付き合わない、という素地ができあがったわけですね。

上田　もちろん、ちゃんと親鸞(しんらん)さんの教えを聞きたいというような人もいるわけですが、だんだん少数派になっていく。日本社会全体としては、戦後30年間くらいかけて80年代までに仏教が形骸化していったところがある。お寺は景色にすぎないし、坊さんは葬式のときにお経を唱えてくれればよし、という存在になってしまった。

池上　高度成長期の日本には、宗教は必要なかったということですか。それが今の若者に尋ねると、「私は無宗教です」という答えにつながるのかな。

死ぬまで面倒見てくれるって、会社は最高の宗教だ

上田　いえいえ。日本にだってありましたよ、宗教。別の宗教があったんです。

池上　何ですか。

上田　会社です。会社に神や仏がいたんです。終身雇用で年功序列で、いったん会社に入ったら、どんなダメ社員でも給料は上がり続け、最後まで勤め上げられる。現在の生活も未来も保証してくれる。不安を解消してくれる。悪いことをしない限り、絶対に見捨てられることもない。これって、宗教じゃないですか。人間を絶対に見捨てないというのが宗教の教えだとすれば、日本的な会社は宗教だったんです。比喩でもなんでもなく、リアルに宗教的存在だったといってもいい。会社に神と仏が存在して、自分がそこに帰依しているんだったら、他に宗教は必要ないですよね。

池上　葬式仏教と初詣神道とクリスマスキリスト教があればいい、となる。

上田　そんな豊かな戦後日本でも、会社じゃない宗教が必要な人たちもいました。たとえば集団就職で上京した人たち。田舎から出てきて東京で根無し草になり、そこで必死に働いても貧乏でという集団を強烈に吸引したのが、当時教勢を拡大しつつあった創価学会でした。戦後、宗教的な救いが必要な人たちは創価学会のような新興宗教が取り込んでいき、そうでない人たちは、会社という宗教に帰属しているから、伝統宗教には何の期待もしなくなるわけです。

池上　お寺や仏教は対抗措置をとらなかったんですか？

上田 坊さんたちにしてみれば、お布施は入ってくるし、世界は平穏だし、道を説く必要もないなあ、という平和な時代でもあったわけです。実は高度成長期と並行して、檀家制度を支えてきた、家父長的な大家族が崩壊していきます。核家族化が進むからですね。そうなると、お寺を支える檀家そのものが弱体化していくし、田舎では次第に過疎化も問題になってくる。しかしこの頃はまだ寺のほうも気づいていませんでした。でも90年代初頭、この宗教いらずの右肩上がりの世界が崩壊します。バブル崩壊で。

池上 大手流通業が軒並経営破綻しましたね。バブル崩壊に続いての90年代後半の金融崩壊では、大手金融機関や証券会社が破綻しました。結果、終身雇用も年功序列も絶対つぶれない会社神話も破綻してしまいました。

上田 大企業さえ簡単につぶれてしまう。リストラだって当たり前になる。年功序列が崩れ、実力主義になる。そうなると、会社の中にいたはずの神様や仏様はどこかへ逃げて行ってしまいます。

池上 ああ、会社の神様仏様が、バブル崩壊でいなくなったんだ。

上田 その通り。バブル崩壊とそれに引き続く新自由主義の嵐ですね。その中で明治以来の家制度も核家族化で崩壊している。そうなると、個々の人間は、どこに心のよりどころを持てばいいのか？　日本人みんなが不安に陥りました。オウム事件が起きたのは1995年。まさにバブル崩壊から金融崩壊にかけてのまっただ中でした。

バブル崩壊で会社から神さま仏さまが逃げ出した

池上　会社神話の崩壊は、日本人の心のよりどころの崩壊でもあるわけですね。

上田　それまで日本人は、心のよりどころは水や空気と同じで「タダ」で手に入ると思っていました。というか、意識する必要がなかった。家庭に帰属すれば、会社に入れば、そこが心のよりどころになったからです。ところが、世界の人々を見てみると、心のよりどころはタダじゃ手に入りません。日本以外の国では、会社に神様も仏様もいないところが多い。心のよりどころにもなりません。だから、みんな自分の帰依する宗教を持つ。日曜日には教会に通う。お寺に寄進をする。ボランティアをする。あるいは、プライベートの友人関係をちゃんと維持する。そうやって自分の支えを確保しているわけです。高度成長期の日本人は違いました。会社には、神様仏様もいれば、友達もいたからです。

池上　お金の面もそう。企業で勤め上げれば厚生年金がもらえるから、引退後の心配もない。

上田　ところが、バブル崩壊で会社の神様仏様が消えてしまった。以来、日本は長い不況に悩まされました。自殺者は増え、心の病も増えました。本来ならば宗教がなんとかしなければいけない。ところが、いったん宗教を捨ててしまった日本人には今さら宗教に帰依するなんて、という意識がまだある。宗教アレルギーが根強く残っている。すると、どうなるか。かつての会社の神様仏様を取り戻そう、となります。2013年、久しぶりに会社の神様仏様が戻ってきそうな機運が盛り上がりました。アベノミクスです。

池上　アベノミクスで景気回復すれば、再び会社が元気になる。終身雇用も年功序列も復活する。安心安全な会社神話が戻ってくる。それが、「アベノミクス教」というわけですね。

上田　実際は、どう考えてもちょっと景気回復したくらいで、かつての高度成長期のように会社が絶対安全な存在になるわけはないんですけれどね。リーマンショック前の好況時でも、会社は得た利益を貯め込んで社員には分配しなかったわけですから。でも、いったん宗教を捨ててしまった日本人にとって、救いは「会社の神様仏様の復活」にしかないように見えてしまう。

池上　それであれだけアベノミクスに期待が寄せられたわけですね。単に、景気回復を願って、ということだけではないと。

上田　最近の話ですが、僕の教え子の女性が、タイで結婚しました。タイ仏教の研究者で実に慈愛の精神に溢れた女性なんです。ただし、優秀な女性にありがちなことなのですが、男性への要求水準が必然的に高くなっているように見えたので、いったいどんな男性と結婚するのだろうと思っていました。彼女のような優秀な女性から見たら男は皆欠陥商品ですから（笑）。その彼女が研究地のタイで結婚することになりました。相手はタイ人の元お坊さんです。その結婚式に行ってきました。

池上　欠陥商品でしたか？

今の日本はおカネだけが価値の単線社会

上田　それが、彼もまた慈愛に満ち溢れた人なんです。結婚式で、彼のお父さんがスピーチをしました。いかにも田舎のおじさんでしたが、こう言ったんです。「私の息子は、こんなに徳の高い女性と結婚できて、本当に幸せ者だ」と。僕は驚いてしまいました。日本の結婚式で、妻となる人を褒めるときに「徳の高い女性」なんて褒め方、聞いたことがありませんから。

池上　日本の結婚式での新妻への褒め言葉は、器量よしだとか性格がいいとかになりますよね。

上田　なぜタイでは徳という言葉が出るのか。タイは日本同様の資本主義社会だし、失業率が高まったり政権交代したりするときには暴動も起こりますし、都会と農村の格差は問題になっています。国の経済にはどんどん発展してほしい、自分はもっともっと金を儲けたい。皆基本的にそう思っている社会です。

池上　日本とあまり変わりませんね。

上田　経済的に成功しよう。それがタイの社会に通っている1本の線だとします。ところが、タイにはもう1本、線が通っているのです。人生は徳を高めるためにあり、来世には徳を積んでよりよい人生に転生したい。つまり宗教的な人生観が生きている。タイの社会は、2本のよりどころがある複線社会なんですね、経済と宗教という。

池上　お金だけが心のよりどころじゃない。仏教があるとタイの人たちは思っているんですね。

上田　金儲けもするし、一方で、徳も高める。複線の社会を生きているから、タイの結婚式のスピーチに「徳の高い人」という言葉が出てくるんです。日本社会にも、かっては金儲けだけじゃない、複線の時期がありました。少なくとも戦前はまだ宗教にもう少し力があった。でも、この30年で完全に単線化してしまった。しかも日本の場合、お金儲けが心のよりどころ、という単線に、神様仏様も乗っていたんです。その神様仏様がバブル崩壊でどこかへ行ってしまった。もし、日本に、会社以外の、お金以外の、心のよりどころとなるもう1本の線があったら、年間3万人が自殺するような異常事態は避けられると思います。

靖國神社は「宗教」ではない

池上　日本企業は、日本人が心のよりどころを失っている状況に気づいているんでしょうか。

上田　明確に、ではありませんが、異常事態だ、ということにはかなり前から気づいています。従来の働き方が崩れ、リストラされる社員が多数出てきたり、残された社員の中からも鬱になる人が増えていますから。なんとかしなければ、と考えている経営者は少なくないはずです。

池上　上田先生のところにも相談が？

上田　この前、会社の人事担当者が集まる会合で講演をしたときに、日本社会は会社で金儲けの道しかない単線社会だ、宗教や個人の友人関係といった別の心のよりどころが存在しにくい、だから、会社社会が揺らぐと個々の日本人も揺らいでしまう、と話したんです。するとある会社の人事担当者が言いました。「うちでは鬱で出社できない社員がたくさんいます。そこで悩んでいることがあります。その社員をなんとかしようと、人事担当者が訪問してケアをしようとするんですが、まずいことに今度は人事担当者が鬱になってしまうんですよ」

池上 鬱が伝染してしまうんですね。

鬱の社員を救うのは会社の外の人

上田 そりゃそうです。鬱になった方も、人事担当者の方も、会社という単線にしか心のよりどころがない、という意味では同じ立場ですから。鬱になった方を通じて、人事担当者の方はむしろ、自分のよりどころのなさに気づいてしまう。

池上 どうしたらいいんでしょう。

上田 鬱の社員を救うのは会社の人ではありません。会社で出世しなくたって、うまくいかなくたって、生きる価値は誰にでもあると教えてくれる存在です。間違いなく会社の外の人です。人事担当者にカウンセラーや精神科医や宗教者の役目を負わせては鬱が伝播するだけです。

池上 本来はここで宗教者の登場となりますね。神父さんやお坊さんのような。

上田　そう。会社の線とは別の、もう1本の線の方で救うべきです。その人事担当の人たちに、「会社に出られなくなった人が地元で宗教者に救われて会社に戻ってきてくれたら、本当に皆さんの肩の荷が下りるでしょう?」と聞いたら、みんな「ぜひそうなってほしい!」と言うわけです。しかし、会社でうまくいっているように見えるときには「宗教なんか必要ないよ」とみんな思っているわけですよ。つまり、日本には、私たちを支えるもう1本の線が存在しない……。結局のところ、強靱に見える日本社会はいざとなるとこんなに弱いということなんです。しなやかな強さを欠いている。単線社会の構造的な問題ですね。

池上　産業医ならぬ、産業僧を用意したらどうですか。

上田　そんなこと言う人、池上さんがはじめてですよ。なかなかいいアイデアとも思うけど、結局、再び会社の中に仏様を呼び戻し、「徳を積むにはノルマを達成する必要がある」と単線化に拍車がかかるだけになるかもしれません。やっぱり会社の外側で解決しないと。

池上　子どもの世界もそうですね。学校でいじめられると逃げ場がない。子どもには学校しか世界がないからです。でもそれこそ、複線的な場所が用意されていて、たとえばアジール(避難地)として寺子屋のようなところでお坊さんと話ができたりすれば、ああこの世は学校だけが世界じゃないんだ、と救われますよね。

上田　東大に入ったばかりの10代の僕も、試験で効率よく点数をとればいい、という単線の人生をひた走って壁にぶつかった。このままでは死ぬという直感があったので、インドへ行って人生を複線化してきたわけです。ただね、人生を複線化する、というのは、単線化した人生をひた走る人間から見るとムダなんですよ。

池上　うーん、そうかもしれません。

上田　僕たちが常に合理的に動くロボットなら、単線でいいでしょう。けれども私たちはロボットではない。心も感情も好き嫌いもある。そもそもですね、俺は合理的だ、宗教なんてまやかしだ、カネを基準に勝ち負けを考えれば一番シンプルじゃないか、という合理主義の勝者のような人間が一番負けているわけです。

池上　どういうことでしょう。

合理主義って、実はシステムの奴隷だ

上田　だって、「合理主義者」って、偏差値だのお金だの、システムがつくったモノサシに従っているだけの話で、他のモノサシをムダだといって捨ててしまうわけですか

ら、ある意味ではシステムの一番の奴隷とも言えるわけです。システムの中で勝てば勝つほど、個人の存在はそのシステムの軍門に下ることになる。

池上　たしかにそうです。

上田　この問題は、高度成長期の頃も、バブル景気以前も、さまざまなかたちで、表出していました。朝から晩まで仕事漬け、週末も接待ゴルフで一切家庭を顧みない会社人間のお父さん、というのは、当時珍しくないどころか、サラリーマンの一種のデイファクトスタンダードでした。そんなお父さんに反旗を翻し「お父さんみたいに会社しかない人生は嫌だ！」「偏差値だけに、こだわる人生は嫌だ！」と子どもによる家庭内暴力が問題視されたり、校内暴力が吹き荒れたりという時代が70年代から80年代にかけてありました。

池上　家庭内暴力、校内暴力、たしかにありましたね。

上田　近年では、２００８年に秋葉原通り魔事件を起こし、多数の死傷者を出した青年がそうです。彼は地元の青森でもともと勉強のできる子だったと聞きます。だから成績に自分を同一化して育った。しかし地元の進学高校に行ったら成績がどんどん落ちていく。成績以外のアイデンティティを喪失したときの、たった1本の線が失われたときの人の危うさ。彼の犯した犯罪の重さが、逆にそれを物語っています。もう1

本の線、たとえば宗教が、いい意味でちゃんと逃げ場を確保しなければいけない時期なんですよ。

池上 追いつめられた人間が、避難できる場所が必要だと。

上田 今、駅で電車を待っていると、電光掲示板に「××線で人身事故」という表示をよく見ます。どこかで誰かが身を投げたんじゃなければいいけれど、と暗い気持ちになります。

池上 考えてみると、あの朝の通勤時間帯の殺人的なラッシュの中に毎日身を投じるというのは正気の沙汰ではない。高度成長期の時代は当たり前のこととして皆できていたのに。

上田 なぜかというと、殺人的ラッシュの電車でぎゅう詰めになって会社に行けば、ちゃんといいことが待っていたからです。労働時間は長いけれど毎年ちゃんと昇給する。ローンを組めば家だって買える。会社の仲間と帰りに一杯やれる。週末は一緒にゴルフができる。会社に行くことは苦痛じゃなかった。

池上 昇給すれば、車だっていいやつに買い替えられる。「いつかはクラウン」です。

上田 トヨタ自動車の「いつかはクラウン」のコピーは、単線化した日本社会をある意味で象徴する名コピーです。トヨタのラインナップが年功序列そのままでしたよね。

池上　ヒラ社員はカローラ、課長になったらコロナ、部長になったらマークII、役員になったらクラウン。サントリーのウイスキーもそうでした。トリスはレッドになってホワイトを経て角になりオールドになってリザーブになり、ついに山崎に至る。

「いつかはクラウン」は、もう戻ってこない

上田　自動車やウイスキーのラインナップまでが、日本の盤石の年功序列社会とセットになっていた。そんな安心できる未来が見えていたから、満員電車に毎朝日本のサラリーマンは突入できていました。でも、そんな未来はとうの昔に消えてしまった。

池上　もはやウイスキーは好きなシングルモルトを選ぶでしょうし、自動車はトヨタだったら車格の関係ないハイブリッドのプリウスを選ぶ。車好きは外車を買う。サントリーもトヨタも、かつてほど年功序列に合わせた商品展開、していませんね。

上田　それはそうです。年功序列どころか、今勤めている会社がいつまで続くかだってわからない時代なのですから。なのに朝の通勤ラッシュは今もある。すると、ふと立ち尽くすことがある。この電車に毎日乗り続けて、俺は果たしてどこへ行くんだろうと。ふと見ると掲示板に「人身事故」。この表示に親近感を持ってしまう。そういう

社会になっているんです。

池上 どうすればいいんでしょう？

上田 繰り返しになりますが、宗教をもう一度見直す時期だと思います。会社勤めの単線思考、合理主義の人にとってみれば宗教なんか洗脳じゃないか、となるかもしれません。でも、考えてみてください。じゃあ、我々が生きているこの世俗的な日本社会は洗脳じゃないのか、と。

池上 単線の合理主義を信じるのもまた、洗脳の一種ではないか、というわけですね。

上田 合理主義もまた洗脳のひとつにすぎない、という事実に触れず、宗教だけを洗脳と見なすのは、間違っているし、危ういぞ、というのが、宗教人類学者としての僕の強い主張です。お金を軸とした新自由主義が台頭してきたのは、グローバーリゼーションの台頭と期を一にします。この20年ですね。新自由主義的な議論の危うさは、単線的な合理主義の匂いを感じるからです。そういう考え方やり方があってもいいけれど、金科玉条、絶対真理のように崇め奉る、というのは、合理主義者の方たちが大嫌いな宗教のあり方と同じなんですよ。

池上 考えてみると、何か信仰している人は案外単線的ではないですよね、宗教者でもない限り。それだけでは食べられませんから。

上田　その通りです。イスラム世界でも、アッラーを信じる一方で、日常では商店主をやったり学校の先生をやったり会社勤めをしたり社長さんをやったりして、お金を稼いでいます。つまり、複線です。少なくとも彼らには、宗教に帰依する線とお金儲けをして生きていく線の2つの線がある。洗脳されているのは彼らなんでしょうか？　それともお金儲けの線しかない日本人なんでしょうか？

釣りバカのハマちゃんになろう

池上　会社だけしかない、お金儲けしかない、という合理主義的な「新興宗教」に洗脳されている日本人は、どうしたら解脱できるでしょうか？

上田　日本人の一番の理想の姿は、『釣りバカ日誌』のスーさんとハマちゃんのような関係じゃないでしょうか。建設会社の社長のスーさんと、ヒラでぐーたらの平社員のハマちゃん。会社では厳然とした上下関係にある。でも、彼らを結びつけているのはプライベートのほう。

池上　私もそう思います。『釣りバカ日誌』のふたりを結びつけているのは、会社を離れた人間関係、釣りという趣味を介した関係ですよね。あの物語自体は、高度成長期ののんびりした会社の話ではありますが。

上田　ハマちゃんのように、仕事はさておいて釣りさえしていれば幸せだという、仕事以外にひとつ線を持っている、一点豪華主義の人間は強い。講演でそう話すと、聞いていた人から「ハマちゃんは一点豪華主義ではありません」と反論されました。その人によれば、趣味に走ると毎日奥さんから文句を言われる。ハマちゃんは釣りばっかりしているのに可愛い奥さんがチューってしてくれる。一点豪華主義じゃないか、と。そんなのありえません！と（笑）。

池上　ハマちゃんが奥さんに好かれているのは、たぶん家庭を顧みない会社人間じゃない、というところにあるでしょうね。

上田　スリランカで研究していたときに研究地からバスに3時間乗って、入管局までビザを取りに行ったことがあるんです。すると平日なのに担当者が休んでビザが取れない。なぜ休んでいるんだと周囲の人間に聞いたら、彼の子どもが熱を出したから、という答え。そんなことで休むなよ！と頭にきました。でも、しばらくして日本に帰ってふと考えてみると、日本の親、特に父親は、子どもが熱を出したくらいじゃ絶対に休まないだろうな、と。

池上　子どもが熱を出したから休みます、なんて言ったら、会社での評価はがた落ちでしょうね。

上田　日本のお父さんはそんなとき、普段通りに仕事をして、その代わり週末にゲームソフトの1本も買ってやる、という方法をとるでしょう。会社に寄り添った単線化した道で対処する。でも、スリランカのお父さんは、子どもが熱を出したときに「大丈夫か」と看病してくれる。子どももってそういうことを案外覚えている。万が一、このお父さんがリストラされて家にいても、自分が困っていたときに助けてくれたお父さんを邪見には扱わない。今度は自分が助けようという発想になるはずです。

池上　日本では仕事一筋のお父さんは仕事を失った瞬間、会社ではもちろん家でも無価値になる。

ネトウヨ台頭は、金儲け主義の裏表

上田　家の中でも結局、経済力だけがお父さんの価値の指標になっているんです。つまり単線化しているということなんですね。だからリストラされた父親は二重にも三重にも自分を無価値だと感じてしまう。

池上　それはつらいですね。

上田　つらいです。社会からも家庭からも無価値の烙印を押される。これは人間としてはつらいですし、そんな立場の人間は弱いものです。システムが強いときは、強い立場にいられるけれど、そのシステムから放り出されたら、価値がなくなる。それはつまり、システムに徹底的に依存しているということです。で、システムはいつか必ず調子が悪くなるんです。ひとつのシステムに頼り切ることがいかに危ういか。

池上　調子が悪くなったシステムの典型が日本の高度経済成長モデルだったわけですね。もはや機能しないし、アベノミクスでちょっと景気が回復した程度で復活することはまずあり得ない。にもかかわらず、日本では、宗教も含めもうひとつの線が復活しない。どうなってしまうのでしょう。

上田　非常に社会が危うくなります。今ものすごく短絡的なナショナリズムの声が大きくなっています。単線化したまま機能不全を起こした日本社会の病状のひとつだと思います。

池上　いわゆるネトウヨの台頭や、中国や韓国などに対するメディアから個人までの物言いが常軌を逸していたり。「余所の国に文句を言われる筋合いはない」というような雰囲気は、今、強く感じますね。

上田　2013年12月末、突然行われた安倍晋三総理の靖國参拝も同じ匂いがします。この問題を語るには、靖國神社は果たして宗教施設なのかということをきちんと見ておかないといけません。靖國というのはまず、比較的新しい神社です。

池上　明治2年、1869年に明治政府によってつくられました。当時の名称は東京招魂社でした。明治維新の際、戦って亡くなった政府軍の軍人の霊を祀るためにできた施設です。

上田　もともとは幕末から明治維新にかけての戦闘で亡くなった政府側の軍人を慰霊するための施設で、それがあとから神社に改称されたという非常に特殊な存在です。その後、日本が戦争を行うたびに亡くなった軍人を祀る神社となった。第二次世界大戦のときには「靖國で会おう」と言葉を交わして亡くなった軍人がかなりいたと聞いています。

池上　日露戦争以来、亡くなった軍人は靖國に祀られて「英霊」となる、となりました。

上田　死んだら誰もが神様になる。靖國神社では、お国のために死んだ軍人たちは誰しもが英霊になる。戦後、連合国による東京裁判でA級戦犯として死刑になった人たちも合祀されているのは、誰しもが英霊になる、という靖國の原則に従っているわけで、その点で靖國神社はぶれていません。もちろん、それはおかしいのではないか、日本を勝てない戦争に追いやって、戦後処罰された人間を祀るのは変じゃないか、と批判する人も一方でいるわけです。

安倍首相は靖國を宗教だと思ってない？

池上 その通りですね。で、安倍首相の公式参拝をどうとらえますか。

上田 さて、安倍首相が靖國神社に参拝しました。首相という立場で、お国のために死んだ人たちがみな祀られている宗教施設へ参拝する。これがどういうことを意味するのか。

池上 上田先生の読み解きが聞きたいです。

上田 僕が考えるに、安倍総理はそもそも靖國参拝を宗教行為だと思っていないんですよ。靖國神社そのものを宗教施設だとも思っていない。

池上 私も同意見です。安倍首相は宗教施設に参拝したとは思っていませんね。だから政教分離の原則を侵していない、と考えているはずです。

上田 町村信孝元官房長官はこう話しています。「日本人は亡くなってしまえば、どんな極悪だろうが『神様だ、仏様だ』と思っている」。この言葉、政府高官が宗教的な発言をしているように聞こえるけれど、実際に言っている内容はむしろ逆です。「日本人ってそういうものなんだよ」と話しているわけです。国家神道という宗教の話をしているわけではないのです。

池上　靖國参拝をする日本の政治家にとって、靖國は宗教施設ではないんですね。

上田　ええ。だとするならば、おかしなことがあります。多くの歴史的な検証事実が示していますが、日本がアメリカをはじめとする連合国に勝利することは当初からあり得なかった。少なくとも戦局が悪化する過程で止めるべきだった。にもかかわらず、A級戦犯の中には、止められる戦争を止めず、最終的には国土が爆撃され、原爆まで落とされ、非戦闘員を含む日本人300万人を死に至らしめた政治家や軍人たちが含まれています。これはどう考えても、為政者として軍のトップとして責任をとらなければいけない話です。

池上　そうですね。

上田　僕は、戦犯として死刑になった一人ひとりの政治家や軍人を憎んだりすることはないけれど、政治家としての軍のトップとしての責任はちゃんととってもらわなければいけない、と思います。もし、靖國神社が宗教施設ではなく、日本のために亡くなった軍人たちを悼む施設だとするならば、トップの命令でお国のために死んでいった軍人たちと、責任を負うべきトップとが、同じ場所に祀られて、そこに現代の政治家が参拝に行くのは、論理的におかしい、と思います。

池上　戦後の日本政府は、たくさんの兵を死に至らしめ、たくさんの民間人を死に至らしめたトップの責任を自ら追及しようとはしなかったんですよね。全部、連合国の東京裁判に任せてしまった。そのあげく「あれはあくまで勝った側の裁判だ」という。まさにその通りです。だったら自らの手で、戦争を敗北に至らしめた政治や軍のトップたちの責任を問うたか。問うていない。日本は自国での判断を放棄したことになり、それはつまり、東京裁判の結果を受け入れたということになります。これは揺るがせにできない前提です。

上田　それからですね、「お国のために死んだ人は英霊となって神となる」という靖國の話、安倍総理自身は信じているのでしょうか。池上さんは、衆院選の開票速報番組で、安倍総理に「自衛隊を国防軍にすると、いざというときに、死者が出るような作戦を命じることもあるのか？」と聞いていましたね。

池上　はい。「お国のために尽くすという誓約書を書いて自衛隊員になっているのだから、それは本望だと思います」という返事を得ました。

上田　ということは、安倍首相は、現在の靖國神社にも、第二次世界大戦において、本望だと思って亡くなった方ばかりが祀られているると思っているのでしょうか。そもそも、個人的には戦争とは双方に悲しみをもたらすものだと思っています。日本で亡くなった人がいる、ということは、敵国にも亡くなった人がいる。安倍首相の言葉からはそういう認識が感じられない。

池上　たしかにありませんね。

上田　日本と戦った国からすると、自分たちに悲劇をもたらした人たちが英霊として祀られて神様になっている場所に、首相が参拝に行く。「日本は負けて戦争は終わったのに、その負けた戦争の責任者が祀ってあるのに、そこに今の首相が参拝に行くというのはおかしいんじゃないか」と思われてしまうのは避けがたいですよね。日本側がどんな論理を有していようと。

池上　その通りです。論理の前に、感情として納得しがたい、となってしまう。まさに、こういう感情までをも織り込んで行動するのが、教養ある人の行動、なのですが……。

上田　安倍首相のふるまいは、その点において、外部が見えなくなっている、世界が閉じている印象を抱かせますよね。インターネットやSNS上で彼の言葉はたくさんの「いいね」をもらっているけれど、異なる意見には耳を塞いでいる。本来、成熟社会は、さまざまな意見、さまざまな考えが多様に存在する社会です。そんな多様性を前提に、お互いが話し合ったり、交渉したりして、行動する。それが成熟社会のあり方のはずです。

池上 まさにそうですね。残念ながら、今の政治の状況は、今回上田先生がおっしゃる「単線的な道のり」をひた走るだけ、という感があります。いろいろな角度からものを見て考える。複線思考で生きる。これができるようになるには「教養」が必要です。その意味で宗教を学ぶ、というのもまさにそんな教養のひとつだと思うのですが。

死人が増える超高齢化社会は、宗教復活を促す

上田 おっしゃる通りです。まず、私たち日本人は現在、文化人類学的に見ても複線の社会にはなく、合理性だけが正しいという社会にあって、それ自体が世界の中では特殊例だということを知らなければいけません。世界では、経済と宗教、経済と共同体、という具合に複線的な社会で生きている人たちの方がはるかに多い。私たち日本人の方が少数派なのです。

池上 若い人たちが、偏差値や会社やお金といった合理主義の単線にとどまらず、も

うひとつの線を持つにはどうすればいいでしょう？　何か宗教に帰依をしろ、というのもちょっと行きすぎのような気がしますし……。

上田　うーん、早めに結婚して、家庭という別の線を持つ、というのがひとつの答えかな。

池上　上田先生、それ、若い人にはある意味でむちゃくちゃハードルが高いですよ（笑）。

上田　やっぱりそうですか（苦笑）。家庭を持つ、というのはひとつの例ですが、自分以外の他者のために生きる、子どもを養い、親を介護し、となれば、大変なんですが、人生における価値は金儲け的な合理主義だけじゃないぞ、ということが身をもってわかるようになります。

池上　結婚はしなくても多くの人は、親がいますよね。その親が高齢者となり、要介護となる、というのは誰しもが経験しなければいけない「複線」です。

上田　そうなんです。戦争もなかった国日本において、「死」というのは遠い存在でした。それが超高齢化社会となった日本では、死んでいく人の数の方が、生まれてくる人の数よりずっと多い時代が到来します。否が応でも死が身近に日常になります。しかも人はいきなり死ぬわけじゃない。医療が発達していますから、介護期間があるでしょうし、治療や手術にも立ち会わなければいけなくなるでしょう。日本人は新しい複線を手に入れることになるわけです。

池上 死が身近になる、ということは、必然的に宗教の出番も増える、ということですね。宗教と死は常に寄り添う関係ですから。

上田 超高齢化社会というのは、日本人が再び宗教と直接向かい合う社会でもあるのです。

池上 高齢化に関しては暗い未来を語る話が多いのですが、日本人が再び複線思考を取り戻すきっかけになるかもしれませんね。

5 限目

[科　目] 生物学
[講義名] ナマコと人間の生物学
[講　師] 本川達雄

人間は、「ひと」であるまえに生きものです。

人間は、「ひと」であるまえに生きものです。
文明が生まれたのはわずか数千年前ですが、
ホモ・サピエンスがアフリカに出現したのは
およそ18万年前に遡ります。
なのに人間は自らを特別視してきました。
近年になって、人間をひとつの「生物」と見なした方が、
その思考も行動も理解できる、という視点が普及し始めました。
そこで「生物学」の出番です。講義をするのは本川達雄先生。
『ゾウの時間　ネズミの時間』などのベストセラーで
知られる一方で、「歌う生物学者」としても高名です。
大岡山のキャンパス内の研究室にはご専門の棘皮動物、
ナマコやヒトデやウニの仲間がいっぱい入った水槽が。
そのときそのときの環境変化に結果として適応できた種が
生き残る進化の仕組みは、先の見えない市場で
新しいベンチャー企業が淘汰され進化する様とも似ています。
人を知りたければ、生物学を学べ。
本川先生の洒脱な講義、開講です。

本川達雄

生物学者

東京工業大学名誉教授。
1948年生まれ。東京大学理学部生物学科卒業。
東京大学助手、琉球大学助教授をへて、
91年より東京工業大学教授。生命理工学研究科に所属し、
ナマコやウニを研究。2014年3月定年退官。
著書に『ゾウの時間　ネズミの時間』(中公新書)、
『生物学的文明論』(新潮新書)、
『「長生き」が地球を滅ぼす』(文芸社文庫)、
『サンゴとサンゴ礁のはなし』(中公新書)、
『ナマコガイドブック』(共著、阪急コミュニケーションズ)、
『ウニ学』(東海大学出版会)など多数。
歌う生物学者としても知られ、CDや、
CD付き受験参考書『歌う生物学　必修編』
(阪急コミュニケーションズ)もある。

生物学は、理系と文系をつなぐ学問です

池上　本川達雄先生は、ナマコやヒトデ、ウニなど棘皮生物に関する研究者ですが、生物学を歌にしてしまう「歌う生物学者」としても有名で、『ゾウの時間 ネズミの時間』という大ベストセラーの著者でもいらっしゃいます。

本川　ナマコにヒトデにウニ、東京工業大学の校舎で飼っていますよ、実験用に。実は、この池上さんのお部屋のすぐ裏手です。

池上　え、それは知らなかった！　本川先生、よく聞かれると思うのですが、ナマコやヒトデを飼っていったい何になるのかと……。

本川　本当に何になるんでしょうねえ（笑）。おかげで、実学的なこの東工大で、思いっきり浮いております。

池上　いえいえ、むしろ生物学こそが、東工大の学生、ひいては日本人にとって、不可欠の「教養」ではないだろうか、というお話をうかがいたいのですが。

本川　学問の教養については「役に立つ役に立たない」の議論がすぐに出てきますね。作家の曾野綾子さんが以前、こんな発言をされていました。

「学校を卒業してからというもの、因数分解なんて一度も使ったことない」

数学は、理系の「ことば」です

池上　その話、私も知っています。だから、因数分解なんか覚えなくてもいいいんじゃないの、と。でも私は、曾野さんの論理的な思考力は、因数分解のような数学の論理に触れたから身についたものではないかと思うんですが……。

本川　まずですね、数学というのは、数字の羅列じゃありません。数学は「言葉」なんですよ。

池上　え、数学が言葉？

本川　はい、言葉です。人間は、言葉の世界に生きています。考えるとは言葉で考えることですよね。言葉を連ねて文をつくるのが考え。文の連ね方には2種類あります。ひとつは「イメージでつながっていく言葉」。もうひとつは「論理でつながっていく言葉」。普通の会話は、両方のつながり方が入り交じっています。文系、特に詩の言葉はイメージ中心ですね。それに対して、論理オンリーの言葉が数学や物理など理系の言葉です。数式を使い、曖昧なところがなく、論理できっちりとつながっている言葉、これが数学です。

池上 なるほど、そう言われるとたしかに数学は「言葉」ですね。

本川 大半の人々は因数分解なんて社会に出たら使わないかもしれません。でも、今申し上げたように数学は世界を理解するための「論理の言葉」なんです。言葉なしに文明は成り立ちません。数学は言葉なんだ、と思えば、理系文系関係なく、みんなが勉強した方がいい、ということがおわかりいただけるでしょう。論理にしてもイメージにしても「言葉」をうまく使えるようになること、それが教養を身につける、ということですから。

池上 いきなり結論が出てしまいました。言葉をうまく使えることが、教養を身につける、ということ。覚えておきます。問題はこの「言葉」の中身ですね。本川先生のお話ですと、イメージの言葉と論理の言葉、両方の言葉をうまく使えないと、「教養がある」とはならなさそうです。たとえば、イメージの言葉だけで話すと……。

本川 イメージだけの言葉をひたすら連ねてしゃべっていても、土台に何の根拠も何の論理もないのではあやふやな話にしかなりません。

理系と文系では、使っている「言葉」が違う

一方、数学者や自然科学者は論理の言葉しか使わない。そうすると、今度はいくらその論理が正しくても、聞いている人にイメージを湧かせることができないから専門家以外には伝わらない。

池上 思い当たる話ばかりです。

本川 論理の言葉を理系の言葉、イメージの言葉を文系の言葉と、ざっくりと置き換えると、なぜ理系と文系とがわかり合えないか、という問題の謎も解けます。つまりお互いが、自分の得意な言葉しか使っていない。話が通じないのは当然です。理系の人も文系の人も、ひとつの事象を、論理の言葉とイメージの言葉、その両方で意識的に語れるようになれば、互いの話がとっても伝わりやすくなるはずです。ところが実際はそうなっていない。理系は論理でばかり語ろうとするし、文系、特に文学系はイメージでばかり話をしようとする。これでは、理系と文系の思考が交わるのは困難ですね。それぞれの分野に閉じこもってしまう。

池上 理系と文系の間には、「言葉の壁」があったんですね。

本川 だから理系も文系もお互いの言葉を学ぶ必要があるわけです。論理の言葉とイ

メージの言葉、両方を使えること。それこそが「教養がある」ということです。話はちょっとずれますが、もともと日本人はイメージの民族なんです。つまり連句とか連歌とか。あれは、イメージだけで綴られていく、いわばイメージの交響曲です。誰の言葉だったかなあ。ええっと、筑波大学の副学長をやっていた、そう、小西甚一さんです。

池上 大学受験の古文の勉強で私もお世話になりました。ちくま学芸文庫で復刻版が出ました。

本川 私が高校時代に読んだのは『古文研究法』ですね。あの本で古典の読み方を学んだようなものです。その小西先生と学者になってから一緒に合宿をしたときにうかがったのですが、今はあの本は高校生には難しすぎて、高校の先生の参考書になっているとお話しされていました。そんな話はさておいて、この古文の大家である小西甚一さん曰く、連歌というのはイメージの交響曲であると。もし連歌を論理で書いちゃったら、実に味気なくて、芸術にも何にもならない。

池上 たしかにそうです。論理的な連歌なんて読みたくない（笑）。

本川 そこで重要なのが、論理の言葉とイメージの言葉の、それぞれの限界をきちんと知っているかどうか、です。論理を押さえながらイメージも添えて相手に伝える。

論理で伝えられること、イメージで伝えられること、両方の可能性と限界を常に意識していなければなりません。

「池上解説」が右脳と左脳両方に効くワケ

池上　もう少し具体的に教えていただけますか？

本川　では、脳の機能に置き換えて考えてみましょう。論理というのは左脳で考えます。イメージを描くのは右脳です。左右の脳みその理解が一致したとき、はじめて人は本当に理解したと感じる。話を聞いている相手が、左の脳みそでも右の脳みそでも、納得してくれるかどうか。２つの納得が合体してはじめて本当にわかった！　という気になるわけです。

池上　本川先生に指摘されてはじめて、ああ、そういえばみんなにわかってもらおうと話すときには、無意識に論理とイメージを合体させて説明していたんだということに気づきました。

本川　実は、池上さんは、まさにイメージと論理をセットで伝える名人でいらっしゃるんです。論理をきちんと展開しながら、イメージ豊かに伝えられる。だから多くの人が池上さんの解説でさまざまな難しいニュースを理解できるようになるんです。

池上　そうだったんだ（笑）。

本川　イメージと論理というのは、スイスの言語学者、フェルディナン・ド・ソシュールに言わせると「統合と連合」という表現になります。でも、ソシュールを援用するまでもありません。連歌と数学だと考えればいいんです。または、右の脳みそと左の脳みそ、それぞれの機能であると覚えておけばいい。

池上　ところが実際には、文系出身の人たちは「数学は全然ダメ」と開き直るし、逆に理系出身の人たちは「ふわふわしたイメージの世界は苦手」と言ってしまいますよね。

本川　理系の言葉と文系の言葉の乖離は、ときとして重大な失敗を招きます。2011年の東日本大震災に伴って起きた東京電力福島第一原発事故も、そのひとつかもしれません。

池上　どういうことでしょうか。

理系の原発管理に欠けていたのは「恐れ」

本川　原発は、まさに理系の言葉、徹底的な理系の論理でつくられています。でも、原発自体はとってもデリケートで危ないものです。原発は論理の言葉の固まりだけど、原発が及ぼすリスクや危険や影響は、イメージで伝えて、一般の人と危機を共有できるようにしておく必要があったのです。でも、事故の経緯を見る限り、福島第一原発は理系の論理ではつくられていたけれど、文系のイメージでそのリスクを事前に伝え、共有することができていなかった。もっと具体的にいうと、「恐れ」の感情を織り込んで原発を管理する、という発想に欠けていた。「恐れ」というのは、まさにイメージです。そのイメージを共有して原発をつくり、管理するという観点が抜けていたように思うのです。

池上　原発に関しては、文系の人間も「恐れ」と向き合うのを恐れて、リスクに向き合うことから逃げていたような気がします。事故が起きてもいないのに「危ないぞ」というと、「そんな縁起でもないことを言うな」という具合に、リスクマネジメントそのものを否定する発想が東京電力や国にあっただろうことが想像できます。ある種の「言霊」信仰のようなかたちで。そう考えると、本川先生がおっしゃるように、原発事故は、理系と文系が自分の言葉だけに閉じこもった結果起きた側面があるかもしれないですね。

本川　ドイツ生まれの哲学者ハンス・ヨナスは、技術者、理系の人間こそ、人間の心が持っている「恐れ」の感情をちゃんと大事にしなければならない、と明言しています。理系の人間はついつい論理がすべてで、科学万能主義、進歩主義に陥りがちになります。その結果、「恐れ」の感情を忘れ、元気のいいことばかりを唱え、かえって現実を見ない、となったりする。ヨナスはそれに釘を刺しているわけですね。

池上　東工大にもそういう傾向の先生がいらっしゃいますか。

本川　東工大に限らず、理工系の研究者にこうした傾向が目立つのは否めないでしょうね。理工系の教授は業界のフィクサーになります。自分の専門分野と関係のある企業を集めて学会というかたちで仲よし団体をつくり、業界の利益を代弁したり、業界内のすり合わせをする。

池上　原発問題で露わになった理工系の業界と学会の構造は、理工系業界全体で普遍的に存在するわけですね。さて、理工系ばりばりの東工大の中で、本川先生は生物学の授業をしていらっしゃいます。生物学も理系の学問でありますが、東工大ではどんな位置づけになるのですか?

工学部で、生物学は不要の烙印を

本川　東工大には学部が3つあります。理学部、工学部、そして生命理工学部（当時。その後、改組）。ただし、私が研究している生物学と、この生命理工学部の生命理工とは、まったく中身が異なります。生命理工で教えているのは、バイオテクノロジー。生命工学の分野とその基礎ですね。医薬や化粧品や農業の分野などで「直接役に立つ」生物学です。私がやっているのは、生きものそのものを相手にする古典的な生物学、アリストテレスの博物学から連綿と続くバイオロジーのほうです。実学指向の東工大では、不要の学問と見なされています。

池上　なぜ、不要の学問と見なされているんですか？

本川　すぐに役に立たないからです。

池上　すぐに役に立たない学問、まさに教養そのものじゃないですか！

本川　そもそも生物学は、教養においてきわめて重要な立ち位置にある学問なんです。文科系は目的や価値を扱いますよね。ところが理科はそんな「怪しいもの」は問題にしません。純粋に数式や物質の世界です。生物学の場合は、物質の世界なのだけれど、目的や価値も出てくる。だから理科と文科をつなぐ位置にあるのが生物学です。

だからこそ、理系も文系も、生物学はちゃんと勉強しておいた方がいいんですよ。私の使命は、そんな生物学の特性、面白さを学生に伝えることにある、と思っています。

池上　役に立たないどころか、今必要な教養のあり方の理想型を生物学は持っているわけですね。さて、本川先生はなぜ生物学を志したんですか？

本川　なるべく役に立たないことをやろう、と思ったからです。

池上　なんと、志望動機からして教養溢れる選択をされたわけですね。ではそのお話を次に。

優等生が陥る「科学のワナ」

池上　本川先生は、高校生の頃、「役に立たないことをやろう」と思って、生物学を志したとうかがっていますが、なぜ、そう思ったんですか。

本川　私は1948年生まれですから、いわゆる団塊の世代です。高度成長期まっただ中に育ちました。高校1年のときに東京オリンピック。焼け跡から豊かな時代への変化を、身をもって感じていました。そういうイケイケどんどんの世代ですから、理系で一番人気はすぐに仕事につながる工学系です。算数ができる子どもはみんな工学部へ行きました。当時、東工大も定員が3倍くらいにどーんと増えたはずです。

池上　私も先生より2つ下で同じ光景を見て育っていますから、時代の空気はよくわかります。アメリカとソ連が対立する東西冷戦時代で、1957年、ソ連がアメリカに先駆けて人工衛星スプートニクの打ち上げに成功した「スプートニク・ショック」があったこともあり、西側諸国はみんな理系教育に力を入れろ、という風潮もありました。東大工学部も定員が増えましたね。

算数ができると〝役に立つ〟人間になれた60年代

本川　算数ができるやつはみんな工学部へ行く。算数がそれほどでもないと商学部か法学部へ行く。つまりどのみち、みんなすぐに金儲けにつながる学部に行こうとしていたわけです。もっともっとたくさんものをつくって豊かになろうとしていた。60年代半ばはそんな時代でした。ところが私は、みんなと同じことをする気にはなれなかったんですね。もうここまで豊かになったんだから、ひとりぐらい役に立つことをやらない人間がいたっていいじゃないか。そう考えると、大学で行く学部は決まってきます。理学部か文学部。どちらも役に立ちません。

池上　なぜ文学部じゃなかったんですか？

本川　文学部といえば文士。「文士は自己破滅型じゃないといけない」という思い込みがありました。だから文学部はやめておこう。破滅願望、別になかったですから。で、理学部に進むことにしました。理学部で、金儲けにつながらない真理を追究するなんていいなあ、と思ったわけです。清貧の修行僧にあこがれるところもありましたから、比叡山に登る気分で理学部に決めましたね。ただ、理学部のどの学科にするかが思案のしどころでした。

池上　理学部には、生物学だけじゃなくて、数学も物理学も化学もあります。なぜ生物学だったんですか？

本川　若いときって、誰でも「自分とは何か」とか、「真理とは何か」とか、根本的なことを知りたいと思いますよね。そして自分にこだわる人は文学部へ行き、自然の真理が知りたい人は理学部に行く。

　理学部で「自然の究極の真理を解き明かそう」とすると、究極の真理とは何か、なんて悩む人は過激派に決まってますから、要素還元主義をつきつめて、究極の粒子へとどんどん自然を還元したくなる。だから、頭のいい過激な子はみんな素粒子の研究へと向かっていく。

池上　世界を徹底的に還元する学問へと向かうわけですね。湯川秀樹さん、朝永振一郎さん、江崎玲於奈（れおな）さん、小柴昌俊さん、南部陽一郎さん、益川敏英さん、小林誠さん。ノーベル物理学賞受賞者はたしかにみんなそうです。

本川　私は自分のことも自然の真理も、どちらも知りたかったんです。素粒子はあまりに人間から遠い。素粒子がわかったからといって、人間や現実の世界が理解できるとは、どうしても思えなかった。それに素粒子って、人間の脳みそがものすごい理論を使って生み出したもののような気がしましたね。現実感に乏しくて、とても私の頭じゃイメージできない。一方、文学部では、人間の脳みそや心の中ばかりのぞきこんでいるような気がしました。それだけで人間が理解できるのか？
文学部は脳みそ至上主義、理学部は素粒子至上主義。脳と素粒子の両極端に分かれて、真ん中がすっぽり抜けていて、自分の体もなければ植物も動物もいない。それでは、自分を含めた全世界を理解するには、バランスに欠けている気がしたんです。究極の粒子まで世界を還元せず、また脳みその中にも閉じこもらず、中庸で、世界の真ん中くらいから人間や世界を見るにはどうすればいいのか？　そこで選んだのが生物学だったわけです。私は動物学教室に進学しました。でも、行ってすぐに、「しまった！」と思いましたね。

ナマコ、別に好きじゃない、尊敬はしてますが

池上　なぜですか？

本川　周囲の学生たちがみんな動物好きなんですよ！

池上　当たり前じゃないですか！　動物学教室なんて動物好きしか集まらないのでは。本川先生は違うんですか？

本川　違います。

池上　本川先生はナマコの研究をされていますが、好きではない？

本川　ナマコ、別に好きじゃないですよ。尊敬はしていますが。だって、素粒子をやっている人に、素粒子を好きかと聞きますか。研究テーマに素粒子を選んだのは、素粒子という存在が好きだからですか。たぶん違いますよね。

池上　たしかに。素粒子が好きだから素粒子に行ったという話はあまり聞きません。

本川　「好き」と「研究の対象にする」とは違うと思うんです。まあ、中には数式そのものが好きで好きでしょうがなくって、数学者になった人もいますが。生物学の世界では、学問をやる以前に生きもの好きが多い。生物は見て可愛かったり面白かったりするからですよ。

池上　好きなものをあえて選ばない、という発想はいつ学ばれたのでしょう？

本川　私は、小学校時代バイオリンを習っていました。好きでよく練習しましたから、けっこううまくって、バイオリニストになろうかしら、なんてぼんやり思ったりもしていたんです。ところがコンクールに出たら、上には上がいるんですね。自分の能力がわかっちゃった。これがきっかけですね。好きだから職業にすればいいというわけではない。趣味は趣味、自分の好きなことで飯を食うのはやめておこう、と考えるようになった……。最近では「好きなことを追求しよう!」「好きなことをやるのが自己実現」などというキャッチフレーズが横行していますが、バイオリンが好きだからといって三流のバイオリニストになることに、自己満足以外の価値があるのかを考えなくてはいけません。職業はもっと重い、何か神聖なものという感じを、子どもながらに持っていましたね。好きなものを仕事としては選ばない。それが大人の選択です。

好きなことでも三流の仕事をするのは嫌だった

池上 そんな「大人の選択」に、いつ気がついたんですか。

本川 小学生5年生のときです。

池上 ませてますね(笑)! 大人の選択じゃなくて、子どもの選択、じゃないですか。

本川 やけに分別のある子どもでした。大人から見たら、可愛くないやつだったでしょうね。そんなこんなで、芸術で食べる道は止めました。けれども、実用一点張りの道も歩まなかった。かくして、工学部へ進んで便利なものをつくろうというほど落ちぶれもせず（笑）、ナマコやウニと付き合いながら、今に至っているわけです。

池上　工学部の先生方の反論も聞いてみたいご意見ですが（笑）、本川先生が、バイオリニストにならず、さりとて工学部で実用の道も進まず、「役に立たない」「真理を追究する」理学部に選んだかがよくわかりました。で、話を戻します。なぜ、「役に立たない」「真理を追究する」理学部の中でも、物理学でも化学でも数学でもなく、生物学を選択したのか、ですね。

本川　「真理を追究する」のは理学の世界だけじゃありません。宗教もまた、「真理を追求」しますよね。真理を求め、真理と共に歩く。それによって心の安定を、安心を、救済を、得る。

池上　連想するのは、「オウム真理教」です。1995年に「オウム事件」を犯した宗教集団には、理系のトップエリートたちがたくさん入っていました。東大出身者、そして……。

オウム真理教に理系が多かったのは、科学と宗教が似てるから？

本川　東工大出身者も、です。

池上　理性の究極を追い求める徒が、なぜカルト宗教にひっかかってしまったのでしょう？

本川　究極の科学と、宗教は、似ている側面があるんですよ。

池上　といいますと？

本川　小学校までの理科は、目で見て触ってわかる学問です。「菜の花の花びらは4枚ですね」という具合に。それが中学校の理科になると、目に見えない分子や原子や重力という「概念」を使うと全部共通の原理で理解できる、と教える。目で見えない、手で触れない、抽象的な学問になってくる。分子なんて中学生には、あるかどうか自分ではわかりませんよね。でも、「偉い人があると言っているのだから、自分の目で見て確かめられなくても、正しいものだと信じなさい」と教室で教える。その教えを素直に信じれば、試験で良い点がとれる、つまり信じればご利益がある。宗教とそっくりです。

池上　片や論理、片や信仰が真ん中にある。が、究極の真理を素直に信じると救われるというプロセスは、科学と宗教はとっても似ているというわけですね。

本川「自分の目で確かめられないものなど、簡単に信じてたまるか、そんなもの適当にあしらっておけ」という真っ当だけれど可愛げのない生徒は、文系の道を選んじゃう。一方、目のきらきらした素直でだまされやすい人間が、分子や普遍的な原理や数式を信じて良い点数をとり、そのまま理系の道へ突き進む。

池上 本川先生はどうだったんですか？

本川 理科も数学も、とっても得意でした。抽象論、大好きです。

池上 ああ、なんだ（笑）。ひっくり返しますねえ。私は都立高校3年のときに文系進学コースに入ったんですが、1960年代は文系コースであっても一応、物理、化学、生物、地学全部やらなければいけませんでしたね。

本川 まだ理系文系にかかわらず、いろいろな科目を勉強しよう、という教養志向が高校のカリキュラムに残っていました。

池上 ただ、私の場合は物理や化学にはついていけなくて、同じ理科でも具体的な対象がはっきり見える生物や地学の方が面白かったですね。本川先生は、抽象的な思考が好きで、数学も物理も化学も得意だった。で、理学部に進んだけれど、そこで立ち止まって、理学系でも、具体的な「生きもの」と向き合う生物学を選んだ、というのがとてもユニークですね。論理が好きなのに、イメージを尊ぶ感覚を捨てていない。

本川　そのどっちつかずなところが生物学の魅力なんです。

池上　そこで「役に立つ」「役に立たない」に関する議論をしたいと思います。生物学を含め、多くの学問は、「役に立たない」というふうにくくられる。でも、「役に立つ」学問が、悪いわけではないですよね？

本川　その問いに答える前に、「役に立つ」とはそもそも何か、について改めて考えてみましょう。現代社会において「役に立つ」とは、より便利になる、だとか、よりうまいものが食べられる、とか、要するに即物的な答えをすぐに出せるかどうか、という意味に、今ではなっています。でも、本当に大切なのは「役に立つ」ではないですよね。「役に立つ」は手段にすぎないのですから。その先に、人間が「幸せになる」かどうか、が目的のはずです。では、「幸せ」とは何でしょうか？

池上　「役に立つ」は手段にすぎない。目的は、人々が「幸せ」になることだ、と。で、今「幸せ」とはなにか、と問われると、けっこう返答に窮しますね。

本川　なぜならば、かつて「役に立つ」が「幸せ」をすぐに連れてきた時代があったからです。まさに私たちが成長した戦後の時代ですね。モノや食べ物が不足しているときには、モノをたくさんつくったり、食べ物をもたらしてくれたら、みんな幸せになります。でも、今の世の中はモノが溢れています。食べ物も溢れている。もっといいモノをたくさんつくっても、モノは余っているからそれだけでは売れません。食べ物だって、みんなが気にしているのは、グルメ情報以上にダイエット情報。文明そのものがメタボ状態になっている。そんな時代に、これまでの発想の延長線上にある「役に立つ」が、果たして人間に「幸せ」をもたらしてくれるでしょうか？

池上　たしかにそうですね。

我々はギリシャ貴族の地位にいて、機械の奴隷になっている

本川　実は、今とそっくりの世界がはるか昔にありました。古代ギリシャの貴族たちです。彼らは世界の富をつかみ、グルメが高じて、食べてはすぐに吐いて、また食べていたわけです。「食べる」ことが、体の栄養のためではなくなっていた。今とそっくりじゃないですか。では、なぜ古代ギリシャの貴族たちは、そんな贅沢な地位を得られたのか。大量の奴隷をこき使っていたからですよ。ここも現代の私たちとそっくりです。機械やコンピュータという奴隷をこき使って、そして地球の資源を搾取して、モノ余りの時代を享受している。私たちはもはや古代ギリシャの貴族と同等以上のポ

ジションにいるわけです。

池上 私たちは潜在的には古代ギリシャ貴族だったんですね。

本川 ただ、現代の私たちと古代ギリシャ貴族との間には、豊かさを手に入れた後のふるまいに大きな違いがあります。労働から解放された古代ギリシャ貴族たちは、ポリスという人間社会の中で善い人間になることを実践したり、エピステーメー、つまり学としての知を盛んに論じていました。

池上 つまり彼らは「教養」を生み出した。数学も哲学も基礎は古代ギリシャから生まれました。では、現代日本から新しい教養が生まれるかというと、うーん、つらいものがありますね。

本川 でもまだ遅くはありません。私たちも古代ギリシャ貴族のように、「役に立つ」から解放された方がいい。しかし残念ながら、私たちは、それが「役に立つ」と信じて、機械という奴隷をさらに増やし、機械の世話に一生懸命で、そのために自らが奴隷のように必死で働くばかりです。

池上 古代の奴隷仕事は人間がやらされていましたが、現代では機械に相当任せられる。なのに、その機械をさらに増やすために仕事をしている。これでは、奴隷の奴隷ですね。

時計より自転が、生きものとして正しい

本川　先日（2012年7月1日）もほら、「うるう秒」なんてあったでしょう。

池上　たしか1秒追加したんですよね。

本川　そもそも「1日」とは、地球の自転一回分のことです。ところが地球の自転は必ずしも同じスピードではないから、時計の時間とずれが生じてくる。ずれると困るから、ときどき1秒足したりして時計を調節するのが「うるう秒」。その「うるう秒」をやめようという議論があるんです。機械はすべて時計の時間に合わせてあるから、それを狂わすと、きわめて影響が大きい。大きな不都合が起こるかもしれない。だから機械の時間＝時計の時間を正規の時間にしてしまおう、というわけです。あの議論を聞いていると、そもそも私たちが頼りにしていた地球の自転という実際に起きている現象よりも、概念としての時間を刻んでいる時計＝機械の方が主役になっているように聞こえてしまう。時計の刻む時刻通りに自転しない地球が悪いぞ、と。

池上　時計の時間からずれる、地球が間違っていると。

本川　そうです。ところがね、生きものの視点から見ると、やっぱり時計より地球の自転の方が正しいんですよ。

池上　生きものとしての視点から？

本川　時計なんていう機械が誕生するはるか昔から、私たち人間を含む生きものたちは、地球の自転に適応してきたからです。人間の体内時計は、1日がぴったり24時間じゃありません。25時間に近いんです。地球の自転のスピードのずれや四季の変化による昼間の時間の長短なんかに合わせるように、体内時計は、毎日日の出の光に反応して時刻合わせをしています。だから毎日毎日1日の長さが変わるんです。地球の自転による日長の変化を主役に立てているのが生物です。ところが、こうした生きものとしての事実を無視して、地球の自転よりも私たちの体内時間よりも、セシウム時計が刻む時間を主役にしようとする。機械の奴隷になっていくとは、こういう事実を無自覚に受け入れていくことです。

科学には「価値がない」のです

池上　自らつくった文明の奴隷状態から解放されて、古代ギリシャ貴族の域に達するのはなかなか難しいですね。

本川　結局、モノをどんどんつくって、それが余るところまで来ても、やはり、まだモノを手に入れる以外に幸福がないと思うところが問題なのですね。

池上　まさに、糸井重里さんのかつての名コピー「ほしいものが、ほしいわ。」という状態ですね。何が欲しいのか、もはや自分自身がわからない。

本川　モノはすでに余っている。食べ物も余っている。じゃあ、教養を、となるかというと、その方向に向かっているとは思えません。物より心だ、という方向はあり、怪しげな宗教が流行ったりもするわけです。

池上　そこで科学が歯止めになるか、というとオウム事件に象徴されるように、理工系の純粋科学をやっていた秀才たちが見事に取り込まれてしまい、科学が新興宗教の解毒剤になり得なかった、という不幸を、私たちは目の当たりにしました。

本川　そもそも、科学で全部説明できる、という発想そのものが即物的なんです。つまり物質主義から抜け出せない。モノ余りの時代の解毒剤にはなり得ないんですね。科学そのものは、私たちに幸せなんて与えてくれないわけです。だって、科学には、「価値」というものが存在しないのですから。

池上　科学には価値がない？　それはどういうことですか？

科学には「価値がない」生きものには「意味がある」

池上 本川先生はおっしゃいました。「科学には価値がない」と。その真意はいかに？

本川 科学とは、「メカニズム」を研究する学問です。「こういう仕組みで、こうなっている」というメカニズムを解明するのが科学です。

池上 その通りです。でも、それではなぜ「価値がない」と？

本川 科学は「存在の意味や価値を問わない」からです。「なぜ、そうなっているのだろう？」「なぜ、そんなものがあるのだろう、そんなものがあると、どうしていいんだろう」と問わないのです。つまりものごとの「存在の意味や価値を問わない」んですね。最近も「ヒッグス粒子」がやっぱり存在するかもしれないなんていう話題が出ていますね。「ヒッグス粒子があるからこうなんだ」というメカニズムの証明は論理的に可能です。しかし、「なぜヒッグス粒子のようなものがあるのか」という存在そのものの意味や価値については、説明のしようがありません。

自然科学は「理由」を問わない

池上　なるほど、「科学という学問に価値がない」のではなく、「科学の方法論は、研究対象の『価値』を問わない」ということですね。たしかに、科学で、分子や原子や物理の法則がなぜこの世にあるんだ、と問うたら、それはもう科学ではなくなってしまいます。

本川　木からリンゴが落ちる。「なぜ落ちるの？」と問うても、「なぜか」は、わからない。「重力があるからだよ」と答えても、では、「なぜ重力があるの？」と問われたら……、そう繰り返していけば、結局、答えはないんです。

池上　法則は、なぜリンゴが落ちるのかを教えてくれているわけではなくて、リンゴはこのルールに沿って落ちている、と説明しているだけなんですね。

本川　そうです。そしてそのルール＝法則も、現象を観測してあとから人間が「発見」しただけのものです。別にニュートンがいなくても、法則が見つからなかったとしても、リンゴは落ちます。つまり、重力の存在に、人間が意味付けすることはできないわけです。あらゆる存在に意味付けをする仕事を負っているのは科学ではありません。宗教です。キリスト教では、すべてのものは神によってつくられたことになっています。神は愛であり、被造物にはすべて神の愛が宿っている。だから、その内在している愛の力で互いに引き合うんだ、と神の愛で重力の説明ができちゃう。存在に意味を見つけられる、価値を見いだせる。それが宗教というものです。

池上　しかし、科学の発見した万有引力の法則には「意味」がない。「説明のための論理」だけがある。

本川　質量に比例して距離の二乗に反比例した力が働いて――というのは「How＝どのようにして」に対する答えであって、「Why＝なぜ」に対する答えではありません。「意味」を問うのはなぜの方です。それがない。科学的自然観が世を席巻するまでは違いました。昔は、すべての空間に意味があったんです。日本でもそうです。こっちの方角には神様がいる、別の方角には別の神様がいる。だから、方違え（かたたがえ）に忙しかった。ところが、科学がこうした意味をぬぐい去った。空間は意味のない、全部均一のものになってしまいました。時間もそうです。昔は時間にも意味があった。今日は何代前のばあさんの祥月命日、次はじいさんの祥月、という具合に、毎日毎日に意味があったわけです。

池上　昨日は大安、明後日は友引、と毎日毎日に意味付けをしていましたね。

本川　ところが、時間からも意味が消し去られました。残されたのは、「正確で均質な時間」だけです。今のニュートン力学的な世界観では、空間や時間に意味を持たせない。のっぺりしたものですよ。実に味気ない。自然科学は「意味」を問わない。「価値」も問いません。ところが、唯一「価値」がある、「意味」を問う自然科学がありま す。それが生物学です。

池上　え、なぜ生物学だけが？

本川　それは、生物とは何か、という、根源的な問いと関係しているからです。

池上　生物とは、何か……。

生物学だけが、「価値を問う」科学です

本川　生物とは、ずーっと生き続けるようにできている存在です。

生命は約38億年の歴史を持っています。生物の遺伝情報として、4種の塩基アデニン・チミン・シトシン・グアニンからなるDNAを、バクテリアでも哺乳類でも、どの生物でも使っていることなどから、今のすべての生物は、昔いた共通の祖先生物の、直系の子孫だと考えられています。つまり、生物は現代に至るまで延々と生き残って続いている。細菌もナマコも人間も、みんな38億年前から続いている生物が進化した

ものです。この38億年のあいだに、生物にとっては何度も絶滅の危機が訪れました。巨大隕石が降ってきたり、地球全体が凍りついたり、環境は激変しました。それでも、生物は途絶えなかった。もし生物が続いていくようにできていなかったら、現代まで続いているはずがないでしょう。だから生物は続くようにできている存在だと言っていい。38億年の歴史がなによりの証拠です。

生物がずっと続くことのできる秘訣が生殖です。個体は亡びるに決まっています。熱力学の第二法則により、かたちあるものは必ず亡びる。それでも亡び果てないようにするメカニズムが生殖です。定期的に自分を複製し、自己を新たに増やす。そうすれば、今の自分が亡びても、複製した自分、つまり子どもが生き延びられます。

また、複製するときにも、一工夫があります。自分は今の環境でこそ、生きていられるのですが、環境が変わったらダメかもしれない。だから複製する際に、自分とはちょっとだけ違う子どもをいろいろとつくっておけば、どれかは新たな環境においても、生き延びられるだろう。これが有性生殖です。

こうやって、生き延びる確率のどんどん高い種が進化の過程でできました。これが今いる生物なのです。だから生物は生き残って子孫を増やすという目的を、あたかも持っているかのようにふるまうようにできているのです。もちろん、生物が最初から目的を持って進化してきたわけではありませんが、結果として目的を持つかのようにふるまっている。その目的にかなうことが、価値があることになる。つまり生物は価値や目的をもって行動しているのです。

鳥の羽を見たら、これは飛ぶためのものであり、飛べれば餌を捕まえるにも敵から逃れるのにも有利だから、結局生き残ることができる。羽は鳥の生存において価値があり、鳥の目的達成のために役立つ良いものだ、ということになります。「なぜ鳥は羽を持っているの？」「なぜ羽があるといいの？」と問うて、答えが出るのが生物学です。

池上　だから、生物学は、「生きものが生き続けている」意味を考える学問、というわけですね。と、考えると、研究対象の「価値を問わない」、そして「意味を考えない」他の自然科学とはずいぶん異なります。

本川　そうです。そもそも生物は現代まで滅びず生きてきた、だから生物が生き続ける、存在しているということには意味があり、それだけで価値がある、と言って構わないと私は思っています。ただしこういう論理の進め方を「自然主義的誤謬」と言います。論理学的には間違いです。ただ論理学そのものが、人間の脳みそがつくった机上のものです。論理学の歴史より、生物38億年の歴史の方がはるかに長い。この38億年の生存の重さを誰が否定できるのか、と、ここのところは強引ですが、生物は存在することと自体に価値があると思うのです。

池上 つまり生物とは、自らが生き残り続けることを「価値」と認めている存在である、と。

本川 そうです。一方で、物理学、たとえばヒッグス粒子そのものには「価値」というものは存在しない。価値という概念とは無縁なんです。物理や化学は「価値や目的を問わない学問」です。ところが、地球上に誕生した生物というのは、進化の過程で、さまざまな環境において、ずっと生き続けられるように体をつくりかえ、多様化して、現代まで生き残ってきました。生物学は、「なぜこの生きものは、この環境で生き残ったのか?」という具合に「なぜ」と問う。「仕組み」や「論理」だけじゃなくて、その生物のもつ器官や、その生物の示す行動の、生き残りにおける「意味」や「価値」までを問い続ける、という点が、他の自然科学とまったく異なるんですね。

池上 だからこそ、生物学は文系の人間にも親しみが持てるのかもしれませんね。論理をつきつめるだけじゃなくて、具体的なイメージを追いかける。つまり「価値を問う」という側面が生物学にある。そこがとっても文系的ですね。

本川 もっとも文系は、価値のみ、欲得のみ、の嫌いがありますが(笑)。

生きものという現実より、脳内の理論が正しい科学の限界

池上　文系学問がすべて欲得ずくと言われちゃうと、今度は文系の先生方に怒られそうですが（苦笑）。話を戻しましょう。科学は、物理学にしても化学にしても、意味を問わない。価値を問わない。論理だけを追う。ところが生物学だけはちょっと違う。ずっと生き続けてきた「生きもの」という事実を対象とするから、「なぜ生き続けてこられたのか」という意味を問う、価値を問う、ということでしたね。でも、本川先生の代表作『ゾウの時間 ネズミの時間』では、動物の消費するエネルギーは体重の4分の3乗に比例する、というシンプルな法則を導きだしていらっしゃいます。生物学も、分子生物学などは、ほとんど化学や物理同様、ひたすら論理を追いかける、というイメージがあるのですが。

本川　たしかに、分子生物学はほとんど物理・化学の世界です。なにせ目に見えませんからね。理論・論理一辺倒です。一方、私が『ゾウの時間 ネズミの時間』で記した、「動物の消費するエネルギーは、体重の4分の3乗に比例する」という話、これ「現実」なんだけど、実はいまだに「理論」までには昇華されていないんです。事実としてのデータはたくさんあるけれど、それを統一的に説明する、これだという決定的

な「理論」になっていないから、単なる経験則で、高校の教科書にも載せられない。

池上　現実だけど理論ではない？　そういえば、本川先生、高校の生物の教科書も執筆されていましたよね。

本川　はい。でも、「動物の消費するエネルギーは、体重の4分の3乗に比例する」という話は、載せられません。科学において、事実と理論とは違うんです。科学は、理論至上主義で、事実は単なる事実であって、事実の羅列は科学とは言いません。事実を説明する妥当な理論が提出されていない事柄については、いくら事実が積み重なっていても、正式には科学的真実としては認められない。事実よりも理論が主役。理論が事実を真実にする、これが科学のやり方です。

池上「動物の消費するエネルギーは体重の4分の3乗に比例する」のは、まぎれもない現実なんですよね。その現実をもってしても、「なぜそうなるか」の理論が確立していないと科学じゃない……。なるほど、先ほどの「うるう秒」の話と似てきました。

本川　そこで私は、「生物」という現実をまず積み重ねて、なぜそうなっているのかは、たとえわかっていなくても、その現実を認めると、どういう世界が広がるかと、イメージを湧かせて、『ゾウの時間　ネズミの時間』などの本を書いたわけです。生物学は、理系の王道から言わせると、非常に中途半端な立場にいるんです。法則ではなくて、単なる経験則じゃないか、いろいろ変わった事実を集めて喜んでいる、切手収集と同じじゃないかと。このあたりの科学における理論至上主義は、西洋哲学の悪しき流れを汲んでいるところもありますね。イデアが現実より偉いんだ、現実は単なる影だ。影だけ研究していてもダメだ、イデアに到達しないと、というわけです。

でも、現実とは、実際に存在するものですからね、否定しようがない。人間が科学を確立するよりはるか前から生物は地球上に存在し続けました。そんな生物という、揺るぎない現実を相手にするのが、生物学です。普遍化した理論至上主義だけでは成り立たない学問です。

理論っていうのは、理想的な状況でしか成り立たないものですよ。それは仮想の世界なんですね。分子は見えないから仮想が効く。酸素分子は、どの分子でも同じだと仮想する。すると普遍的な理論をつくれる。でも個々の生物は、同じイヌと言っても、みな顔つきも違います。個性をもっています。それを普遍化してイヌと言おうとすれば、それは仮想物としてのイヌでしかない。しかし生物は、目に見えるから仮想物にはしにくいのです。

池上　物理や化学は、結局、見えないもの、直接触れないものを相手にしていますよね。

物理の法則が現実に当てはまらないこと、いくらでもある

本川　重力だって分子だって「そう考えると理論として成立するはず」という仮定の存在です。個別の分子というものを比較検討して研究しているわけじゃありません。フックの法則ってありますね。バネにつけるおもりの重さを2倍にすれば、2倍に伸びる、ってやつです。でも、現実のバネに2倍の重りをかけても、2倍には伸びません。バネをつくっている鉄の格子には、格子欠陥が必ず入っているから、2・001倍とかになる。つまり現実には「そのバネの個性」によって、ぴったり法則通りにいかない。この場合、物理学的には、格子欠陥がある現実が悪い、法則が間違っているわけじゃない、と判断します。

池上　地球の自転でずれてしまう1日の時間よりも、ずれのないセシウム時計の刻む1日の時間の方が正しいというのと同じですね。

本川　現実は必ずしも科学の理論通りにはいかない。でも、科学はそれを認めたがらない。

池上　理論の方が現実より偉い、という発想は、自然科学だけじゃないですね。社会科学にもあります。経済学者にもよくいますね。自分の予測が間違うと、理論通りに

市場が機能しない！　現実が間違っている！　と主張する人が（笑）。ただ、理論至上主義はときとして問題かもしれませんが、物理や化学を学んでも仕方がない、数学の因数分解なんか解けてもしょうがない、ということではないですよね。

本川　理論があるから、現実が理論からどれだけ違っているかで、現実を測るモノサシや、現実を見る視点が得られます。それから、いいかげんだけれど、理論を使って予測を立てられます。理論を学ばず、現実だけを見てしまうと、現実はごちゃごちゃでわからない、だから理解はあきらめて現実に埋没し、ただの現世利益のみを追いかけてしまい、道を誤ってしまうことになりやすい。科学の理論をきっちり学ぶことはきわめて重要です。経済学の理論も同様ですね。一見、役に立たなさそうでも、理論を学校で体系的に勉強すべきです。理論をつくるには、基本になる個々の事実の細かいところには目をつぶって、共通性のあるものとして見立てなければなりません。まあ言ってみれば、どんぶり勘定なんです。

そうやって、ある一般的なものをイメージする。そうして、その上に厳密な論理を組み立てる。論理は厳密でなければいけません。そうじゃなかったら、そもそもがいいかげんですから、本当にいいかげんになってしまう。

科学の論理や数式は厳密だから、科学とは厳密一点張りだと思っている人が多いのですが、本当は、現実を上手に近似する、いいかげんなものなんです。このことを学校では教えないし、プロの科学者も忘れやすい。だから理論が正しくて現実が間違っている、なんて発想をする科学者も出てくるのです。そこが問題ですね。厳密な論理も知る必要があります。どんぶり勘定で世界を見立てる上手なイメージの湧かせ方も訓練する必要があります。これは文科も理科も同じ事ですが、特に数学・物理は、論理の訓練に適した科目です。

科学とは、「現実を上手にモデル化する」する仕事

池上 物理や化学や数学といった自然科学の理論を身につける。一方で、生物学が扱うような現実をしっかり見る。ロジックとイメージ。理論と現実。両方の視点を持って、世界を把握し、分析する……、それが理系において「教養ある」アプローチ、ということになるんでしょうね。

本川 物理や化学では、現実を理想化して理論を打ち立てます。理想化する過程で、抵抗や摩擦など、さまざまな誤差を招く要因を省いてモデルを構築する。現実は複雑に決まっています。人間はそれほど頭がよくないから、複雑な現実をある程度単純化

しなければ、世界を把握し、理解することができないのです。

池上　だからモデルをつくり、理論を構築する……。

本川　そのモデルにどこまで現実の複雑さを組み込むのかが次に問われてきます。いずれにせよ複雑な現実と向き合い、そこから人間に扱いやすいようなきれいなモデルをつくっていく。これが一見、非現実的な学問を勉強し続ける意味でもあります。

池上　現実の複雑さと向き合いながら、理論を構築するわけですか。

本川　このプロセスを経ないと、学者は、現実から遊離した理論一辺倒の科学の世界にどっぷりと閉じこもることになってしまいます。

池上　本川先生のお話をうかがっていると、ますます自然科学だけじゃなくて、社会科学、たとえば経済学でも同じような過ちを犯していることに気づかされます。すべての人間を合理的な利益追求のために行動する「経済人＝ホモ・エコノミクス」と仮定して、理論構築してきた旧来の経済学の現実との遊離などはその典型です。

本川　理論が現実とずれていく典型的なケースがあります。それは、理論はしばしば「規模」や「大きさ」という現実に対応していない、ということです。物理学や化学は、基本的に要素還元主義ですから、素粒子のような究極の要素がわかったら、あとは足し算ですべて説明がつくと考えます。要素が10個集まれば10個分の働きをする、

1000個集まれば1000個分の働きをする、と単純に考え、システムの規模を問題としません。システムが大きかろうが小さかろうが、要素はいつも一定のふるまいをする、という発想です。ところが、人間も含めた生物においては、そうでもないらしい。私がずっと申し上げている、生物のエネルギー消費量は、体重の4分の3乗に比例する、という「現実」が、その一例です。

ヒトも生きものも、集団が大きくなるほどさぼるのです

池上　どういう意味ですか？

本川　生物の個体は、細胞という基本の要素が集まってできています。ゾウの細胞もネズミの細胞も、ほぼ同じ大きさで、要素としては同じ。ゾウとネズミの違いは細胞の数であり、ゾウはネズミより、数が10万倍多い。要素還元主義に立てば、細胞はどこでも同じに働くはずだから、ゾウはネズミの10万倍働くはずだ、と、考えることになります。ところが現実には、ゾウはネズミの10万倍も働いているわけではない。ゾウのように体のサイズが大きい動物ほど、細胞が働かなくなるのです。だから結局、大きなシステムの構成員はさぼっている、ということになります。

池上　会社のような人間組織でも同じですね。組織が大きくなるほど、働かない人間が増えてくる（笑）。要素還元主義の影響を強く受けている経済学や社会学には、この視点が欠けがち。ということは実は生物学は、教養のみならず経済、ビジネスにも役立つのではないですか。

生物学を知っているとヒトの「経済」が読めるようになる

池上 組織が大きくなるほど、働かない人間が増えてくるように、生物も構成する細胞の数が増えるほど、ひとつひとつの細胞の働き方は減る。本川先生の話を聞くと、生物学は、人間がつくる組織や社会、経済を知るために、実は基本になる〝教養〟である、と思います。

本川 私が研究しているイタボヤというホヤの仲間がいます。食用にするホヤは1つの個体が単独生活していますが、イタボヤは、体の一部から芽が出て、新たな個体ができてくる。つまりクローンを増やしていって、たくさんの個体が集まってくっついた「群体」をつくります。サンゴなどと同じですね。このイタボヤを実験材料として、群体のサイズとエネルギー消費量の相関関係を調べてみました。すると、群体のサイズが大きくなればなるほど、1個体あたりのエネルギー消費量が少なくなるのです。

池上 ホヤの群体も人間の組織とそっくりなんですね。

本川　群体の消費するエネルギー量は群体の重量の4分の3乗に比例する、という、ゾウとネズミの間で知られている例の関係式と同じ関係になりました。1個体あたりのエネルギー量は、群体の体重の4分の1乗に反比例して減る、ともいえます。つまり、組織が大きくなればなるほど、動物の個体もさぼるわけです。

池上　社会性ハチやアリの仲間でもそんな話を聞いたことがあります。人間の場合は、2対6対2の法則でしたっけ。どんな組織でも、2割はよく働き、6割は普通、2割は働かない。では働かない2割を取り除くとみんなが働くかというと、やはり2対6対2の比率になってしまう、という……。

ホヤの組織と人間の組織はそっくりです

本川　それはシステムのサイズを考慮した話ではないので、実際には集団の規模が変化すると、その比率が変わってくるんじゃないか、というのが、ここでの話です。個体を取り除いて集団が小さくなると、働く者の比率が増えるはずです。サイズが大きくなればなるほど、相対的にエネルギー消費量は減る。具体的には、体重の4分の1乗に反比例する、というのは、群体や集団のみならず、個々の生物の個体をつくっている細胞単位で見ても同じです。ちゃんと4分の1乗の法則に当てはまる。

池上　つまり、体重が5キロの生物と50キロの生物のエネルギー消費量を比較すると、単純に10倍の差がつくのではなくて、その差はもう少し小さくなるわけですか？

本川　そうです。10倍ではなく5・6倍。つまりシステムが大きくなると、働かない細胞、エネルギーを消費しない細胞が増えるということです。人間も所属する組織が大きくなればなるほど働かなくなる割合が高くなると言われます。働かなくなるのは、脳の発達していないイタボヤでも起こるわけですから、大企業で働かない人が多いのは、人目につかないからさぼろうと悪知恵を働かせているわけじゃなくて、システムの問題だと、私は考えています。そのシステムの問題とは何か。生物は生き残って子孫を増やすという目的をもったシステムで、そのシステムは細胞という要素からできており、その細胞がエネルギーを使って活動しています。企業も、生き残って売り上げを増やすという目的をもったシステムで、そのシステムは個人という要素からできており、その個人がエネルギーを使って活動している。こう定義すると、生物も企業も同じです。だとしたら、生物のサイズの法則性が、経済学にも当てはまってもいいのではないでしょうか。

池上　たしかに、経済学にも収穫逓減の法則というのがありますね。なるほど、経済というのは、人間という生きものの行動の結果ですから、生物学の発想をベースに、規模やサイズを考慮しながら組織を編成したり、社会を再構築したりする、というのは理にかなっている、ということになります。すると、経済の側の人間にとっても、文系の人間にとっても、生物学を学ぶことは……。

本川　はい、とっても役に立つんですよ。イタボヤの話なんか、まったく皆さんに関係ない、と思うでしょう。ところがそんな役に立たないはずの生物学が、むしろ役に立つ。でも、世の中はそんなものです。経済学では、個人がいつでも同じに働くと仮定して、理論を立てます。「会社の規模が大きいからさぼってやろう」などとは考えないと仮定する。サイズの問題、規模の問題を考慮しません。要素そのものは変わらないのだ、というのが、経済学でも物理学でも、共通している考え方です。粒子主義という考え方で、科学の基本。生物学を勉強すると、そういう基本的なところをも見直す視点を持つことができます。せっかく規模やサイズの話をしたから、もうひとつ、生物学の視点から人間社会の話をいたしましょう。

現実の世界は、正比例ではなく、ケタで変わる

たとえば、組織は大きい方がいいのか？　小さい方がいいのか？

生物の世界を眺めればわかりますが、地球上には目に見えない細菌から、クジラまでが生息している。あらゆるサイズの生きものがいる。大きいものも小さいものもサバイバルしている。

ここで生物から人間社会にイメージを広げると、企業にしても社会にしても、大きいか、小さいか、は生き残りの第一条件ではない、ということになりそうですね。

池上　たしかにそうですね。

本川　問題は、規模の大小ではなく、その規模に合った生存戦略を持っているかどうか、です。先ほどの生きもののエネルギー消費量や、働いている構成員の比率の話と同様、規模やサイズが異なれば、戦略も当然変わってくるはずです。けれども経済や経済政策の話というのは、対象となる組織や社会のサイズにかかわらず、同じ理論式を使おうとしますよね。国家予算なんかでは、よくGDPの何%という表現がされます。そうやって数字を出さないと信用されない世界だということですけども、GDPの何%っていう考え方そのものが、正比例の発想です。それでは、たぶん実態にあっ

た施策は打ち出せない。正比例の発想ではダメなんです。

池上　正比例でなければ、なんですか。

本川　対数の発想です。生物の場合、規模と活動度との間には対数の関係があったのですから、たぶん国でも企業でも、そうでしょう。対数、もっとわかりやすくいえば、数字のケタが変わったら、さまざまな比率が変わるぞ、という発想です。

池上　なるほど、扱っている数字のケタが変わる、つまりサイズが変わると、施策も当然変わるぞ、ということですね。

本川　そうです、重要なのはケタで、問題なのもケタが変わる、ということなんですよ。ケタが変われば世界が変わるんです。ところが、算数の授業を受けると、すべての数字は均一なものだと思い込みやすいのですね。算数のテストで3ケタの足し算をやらせる場合、一番大きな百の位の計算結果が合っていても、下1ケタが1間違えてたらゼロ点になりますね。でも、実社会の算数では、1円2円はどうでもよく、最大のケタがとりわけ重要なのですから、最大のケタが合っていたら、それでおおむね当たりです。だから80点はあげないといけない。

池上　本川先生は冒頭で、数学は論理の言葉だとおっしゃいました。が、数学という言葉が学校で正しく教えられていないということですか。

本川　数学はとても重要だけれど、数字の読み方を、どこかで教えなければいけないということですね。数学では、並んでいる数字はすべて均質だと教えています。だけど現実の世界では、数字のケタが変わると数の意味する質が変わってしまう。数学が厳密な論理の言葉であることと、数字をどう読むべきかということは別のことです。厳密な論理は、現実の複雑さを照らし出す鏡として、とても重要です。その上で、現実での数字の意味を学ぶ。それが実社会で生きる上で役立つ算数の勉強だと思うのです。でも、学校ではそういう視点では教えてくれません。

国語の授業では美文より論理的な文を教えてほしい

池上　なぜ、教えないんでしょう？

本川　それは、教える側、教師たちが、厳密な数学だけを教えるのがよい数学の授業だと考えているからです。ケタが変われば数字の質が変わる、というのは現実の話で、それは数学という理想世界の話ではない。そういう下世話なものとかかわらないのが純粋な美しい数学です。結局、数学者・技術者の卵を教育するのが数学の授業であって、良い社会人をつくる数学という視点がありません。もっとも、これは数学に限った話ではなく、国語だって同じですよ。国語も、現実に即した「言葉」を学校では教えていない。

池上　え、国語も、ですか？

本川　理系の学者なのに、なぜか中央教育審議会の国語部会の委員をやったことがあるのです。当然居並ぶ委員の方々は、国語の教育関係者や作家の方がほとんどだから文学至上主義になりがちなんです。国語では、「美文」「名文」を教えることに躍起になる。

池上　ああ、すごく納得がいきます。

本川　私はこの国語部会で、こう提案しました。

「みんなが作家になるわけじゃないんだから、全員が名文を書かなくてもいいじゃないですか。むしろ、読む側に誤解を与えない、すっきりした論理の通った文章、よくできた理系のリポートみたいな文章の書き方を教えた方が、実践的でいいんじゃないですか」

池上　いきなり切り込んだんですね。で、どうなりました？

本川　こんな反応が返ってきました。

「理科の文章は理科の時間に教えてもらわないと。国語の教師では対応できません」

それではと理科の部会に行って、理科の教師に文章の書き方を生徒に教えてくれと言えば、それは国語でやってくれ、と言われるでしょうね。結局、「そっけないが明晰で論理的で、わかりやすい文章の書き方」は、どちらの教科書にも載らない、つまり、誰も教えない。

池上 だから、長じて文章の書き方に不安を覚えた理系の人たちが、木下是雄さんの『理科系の作文技術』を購入して、この本がベストセラーになるんですね。

本川 あの本は名著です。

池上 ほかには、本多勝一さんの『日本語の作文技術』が参考書となるでしょうか。

本川 本多さんの作文技術もきわめて実践的でした。

理系にはイメージが、文系には論理が足りない

池上 考えてみると、本多さんも京都大学農学部卒ですから、理系ですね。ただ、普通に文章を書く参考書、となると美文、名文を書くものばかりになってしまう。

本川 有名どころだと、丸谷才一さんの『文章読本』。たしか「ちょっと気取って書く」だったかな、そんなことが書いてあるんです。

池上　懐かしい！　私もなるほどと思ってそこの部分を熟読した覚えがあります。もちろん、美文名文が必要な状況や世界もあります。けれども、作家になるわけでもない普通の人たちに必要なのは、簡潔にして伝わりやすい論理的な文章の書き方ですね。

本川　そう、池上さんの本のように。ところが、国語の世界は国語の世界で「閉じて」しまっているので、現実のニーズに応えられない。有名中学の国語入試問題を見てください。入試の問題文になるということは読んですぐに意味がとれないということです。そんなの悪文ですよ。

池上　……あの、私の文章、けっこう入試問題に使われています（苦笑）。

本川　……実は私のも（笑）。国語教育とは、本来、日本語の使い方、書き方を教えるものだと思うんです。ところが、まるで国語＝文学のような扱いになってしまい、文学至上主義の色に染まってしまう。一方、数学や算数は、数学の世界の閉じた思想で教えられているために、1の位から全部のケタで計算結果が合ってないとマルをもらえない、厳密な理論としての数学のことしかわからなくなってしまう。現実の世界は、イメージ過剰な国語の世界と、理論過剰な算数の世界の、ちょうど「中間」あたりにあるわけです。右脳と左脳のちょうど真ん中に。

池上 理論とイメージの「中間」を教える場が日本の教育の世界にはないのでしょうか？

本川 算数や理科の時間は左の脳みそばっかり使わせて、国語の時間は右の脳みそばっかり使わせて、結局、脳みそが分裂しっぱなし。肝心の現実について、全然教えない。かくして、イメージ先行、あるいは理論先行で、いずれにせよ、現実のことがわからない子どもたちを育ててしまっている。これが日本の教育の大問題ですね。

池上 理系と文系、左脳と右脳、それぞれで教わってきたことをすり合わせる。大学の教養課程で求められている仕事ですね。これまでのお話をうかがうと、両方を同時にカバーする唯一の学問といったらまさに生物学。本当の教養のために、生物学が求められている、ということではないですか？

本川 よくぞ言ってくださいました！ところが、その生物学が大学の教養課程では微妙な立ち位置にあるんですよ。

池上 では、日本の教養を救うカギとなるかもしれない、生物学の学び方について、お話をうかがいましょう。

ニュートン教だけでは、未来はない

池上　ここまでの本川先生のお話によると、化学や物理学といった自然科学は理論に走りすぎ、国語の世界は文学性やイメージに走りすぎるきらいがあり、現実の世界からどちらも遊離してしまう、頭でっかちな「脳みそ至上主義」に陥りがちになる、とのことでした。そこで大学の「教養」の再生について話を進めたいと思います。本川先生のお話をお聞きすると、東工大の理系エリートの学生たちこそ、理系と文系の要素、論理とイメージの要素、両方を併せ持つ生物学をもっともっと学ぶべきでは、と思うのですが……。

本川　私が東工大の一年生たちに教養課程で生物を教えるようになって20年。でも、純粋理系の東工大生の口からはもっぱら、「生物学の話は、授業ではない」という感想が出てくるんです。

池上　え、どうして？

本川　大学受験を戦い抜いてきた東工大生にとって、授業で習ってきた理系科目とはずらりと並んだ理論と事実のことであり、それをひたすら覚えるのが勉強だ、と思っているんです。私は、というと、そんな新入生たちを相手に、「ある事実をもとにどう考えるか」という授業を行うわけです。たとえば、「なぜ」昆虫には羽があるのか？羽があるとどんないいことがあるのか？「なぜ」有性生殖をするのか？　そんなことを考えさせながら授業を進めます。すると、東工大生の一年生たちはこう言うんですね。

日本の教科書には「教養」がない

「先生、それは授業ではなくて、ただの『お話』じゃないですか？」

じゃあ、何の話をすれば彼らは満足するのか？　流体力学を持ち出して「昆虫が空を飛ぶ仕組み」を解説してあげれば、たぶん満足する（苦笑）。

池上　本川先生がおっしゃっていた、「自然科学に『価値』はない」の意味が改めてよくわかりました。東工大生に代表される理系の学生は、授業で教わる内容そのものに「価値」を求めていない。「意味」を求めていない。ひたすら理論と事実とを学べばいいと信じている。だから自然科学の中で唯一「価値」や「意味」を問う生物学の問いかけに違和感を持つ……。

本川　「なぜ」と意味を問うとそれだけで違和感を持ってしまう。そんなの科学じゃない、と思ってしまう。なぜ学生たちがそう思ってしまうかというと、「価値」や「意味」を問う授業を学校で受けたことがなかったからなんです。だって、教科書には「価値」や「意味」なんて書いていないですからね。事実と事実に基づいた理論以外書いてはいけない。それが文科省検定教科書です。解釈は一切ダメ。解釈とは、ある特定の個人の偏ったものの見方だとされますから、書いたら検定は通りません。そんな教科書で教育を受けてきた学生たちを相手に、「なぜ昆虫には羽があるんだろう」「なぜ有性生殖をするんだろう」といった具合に、生きものという対象の「意味」や「価値」を問う生物学の授業をすると、当然のことながら混乱するわけです。

池上　「価値」を問わない、というのは理系だけではありませんね。歴史の教科書なんかも、たいがいつまらない。解釈が許されないので、年号とセットになった事実をただ並べているだけの本になる。面白くなるわけがありません。

本川　だいたい教科書は面白くないようにつくられています。本来「意味」を問う学問である生物学だって、高校の教科書では事実と昔から正しいとされている理論を天下り的に書くことしか許されないから、たんなる事項の羅列。実につまらない。もちろん、専門家になるためには、専門知識は絶対に必要です。でもその知識をもとに全世界を眺めて、その知識を持った専門家としての自分の立ち位置がわからなければ、専門家としてどうふるまうべきかもわからないですよね。自分の立ち位置がわかることが教養であって、教養を持てるようにするのが、良い教育でしょう。小中高の検定済み教科書を読んだだけでは、そういう視点が持てません。

池上 日本の教育における「教養のなさ」の元図に、検定教科書があったとは。

本川 ええ、だから検定教科書とは独立したゲリラ本が必要になるんです。私が、参考書『チャート式新生物』(共著)を執筆したのも、そんな思いがあったからです。教科書に限界があるのならば、受験参考書でいい本をつくることで日本の教育の質を高めたいと考えたのです。

池上 という話で連想するのが、本川先生の「歌う生物学」ですね。「爆笑問題」のテレビ番組でも披露されていらっしゃいました。東工大の講義でも歌っていらっしゃいますし、CDも出されている。歌はまさにイメージを直接伝えるわけですから、その歌に乗せて生物学の理を教えるというのは、理系と文系、右脳と左脳をまさにつなげる教育ですね。

本川　「歌う生物学」に触れていただき、ありがとうございます（笑）。あれは画期的な高校生物の参考書ですよ。歌にすると、イメージを与えられるし、なんといっても覚えやすくなります。なにせ生物学は覚えることが多いですから。

理系よ、工学系よ、もっと「おしゃべり」になれ

池上　歌う生物学者、本川先生に改めて質問があります。東工大の学生たちは卒業すればその多くが製造業などの現場で、ものづくりの陣頭指揮を執るようになります。ところが今、日本のものづくりは、危機に瀕している。いろいろな理由はありますが、直接の原因は、消費者が魅力的と思ってくれる商品を開発できていない、ということがあります。つまり、消費者とコミュニケーションがとれていない。一方、東工大の学生たちは自分たちを「コミュ障＝コミュニケーション障害」と卑下します。うまく人とコミュニケーションがとれない、という意味です。日本の製造業の明日を担う東工大生たちが「コミュ障」というのは、かなり問題ではないか、と思うのですが。

本川　難しい問いですね。そもそも、日本の工学の世界は、職人の系譜なんです。無口で偏屈で、もくもくとモノだけつくっているというのが職人のイメージですよ。客

にはしゃべらない。そして弟子にもしゃべらない。弟子は親方の背中を見て真似る。親方は口では教えません。いい製品をつくれば、余計なことを言わなくても売れる。弟子は親方の技術をひたすら真似ろ、盗め。それが昔からのやり方で、戦後経済を支えた日本の技術のあり方もそうでした。

池上 日本の技術の世界には、言葉が少なすぎる、ということですか。

本川 ところが、まったく異なる文化の国があります。アメリカです。アメリカはおしゃべりな国です。当然、技術の継承も言葉でなされますし、できあがった製品も饒舌です。アップルの製品がその典型です。ハードウエアとしての技術はたいした水準ではない。でも、インターフェースの出来の良さ、さまざまな情報インフラの充実ぶり、そしてデザインの素晴らしさ。つまり、イメージやアイデアが消費者に対する「おしゃべり」であり、イメージやアイデアという「おしゃべり」を介して、アップルは消費者とコミュニケーションをとる、説得する。

池上 アップルもアップルの製品もとても饒舌、というのは納得です。

本川 日本の技術の現場は悪い意味で寡黙なんです。おしゃべりじゃなさすぎる。先日発見されたヒッグス粒子だって、研究の現場では日本の技術がいっぱい使われている。けれども、世間と直接コミュニケーションをとるのは海外のチームなんですね。

日本の理系はとにかくおしゃべりをしない。学生時代、おしゃべりしていると怒られました、「そんな暇があるなら実験しろ！」と。

池上　学者や技術者には、「沈黙は金」というイメージがありますね。

本川　しゃべるよりは手を動かせというわけです。先生もほとんど何もしゃべってくれない。助手になったとき、一言だけ言われました。「教授の目が動く前に動け」。目が動く前に、さっと雰囲気を察して動け、と。

池上　日本の大企業の社長と秘書の関係と同じですね。「あれ」と言われたら「はい」と、いくつもある「あれ」の中から正確に「あれ」を選び出して持っていくような。

本川　その「あれ」という言葉が出る前に、持ってこなきゃいけないいんです。夫婦関係だって「おい、あれ」と言うだけで出てこないといけないのが日本でした。今、そんな夫が許されるわけはないので、家庭内離婚になっちゃう。冗談はさておき、日本の理系はあまりに言葉が足りない。理系の人間がもっともっとおしゃべり上手にならなければいけない。論理一辺倒ではなく、門外漢にイメージで伝えられる、おしゃべりな技術者を輩出しなければならない。

池上　歌う技術者じゃなくていいんですか。

本川　歌う技術者まで出てきたら、もっといいのですが（笑）。私がなぜ講義で歌うかというと、繰り返しになりますが、科学は基本的に論理一辺倒だけれども、その本質を論理だけで押し通しても人にはちゃんと伝わらないからです。具体的なイメージで伝えなければいけない。歌の場合は詩というかたちでイメージを伝える。科学を歌にするということは、論理を伝えながら受け手にイメージを湧き上がらせて、納得いくように伝えるということなんです。これは技術者が開発する製品にも言えることだと思いますよ。今売れているものは、消費者に伝えたいイメージが明確だからこそ売れているんです。

東工大からスティーブ・ジョブズが生まれるためには

池上　たしかに。その製品の奥底に論理があろうと、消費者が直接魅力を感じるのは具体的なイメージのほうですよね。

本川　その点、やっぱりスティーブ・ジョブズなんてうまかったですよ。製品のみならず、プレゼンテーションそのものをイメージ戦略に変えてしまった。ジーパン姿でｉＰａｄなんてあんな重たいもの、日本人が片手で持つにはしんどい製品を、いかにも軽そうに持って見せて、実に魅力的にプレゼンする。

池上　東工大から、それこそジョブズ流のおしゃべり、ジョブズ並みのプレゼン能力を持った技術者が輩出されるようにならなければ、と思いますね。

本川　歴史的に見ると、東工大というのは、工場長をつくる大学だったんです。社長業の方は東大出身がやる。その代わり、工場長は現場をきちっと管理し、絶対に問題のないモノをつくる責任を持つ。ミッションはひたすら「いいものをつくること」。つくったモノを売って業績を上げるのは、社長の仕事、工場長の仕事じゃない、というわけですね。社長じゃなくて、質実剛健な工場長を輩出する、というのが東工大の誇りだったわけです。

池上　古き良き時代の技術者の誇り、という感じですね。

本川　でも、もはや技術者は良いモノをひたすらつくっていればいい、という時代じゃありません。良いモノの定義が、変わってしまったわけですから。モノが足りない時代とは異なります。イメージが魅力的な製品じゃないと手に取ってもらえない。コマーシャルを先につくって、それにマッチする製品を開発することが、現実に行われています。コマーシャル、つまり顧客へイメージを伝える方が大切なんです。技術者にコミュニケーション能力が問われています。で、逆に私がお願いしたいのは、論理とイメージをうまくセットで伝えることにかけては日本有数の技を持つ池上さんに、ぜひ東工大生を「洗脳」していただきたいんですね。

池上 大役を仰せつかってしまいました（笑）。

本川 これまで、東工大に新しく先生を招聘するときには、特許を何件持っているとか、論文を何本書いているとか、そういう基準でばかり選考をしていました。でも、池上さんが今回いらした学長直属のリベラルアーツセンター（現リベラルアーツ研究教育院）には、特許や論文とは関係なく、学生たちに、言葉を、おしゃべりを教えられるような人に来てもらいたかったわけです。

池上 実は、私が東工大で教えるきっかけをつくっていただいた先生のひとりが本川先生だったそうですね。

本川 こういうとまたまた怒られそうですが、そもそも東工大には講義がうまい先生があまりいないんです。理系出身者の常として、先生方の大半が口べたなんですね。ひたすら数式や化学式を黒板に書いていく。先生側には、大学進学率が日本の人口の1％以下だった「大学生＝特権階級」時代の意識がいまだに残っています。かつての大学は選ばれしものが学ぶ場でしたから、講義はむしろ難解である方がいい、面白くない方がいいとすら考えられていた時代がありました。難解な授業、つまらない講義にもついてこられる学生、そういう学生こそ学問をやるにふさわしいというわけです。

ところが今、大学進学率は5割を超えています。これは昔の幼稚園よりも多くの人が行くということです。そんなにたくさんの人が学問好きなわけはないですから、つまらない講義をしていては、学生が授業をとってくれるはずがない。

テレビのリズムに慣れた学生には、「歌」で教えるのが有効なんです

池上　社会における大学生の位置づけは、私たちが学生時代の60～70年代から様変わりしたんですね。

本川　さらに、今の学生たちは、生まれたときからテレビを見せられて育っています。15分たったらコマーシャルソングが入る、というリズムが、体に染みこんでしまっているのですね。だから、今の学生たちの集中力はだいたい15分が限度。15分に一度ブレイクがないと、お尻がもじもじする人間に育っちゃったわけです。だからこちらも、15分ごとに歌わないといけない。

池上　それで歌を（笑）。

本川　15分ごとにCMが入って気分転換がなければ落ち着かない。それに対して、教える側が文句を言うわけには、いかないでしょう。そういうふうに育てたのはあんた

がたの世代だ、と言われれば、返す言葉はありません。それが現実なのですから。その現実を踏まえて教育方法を工夫するしかない。ところが教育の世界は、ついつい現実を見ずに、理想ばかり追いかけてしまう。科学者も教育者も理想主義者が多いんですね。物理や数学が理想状態ばかり扱う癖が、ここにも出ているのかもしれません。

池上　では、生きものはどうなんでしょう？

本川　生きものは、常に環境に適応した者だけが生き残ります。では、その環境とは理想的な状態かというと、まったく違います。

池上　たしかに。

本川　砂漠ありジャングルあり。巨大隕石がぶつかることだってあり得るわけです。環境は常に変化し続ける。だからそもそも「理想の状態」なんていうこと自体がない。

池上　氷河期が来ちゃったら、今度は氷と隣り合わせで生きていかなきゃいけない。

本川　生物にとっては常に現実だけが正しい。理想は存在しない。なにせ生物の都合と関係なく、環境は変化し得るわけですから。そんな環境＝現実に、自らを合わせることで生物は生き残ってきた。それが進化です。進化とは、理想へ向かっての進歩とは、まったく違うものです。ところが生きものの中で人間だけは違う道筋をたどりました。古代ギリシャ以来、現実じゃない、脳内でつくりあげた理想こそが正しいとした。究極のイデアの世界を追い求め、宗教をつくって神の世界を想像した。対する現実は、理想に届かぬできそこないのような扱いを受けています。マルクス主義もそうでしたね。

池上　人間の文明は、今はない理想を目指して現実の環境をいじり続けた、とも言えます。

本川　でも、どんなに文明が発達しようと、前提となるのは、やはり目の前の現実です。もちろん、神の世界を信じることは構いません。宗教は大切です。ただし、宗教が理想とする「あの世」だけを考えて、「この世＝現実」をないがしろにするのは本末転倒でしょう。

ところが文明が進んでいくと、旧来の宗教とはまったく別の、新しい「宗教」を人間はつくりあげてしまった。宗教的な「あの世」に対する、「この世」の真理を記す宗教。それが自然科学です。科学に頼れば、モノがどんどんつくれてご利益が上がる。ご利益をあの世ではなくこの世で手にすることができるのです。科学は真理を語ると自ら言っていますから、たとえ難しい理論はわからなくても、科学を信じていれば安心できる。また、科学はどんどん進歩して、明るい明日という希望をも持たせてくれる。ご利益と安心と希望、素晴らしい宗教です。自然科学の代表が古典物理学で、大成したのがニュートンですから、私はこの宗教を「ニュートン教」と呼んでいます。

池上 東工大は、ニュートン教の一大聖地みたいな存在ですね。

本川 ニュートン教に入信すると、科学の理論を疑いのない「真実」として受け止めてしまう。根本的な「なぜ」を問わなくなる。科学ばかりを見て「現実」を見なくなる。宗教はたいていあの世で救われる。ところが科学はこの世での救いをもたらします。この世を飢えのない、自然の力にひれ伏さずに自由にふるまえる天国に近づけていく。だからニュートン教は、絶大な人気があるのですね。ただし、技術によってこの世を天国に近づけるために、自然を搾取する。そこが問題になってきているわけです。ところで、大変例外的なのですが、この世を天国に近づける宗教があります。

神道が生物学と近いわけ

池上 え、どんな宗教ですか？

本川 それが実は、日本の「神道」です。神道では、「あの世」を考えません。あるのは「この世」だけです。

池上 なるほど、神道ですか。

本川　ええ。そして、ニュートン教は物理学ですが、神道は生物学に近いと、私は思っています。

池上　神道は、理論至上主義のニュートン教とは違うぞと。

本川　神道では、この世の永遠を大事にします。伊勢神宮は、20年ごとに建て替えるでしょう。なぜかといえば、この世というのははかなくて、かたちあるものは必ず壊れます。ところが20年ごとに建て替えて更新していけば、伊勢神宮という存在は、永遠に続く。これ、何かと似ていませんか。生物です。生きものの体というのは、使っていればすり減っていきます。体には寿命があるのです。そこで、自己とそっくりのものをつくる、つまり子どもをつくる。そうすれば、子どもは生き残りますから、その子がまた子を生むと、ずっと生物は続いて生き続けられる。生殖という方法を見いだすことで、生物は生き続けることができるようになりました。生物学的に見れば、自分の子どもは私なんですね。孫も私。私、私、私、と私を渡していきながら永続するのが生物です。生物はこの世の永遠をこうして手に入れました。永遠に生きられるのだから、天国ですね。結局、伊勢神宮も生物も、体を更新する、永続しているのです。つまり生まれ変わることによって時間をリセットしながら回り続ける、回る、つまり元の状態に戻って繰り返す、こうすれば持続可能になります。神道は生命原理であり、これは持続することを最重要視する原理です。神道の思想は、生命原理と相通じるんですね。

池上　神道と生物学の共通点、目からウロコが落ちる話です。

生物学こそは究極の教養です

池上　自然科学をそのまま受け入れて信じ込むのは宗教、本川先生曰く「ニュートン教」の信者になることだ、というご指摘がありました。

本川　ニュートン教では、科学はいつも進歩し、右肩上がりに進行していきます。元には戻りません。資源が無限にあればこれでよいかもしれませんが、有限な世界では、このやり方では、いつか破滅するしかありません。地球が保ちませんから。持続可能性を言うなら、生物学や神道を、再評価する必要があります。ところで、結婚式を神道で挙げ、葬式は仏教で執り行う、というのが、日本ではよくあるパターンですよね。キリスト教徒に言わせれば、なんと節操のない、とあきれられるでしょうが、これには意味があると私は思っています。結婚式とは、子どもを産む、つまりこの世の永遠への門出ですから、神道でやる。葬式とはあの世の永遠への門出ですから、仏教でやる。実につじつまが合っています。こうして、この世の永遠とあの世の永遠とを保証し、そうやって、私たちは安心して暮らしてきました。これは、ものすごく賢い宗教との付き合い方ではないでしょうか。

池上 天皇家は生物学と直接縁がありますね。昭和天皇は相模湾の海洋生物を研究し、今の天皇（現上皇）はハゼの研究者、秋篠宮はナマズやニワトリの研究者、皇室を離れられた黒田清子（さやこ）さんも山階鳥類研究所で鳥の研究をされていました。

本川 皇室が生物学とかかわりが深いというのは、必然性があるのではないかと私は勝手に感じています。天皇はこの世の永遠の祭司でもありますから。

天皇家に生物学者が多い理由

池上 生物学こそは究極の教養である、ということが本川先生の話を聞いているとつくづく実感されます。

本川 生物学は理系文系にかかわらず必修科目だと思っています。生きものとは、生命とは何かを考える、ということは、例外なくすべての人に必要ですから。

池上 理系の東工大には入試科目に生物がありませんね。高校で物理と化学を選択しなければ、東工大入学の道は開かれません。

本川　工業大学の入試科目に生物がないのは、当然と言えば当然でしょう。でも、東工大には生命理工学部もあるので、そこは問題ですが。高校時代に物理と化学だけを学んで入学した学生にこそ、教養としての生物学を学んでほしいですね。ところが最近はまったく履修してくれません。将来の仕事に直接関係ある授業以外は履修せずに、効率よく卒業しようという傾向が、近年、どんどん強くなってきています。私の講義は、我ながら面白いことをやっていると思いますよ。昔は人気があって、100人は履修してくれたのですが、どんどん減って、いまや10人。最終回なんて生バンドを入れて歌う生物学の演奏会をやるんですけどねえ。

池上　その授業、私が受けたいです。東工大の受験の選択科目にも生物を加えられませんか？

本川　そうはなりません。うちは単科の工業大学としての歴史がありますから、たとえ生命理工学部ができても、やはり物理と化学をもとに生命現象を理解する、というのが工業大学の基本姿勢で、これは崩れそうもありません。「物理学帝国主義」という言葉があります。生物学よりは化学が、化学よりは物理学の抽象度が高く、より抽象度の高いものほど高級だとする考えです。うちの大学は、物理学帝国主義者ばかりですよ。抽象度が高いということは、より単純化するということであり、単純なものほど高級、ということです。ところが、生物の世界では、単細胞生物は単純バカ、人間は複雑で高級、となります。単純なのが高級か、複雑なのが高級か、ここでも物理と生物は、まったく価値観が違ってきます。生物屋からすれば、複雑で高級な生物を単純でバカな物理学でそう簡単に割り切って理解されてたまるか、と、言いたいところですが。ただし、複雑怪奇だと生物学者が逡巡していたところに、物理学者が切り込んで来て大業績を上げた、というのが分子生物学です。ワトソン・クリック以来、分子生物学がものすごく発展し、物理学が生物学を飲み込んでしまいました。

池上 分子生物学者のジェームズ・ワトソン、フランシス・クリックですね。1953年にDNAの二重らせん構造を解明して、ノーベル生理学・医学賞を受賞しました。

本川 クリックはもともと物理学者です。生命をDNAという抽象的な「言葉」で全部解明しようとした。実際にいろいろなことがわかった。それは事実で、大変な成果です。その後、生物学はどんどん化学と物理学に近づいていって、抽象的な学問になっていきました。そこには問題もあります。生物は数千万種もいると言われていますが、そんな有象無象の生物など取り扱わず、分子生物学では、大腸菌やショウジョウバエといった、限られた数のモデル生物、つまりある意味では理想化された生物のみを研究し、それで生物すべてがわかった気になっているのが現状です。

DNAと分子生物学が生物学を抽象化した

池上　でも、ロボット工学の世界では、リアルな生きものの筋肉の動きや構造の解明といった「目に見える生きものの活動」を理解することが直接開発の役に立つ、とされていますよね。ロボット開発の現場で何をしているかというと、人間の体や動きを一生懸命研究して、人間という生きものの体をいかにうまく真似するかに腐心している。「調べれば調べるほど、生きものがいかに精密にできているかがわかる」。ロボットの研究をしている人たちはそう言いますよ。

本川　まさにその通り。実は私たち人間の体だって、腕の動作の際にたくさんある筋肉の、どれがどのタイミングで収縮してどう腕が動いていくかなんて、よくわかってないことがけっこう多いんですよ。でも、筋肉の研究というと一気に分子レベルの抽象議論に行ってしまう。「収縮タンパク質のアクチンとミオシンがどう反応するか」と、そっちの話ばっかりになる。

池上　ロボット工学を専攻している人に、何をやっているんだと聞いたら、今はひたすら人間の体の筋肉の動きを研究していると。「それ、工学じゃなくて、生物学では ないですか？」って思わず問い返しました。工学の世界がようやく生物学と向き合う ようになった。逆にいうと、なぜ今までやってこなかったのでしょうか？

本川 モノをつくるというのは抽象ではないんですよね。現実と向き合わねばなりま せん。だからきちんと、こまごました現実と向き合わなければならないのです。動物 的なロボットが話題になるのは、やっと機械が、少し動物の域に近づいてきたという ことでしょう。なんと言ったって、動物の動きの精巧さは、車や飛行機の比ではあり ません。人工物はただ速いだけです。工学ではそんな流れも出てきたのですが、本家 の生物学では、生きものの体のつくりや動きや行動を観察し、分析する、というのは 古くさい博物学＝ナチュラルヒストリーにすぎないじゃないか、というのが現在の評 価です。私はウニがどうやって歩くのかも研究していますが「本川さん、とても面白 いけど、それは19世紀の学問だねえ」と言われます。東工大の研究としては、ふさわ しくない、とも。そんな時代遅れで泥臭いことやってどうなるの、ということでしょ う。

池上 抽象度が高い、目に見えないものを対象とする科学の方が先進的で、抽象度が 低い、目に見えることを対象とする科学は時代遅れで泥臭い、という図式になるわけですね。

ロボット開発に役立つとなると突然注目される

本川　ところが、時代遅れの博物学のような「筋肉の動き」の解明が、新しいロボット開発に応用できるぞ、となるといきなり再評価される。ただ、ここで評価されるのはあくまで「ロボット開発」という「ご利益」があってのことです。実利的な工学として評価されているだけであって、生物学として解明してもそれだけでは「学問ではない」と切り捨てられてしまう。

池上　切ない話です。ご利益がないと評価されないなんて。

本川　でもですよ、今までの話でご理解いただけると思いますが、人間はいまだに自分の体の仕組みすら解明しきっていないわけです。わかってないから、実際に真似てつくってみると、ああ実際はこうなっているのかなとか、これは思っていたのと違うぞとか、ここにこんな筋肉を加えるとうまくいくねということがわかってくる。だから、工学サイドから生物学にアプローチするというのは、すごく大事な話です。ロボット開発にでも何にでもどんどん応用すればいい。東工大はそういう面は強いですね。

広瀬茂男さんをはじめ、有力な研究者がいらっしゃいます。

池上 本川先生のおっしゃる、目に見える生物学を教える、研究する人は減っているんですか?

本川 今の生物学者のほとんどは分子生物学者です。生きものそのものを教えられる、良い意味で古典的な生物学を教えられる人がどんどん減ってきています。かつては、大学の一般教養課程に、ナチュラルヒストリーのような生物学を教えられる先生方がいたんですが、池上さんもご存じのように、大学が一般教養課程の教官を専門課程に大学院というかたちで吸収するようになってから、教養としての生物学を教えられる先生は、日本の大学での居場所をどんどん失ってきました。

池上 大学教育は「専門課程を極める大学院こそがメインだよ」とばかり、一般教養課程を解体して、そこで一般教養を教えていた先生方を各学部や大学院に配置転換してきました。大学の先生方も、肩書きが大学教授から大学院教授になっている人が増えました。

本川 私自身も、もともとは東工大の一般教養課程の所属だったのですが、現在は大学院生命理工学研究科の所属になっています。研究科のミッションと、教養課程のミッションは違うので、人事も異なる基準でやらねばならないのですが、すべてが研究科に属することになると、どうしても教養課程のことが無視されがちになるのですね。かくして、教養課程にふさわしい博物学的な生物学を教える先生はどんどん減り、代わりに、普遍的な学としての生物学、つまり共通な分子機構を研究する生物学、その代表が分子生物学ですが、それをやっている人たちばかりが採用されることになります。博物学は、論文ひとつ書くのも大変なのですよ。野山のフィールドに入り込んで、生々しい個別の生きものの生態を何年もかけて調べて、やっと論文を1本書いて、動物の学会誌か何かに掲載する。それでは「業績が少ない」「国際的なインパクトがないね」との評価になりますから、教授になれない。私のように、「ナマコを沖縄の海底で1日観察したところ、10メートル動くことがわかった」なんて泥臭いことをやっている人たちは、もはや研究職を得られなくなっているんです。東工大も私が定年を迎えたら（2014年3月末で定年）、もはや「生々しい生物学」を教える人はいなくなるでしょう。

カビの生えた生物学が、本当に役立つ瞬間

池上　生々しい生きものを教えてくれる生物の先生、今こそもっと必要な気がしま

す。

本川　生々しいということは、ある特定の生物の生き方に密着しているということです。その生きものに関心を持つからこそ、その生きものを価値のあるものとして認める。研究を続けていって、その生きものの世界を知る。地球上には数千万種の生物がいるわけですから、「地球には数千万の違った世界がある、地球は豊かだなあ」ということになります。モノをたくさんつくって豊かだとするやり方は、もう地球環境が許しません。いろいろな生物の世界を発見し理解することで、地球を豊かにする。そういうことをやっている人たちに触れることも教養のひとつだと思うんですけどねえ。

とりわけ東工大のように単科大学に近い大学は、先生も学生もついつい専門バカ化しがちです。だからこそリベラルアーツ＝教養の強化が必要なんですね。かつて東工大には、伊藤整や江藤淳といった素晴らしい文科系の先生がキラ星のごとくいた。その伝統が大学院大学化して消えようとしています。だから池上さんが所属するリベラルアーツセンターの役割にはとても期待しています。

最後に、なぜ大学で「教養」教育が必要なのか、改めてお話しします。東工大のような偏差値の高い大学で、少ない専門科目だけを勉強するようになるとどうなるか。学生がみんな目先の１００点だけを追い求めるようになるんです。でも、テストで測れるのは過去の知識の量にすぎない。未来への創造につながる創意や工夫は測ることができないんです。一見ムダに見える、一見自分と関係ない「教養」こそが、今はない新しい何かを生み出す糧になるかもしれない。教養課程をないがしろにする教育には、こうした視点が欠けています。

池上　「世の中の都合に合わせて」人を育てようとするあまり、「世の中が必要としている」人が育たないジレンマが生じるわけですね。

本川　教育というのは息の長いものです。その教育をムダなく効率よく目先のことだけやると本分を誤る。若い人の思考や技術は、長い時間をかけなければ本物になりません。若い人たちを単なる「労働力」と見なして、パートタイムで使い倒そう、という教育や経営から創造的なものは絶対に生まれない。なのに、国も大学も経済界も学生の教育や社員教育に対して、どんどん「その場主義」になってしまっている。

池上　すぐに役に立つ技術はすぐ陳腐化すると言いますからね。

本川　時間をかけなければ成就しないことがあるんですね。教育とはそういうものです。ところが今は、時間をかけずにすぐできることが正しいという悪しきスピード主義、悪しき効率主義がはびこっています。その元凶が大学受験です。大学受験とは効率主義の権化です。効率のいい勉強法を編み出した人の偏差値が高い。大学入試センター試験の生物の問題など、私は制限時間内には解けませんね。考えていたらダメ。こういう問題はこう答えるという、パターンを覚え込まなければいけません。反射能力のテストみたいなもんです。

池上　もはやクイズに近い……。

本川　人間の創造性を問うのであれば、制限時間無制限で試験をやればいい。それから受験科目を絞らない。なるべく広い科目を勉強させる。そうしないと、100点を取りやすい科目だけを学ぶようになってしまう。抽象的な数式の操作に強い子にとっては、物理や化学は100点をとりやすい。そういう子はたいてい個々の事実を覚えておいていろいろ考えるのは、あんまり得意ではないから、生物は受験しません。本当は数式に強い子こそ、有象無象の事実と、毛嫌いせずに向き合っていってほしいんですが、そうはなりません。本当はすべての教科を受験させた方がいいんですけどね。でも、大学は学生を集めるために、受験科目を増やしはしないでしょう。少子化・大学淘汰の時代ですから。

池上　間違いなく、大学の数は減っていくでしょうね。

「頭がいい」ってほめ言葉じゃなかった

本川　教養が大事だという話をしてきたのですけれど、同世代の半分もの人間が大学へ行って、教養と専門とを学ぶ、などということが、本当に必要なのか、学力のある子どもは幅の広い専門家となって、将来、方向性を間違えないように世の中を引っ張っていってもらわなければ困るが、そういう子どもは、それほど数が多いとは思えない。だから、「そうではない子の場合、中途半端に教養も専門もというよりは、自分の専門をしっかりやって、その世界で自足するのが自身の幸せにも、世のためにもなる」という考え方もあります。考慮に値するでしょうね。ある工場で聞いた話ですが、鋼材をグラインダーで削るときに飛び散る火花の色を見て、これにはニッケルが何％入っているなとわかる人が昔はいたそうです。その能力は中学から現場で働いていないと身につかない。バイオリンは3歳から始めなければ、というのと同じことが技術の世界にはあるんですね。ところがこうした匠（たくみ）の技を持つ技術者の数がどんどん減っている。みんな就職しないで大学に行ってしまうからですね。それが本当にハッピーなのかどうか？　大学でおざなりに学問を学ぶよりも、体を使って現実を覚えていく方がハッピーな人たちがたくさんいるはずですし、社会のためにもなる。

勉強ができるというのは、数ある能力のひとつにすぎません。プロのサッカー選手になるにしても、バイオリン奏者になるにしても、大学から始めたって遅い。なのに、体が後回しで頭が優先されている。頭で会得することの方が偉い、体を使う仕事よりは頭を使う仕事の方が高級だと勘違いしている。これは結局、デカルト以来の文明病です。

池上 そういえば、日本には高専＝高等専門学校というものがあります。中学卒業後の5年制で、工学や技術を実践的に学ぶ教育機関ですよね。かつて「高専」というのはある種のエリートのイメージがありました。今はどうなっているんでしょう？

本川 高専は、日本の工学や技術の世界においてとても重要な役割を果たしていました。東工大にも編入制度があって、高専卒業後、東工大に編入する学生たちがいるのですが、みんな抜群に優秀です。現場を知っている。身体的に頭がいい。ところが、高専そのものは人気がなくなっている。単に「大学」の名がついていないからです。

池上 もったいない話です。

本川 日本は、少なくとも大正時代ぐらいまでは、もっと価値観に多様性がありました。たとえば「頭がいい」という評価は決してポジティブなものではなかったんですよ。どちらかというと「怪しい」とか「小ずるい」といった意味で使われることが多かった。むしろ評価されるのは、親の職業をきっちり継ぐとか、子どものときから体に技術を仕込んでもらっている、ということでした。そんな優れた身体を持った人たちが、日本の製造業やサービス業や学問の現場までをも支えてきたんです。それが今みんな大学に行っちゃうから、「優れた身体」「優れた技術」を持った人たちが減っています。設計図を引いただけでは家は建ちません、実際に建てる人が必要なんです。でも、大工さんより建築家の方がなんとなく偉いと思われています。そこにもう一言付け加えると、体そのものより、体の設計図であるDNAの方が大切で、だから生物そのものの研究者よりDNAの研究者が偉い、と考えるのが今の世の中です。

池上　そこまで脳みそ至上主義が徹底してしまっているんですね。

本川　プラトンがイデアを唱え、デカルトが心身二元論を唱えるように、西洋の文明においては、肉体は抑圧されるべきであり、脳が上位に立つべきものなんですね。

学校こそムダなことをあえて教えよう

池上　大学全入時代の到来も、脳みそ至上主義とくっついて出てきたところがあるんですね。

本川　教養というと、どうしても脳みその中だけで構築したお話を教養と言いたがるところがありますが、体で覚える教養もあると私は思っています。体の部分がとても大事なんです。「身」が「美しい」と書いて「躾（しつけ）」です。こういうものも私は教養のひとつに数えたいですね。

池上　お茶やお花もそうですよね。

本川　日本というのは偉かったと思いますよ。ただお茶を飲めばいいというわけじゃない。これね、効率優先の考え方からすると、余計なことばかりを教えることになる。今の趨勢では、就職を早めに、大学進学者をこれ以上増やすな、とはならないでしょう。だから今までのように、大学すべてが旧制高校・帝大をモデルとせず、きちっとした所作を身につけるとか、火花の色を見分けるなど、体に結びついた訓練をやる大学があっていいと思いますね。それが専門学校とどう違うのかと言われたら、それなりにムダも教えるようにする。茶道を教える。お茶のできる職人さんなんて、かっこいいじゃないですか。教養、つまりムダを教える学校。

池上　教養というものは、一見効率が悪いですよね。なにせすぐに役に立ちませんから。

本川　その代わり、一生使えます。その一生使えます、ということで、最後にもうひとつ、教養の意義を付け加えておきましょう。高度な専門知識を得て、職を得るために大学に来る。その際、さらによい専門家になるために、教養の講義も受けて広い視野を得る、というのが今の大学における教養の位置づけでしょう。工学部だと、よい専門家とは、よい製品をどんどんつくれる人でしょう。ところが、そういう図式ではこれからは対応できないと思うのですね。環境問題、資源エネルギー問題、少子高齢化と、日本は問題が山積みです。右肩上がりなどとんでもない、日本経済はどんどん悪くなり、環境や資源の制約から、たくさんモノをつくるわけにもいかず、モノをつくっても、そうは売れない時代にますますなっていくのは必至だと思います。

教育で一番大切なことは、モノが今ほどなくてもみじめだと感じない人間、モノではない豊かさを創造できる学生をつくること。それが大学の大きなミッションになるのではないでしょうか。そこで教養の出番なのですね。これは人間教育でもありますから、一生使えるものです。

現在の豊かさとは、モノの量が多い豊かさです。でもこれからは量を増やすわけにはいきません。そこで、量はそれほどなくても、質の違うモノがいろいろあるところに豊かさを感じられるようになれば、みじめだと思わずに済むでしょう。量を問題にするのが物理学。生物学は、多様さ、つまり質の違いを重視します。だからこそ、これからは生物学の出番、教養として重要になると言いたいのです。それに、人間は、生きものの一種なんですから、自分自身を知るためにも、まずは生物学的教養をどうぞ。今からでも遅くありません。学生の皆さんは、これからどんどん生物学の教養を吸収してほしい。自分の専門にかかわらず、ね。

修学旅行	［科　目］教養教育 ［講義名］米国トップ大学の教養教育 MIT・ウェルズリーカレッジ・ハーバード大 ［講　師］上田紀行×池上彰

アメリカの一流大学は4年間〝教養まみれ〟でした。

日本の大学と企業が「実学志向」「実用思考」に傾き、
「教養」教育をないがしろにするきっかけのひとつは、
アメリカのビジネススクール出身者が
企業で重宝されるようになったこと。
そのせいで、アメリカの大学＝「実学志向」「実用志向」
というイメージが流れたこともあります。
けれども、ビジネススクールは日本でいえば経営大学院。
アメリカの大学４年間は、世界のどこの大学よりも、
徹底的に森羅万象の「教養」を学生たちに叩き込む場です。
東京工業大学に教授として着任した2012年秋、私は
上田紀行教授と“修学旅行”をしました。
世界最高の理工系大学で東工大の目標ともいえる
MIT＝マサチューセッツ工科大学。
ヒラリー・クリントンなどが卒業した名門女子大ウェルズリー。
世界の大学界の王者、ハーバード大学。
あえて最先端は教えない。専門科目を飛び越えたカリキュラム。
現場での修行を重視する。
すごい教養の教え方、学び方をどうぞ。

米国トップ大学の
教養教育
MIT編その1

MITの学部では最先端なんて教えない

上田　日本の大学は、1990年代以降、どんどん専門教育偏重の方向に流れていき、教養科目を削っていきました。

池上　実学志向は、「日本の大学は、社会に出ても直接役に立たない教養ばかりを教えていて、教育機関として役に立っていないのではないか」という、大学批判を受けたものでしたね。

上田　ところが、こうした実学志向が、日本の大学、とりわけ東工大のような「理系専門」の学校から、「教養」を奪ってしまった。教養は、役に立たない机上の空論どころか、人間が生きていく上で、むしろ欠かせない知の土台です。そこで、東工大では、教養＝リベラルアーツを徹底的に教える、リベラルアーツセンター（現リベラルアーツ研究教育院）をつくりました。

池上　いまだに世間では、「日本の大学は象牙の塔、実学志向が足りない」という声が大きいですね。

上田　大企業トップの「大学は即戦力になる学生を育てろ」という声が新聞に載ったりします。

池上　そんなとき、日本の大学が必ず比較されるのが、アメリカの大学です。世界の大学ランキングでアメリカの大学は常に上位を占めてきました。では、アメリカの大学は、「リベラルアーツ＝教養」をどうとらえ、どう教えているのか？　日本の大学と何が違うのか？　２０１２年秋、私は上田先生とアシスタントリサーチャーの３人で、アメリカ東海岸の大学を視察してきました。

ＭＩＴ、ハーバード、ウェルズリーを訪問

上田　訪れたのは3校。世界の理系の雄、マサチューセッツ工科大学（ＭＩＴ）、世界一の大学と称されるハーバード大学、そしてヒラリー・クリントンや米国初の女性国務長官を務めたマデレーン・オルブライトなど多くの女性著名人を輩出し、米国の大学のリベラルアーツ教育ランキングでは常にベスト5に入るといわれる、米国トップクラスの女子大、ウェルズリー・カレッジです。

池上　なぜこの3校を選んだのかといえば、ＭＩＴは東工大とよく似ている理工系専門の大学だからです。ハーバードは世界トップの総合大学ですから、そのリベラルアーツの実態も見たい。ウェルズリーはリベラルアーツそのものを4年間教える究極の教養教育を行っている大学で、ぜひそのカリキュラムを知りたい。

上田　リベラルアーツ教育がどのように行われて、どんな工夫をしているのか。その極意を盗んで東工大の教養改革に活かそう、というわけです。で、池上さん、いかがでしたか？

池上　結論から申し上げます。アメリカの大学がこれほどまでにリベラルアーツ教育に力を入れているとは、想像をはるかに超えていました。しかもリベラルアーツの範囲がものすごく広い。社会科学や文学や哲学はもちろん、美術や音楽に至るまでをカバーしている。総合大学のハーバードや教養教育に徹しているウェルズリーだけでなく、理工系の専門大学というイメージの強いＭＩＴまでもがそうだった、というのにとても感動しましたね。

上田　アメリカの大学において教養教育＝リベラルアーツを学生に徹底的に叩き込む、というのは基本中の基本なのだということが実感できましたね。大学の先生も職員も、非常に強い意志と目的意識を持っているのが伝わってきました。前置きが長くなりました。そろそろ、MITの話を。

池上　おっと、そうですね。では、まずMITのリベラルアーツ教育事情を報告しましょう。

東工大そっくりのMITには女子が4割も！

ちなみに、私はMITで、いくつもマグカップを買いました。それぞれ異なるメッセージがプリントされていましてね。そのメッセージがまさに、MITのリベラルアーツ魂の象徴だなあ、と。思わず手が出てしまいました。

上田　このコーヒーカップには……なんとカフェインの分子構造モデルがプリントされている。しゃれてますね。

池上　こっちのカップには、「Then God said, "Let there be light"」と。

上田　「光あれ」。旧約聖書の冒頭の台詞ですね。おっとその横には相対性理論の光のモデルが。

池上　キリスト教と物理学が並んでいる。まさにリベラルアーツのあり方を象徴しています。コーヒーカップに教養がにじみ出ている。素晴らしいです。

上田　ＭＩＴのキャンパスはとってもなごみました。今回訪れた大学３校の中で圧倒的に東工大と同じ匂いがしました。理工系の専門大学であるだけでなく学校規模もそっくり。１学年の学生が１２００人ぐらいで教員も１０００人ぐらいというあたりも似ています。

池上　東工大は学部の学生が１年生から４年生までで５０００人弱、大学院が５０００人強で計１万人。教員が１０００人ですから、ほぼ同じ規模ですね。私も「ＭＩＴと東工大、なんだか似たもの同士だなあ」と感じました。

上田　特に学校を取り巻く風景が似ていました。建物がとっても機能的にできている。施設ははるかにキレイですね。うらやましい。ただし似ているのはキャンパスの見た目。学生の方には大きな違いがあるのです。何が違うのか。理系大にもかかわらず女性がとっても多いんです。

池上　ＭＩＴでは女子学生の比率が４割もあるそうです。東工大は女子の比率が約１割。これ、昔からなんですか？

上田　ＭＩＴもかつては女子学生の比率は高くなかったそうです。じゃあなぜ増えたのか、というとバイオ関係、生物生命関連の学科を充実させてから女子の進学がぐっと増えたそうです。

池上　その点は、東工大にも似た動きがありました。長らく工学部と理学部の2学部しかありませんでしたが、1990年に生命理工学部ができました。その結果、「ほぼ男子校」状態だったのが、全体からするとそれでも1割弱ですけれども、とにかく女子学生の数は増えました。

上田　数字を細かく見てみましょうか。東工大の2012年5月時点のデータを見ると、学部学生4803人中、女子学生は520人ですから、女子の比率は1割強。生命理工学部に限ると女子比率は640人中121人ですから約2割となります。

池上　バイオ系、生物系の学部や学科ができると女性の志望者が増えるというのは、どうやら日本もアメリカも差はないようですね。ただ、MITの4割に比べると、東工大の女子学生の数はまだまだ少ないですね。それから、これはMITだけじゃなくてハーバード大にもいえることですが、中国系やインド系の学生が目立ちました。

上田　中国とインドからの留学生は、アメリカのトップ大学で総じて増えています。

理系の頂点は、なんと音楽の都でした

池上　今回MITの先生とスタッフにインタビューして、つくづく感じたのは、理系

専門大学だからこそ「教養」を重要視していること。その象徴が、MITにある音楽教室です。

上田 1970年代につくった、とうかがいましたね。音楽大学にあるような立派な防音室がいくつもあって、ただ、理論を教えるだけではなく、実際に楽器の演奏まで教育しているのにはびっくりしました。アメリカの大学の特徴ですが、大学4年間は教養を学ぶことが主体となるので、主専攻と副専攻、ふたつの専攻を持てるんですね。MITの音楽の授業は、理系エリートたちが副専攻として選択するケースが多いそうです。このため、取材した先生からは「MIT交響楽団は全米の大学の中でもトップクラスの演奏技術を誇っているんだよ」と自慢されました。

池上 その先生は「数学と音楽はもともと親和性が高いんです」とも言っていましたね。MIT卒業生で『ご冗談でしょう、ファインマンさん』シリーズでも知られる物理学者のリチャード・P・ファインマンは、打楽器・ボンゴが上手だったそうですし、ノーベル化学賞受賞者のイリヤ・プリゴジンは、大学に入る前、国際的なピアノコンクールで優勝しています。つまり世界トップの理系大学MITは単なる「理系バカ」「専門バカ」を育てる場所ではない。理系の徒でありながら、音楽を、アートを、さまざまなリベラルアーツを本格的に身につけた教養ある若者たちを育てようとしているわけです。

上田　僕たちにMITにおけるリベラルアーツの役割について教えてくれたのは、人文系科目を統括されている部門の先生でした。MITには、School of Humanities, Arts and Social Sciences、略してSHASSと呼ばれる、人文・芸術・社会科学部があります。そちらがつまりMITの文系教育の総本山。理工系の大学に文科系の学部がきっちりあって、副専攻している学生も多い。いかにリベラルアーツ教育が重視されているのか、目の当たりにしました。

池上　文科系学部の建物の内部もしゃれていましたね。

上田　1階のロビーには、パネルが並んでいて、哲学、人類学、歴史学、と文系の学問について1枚ずつビジュアルに訴えたプレゼンがされています。学生が通る場所なので、必然的に彼ら彼女らの目に入る。文科系の知の体系が自然と理解できる仕掛けです。

池上　パネルのデザインが実にしゃれていた。MITの中にちゃんと専門のグラフィックデザイナーがいるそうです。フィロソフィー=哲学を解説したパネルには二枚貝のイラストがあしらわれている。貝殻の片側にはフィロス（愛）、もう片側はソフィア（知恵）と描かれている。

上田　真ん中には真珠が鎮座している。この二枚貝、アコヤガイだったわけですね。

池上　哲学の奥に分け入ると真珠＝宝が見つかる、という比喩ですね。私たちは、MＩＴの文科系学部を統括する先生に改めて聞きました。

「なぜ、理工系の大学で、ここまで一生懸命、文系やアート系のリベラルアーツ教育をやるんですか？　先端科学や先端技術の教育にもっと時間を割いて、すぐに社会に役立てるようにした方がいいんじゃないですか？」

上田　答えはきわめて明快でした。

先端科学はすぐに古びる。だから大学では教えません

「ＭＩＴというと、先端科学の総本山というイメージがあるかもしれません。でも、私たちが学部生に教えるのは、先端科学などではありません。すぐに役立つ技術などでもありません。理由は、先端科学や先端技術であればあるほど、5年以内に全部陳腐化して次の先端と入れ替わってしまうからです。もちろん先端科学や先端技術には触れてもらうが、しかしそれらは研究者や企業人のように専門家となって自ら切り開くべきものです」

池上　先端科学や技術は大学4年間で教わることじゃない、卒業する頃には全部古い知識になってしまう。いずれ古くなる知識をただ暗記しても意味がない、というわけです。一見、役に立ちそうな実用的に見える知識が、一番使えなくなってしまう、というのですね。

上田　日本では1990年代以降、大学はより「実学志向」になるべきだ、という声が大きかった。その「お手本」にアメリカの大学の名が出ることも少なくありませんでした。ところが、当のアメリカの大学の考え方はむしろまったく逆でした。一見「実学」的な先端科学の知識こそすぐに実社会で役に立たなくなる。自らの考え、自らの知のベースになった「教養」を豊かに学んだ方がはるかに役に立つんだ、という明確な教育方針を持っていたのです。

池上　東工大でリベラルアーツセンターを始めたのは間違いなかった、とうれしくなりました。「すぐ役に立つことは、すぐ役に立たなくなる」とは、かつて慶應義塾大学塾長を務め、天皇陛下（現上皇）が皇太子時代に教育係だった小泉信三の言葉です。MITで私たちを待っていたのは、まさに同じ話でした。リベラルアーツとは、教養とは何か。先端とは逆で、それぞれの学問分野の基礎にあたる部分ですね。陳腐化しない。5年や10年で揺らいだりしない。哲学や宗教や古典文学などはまさにその典型ですね。

上田　ギリシャ哲学は2500年前から、仏教やキリスト教も2000年以上前から存在しています。シェイクスピアの作品は世に登場してから数百年間、現代に至るまで人々に読まれ、文学はもちろん演劇や映画、テレビドラマとさまざまな表現に影響を及ぼし続けています。

理工系学問はついつい先端ばかりを追い求めてしまう。学校も学生も企業も、です。でも、次々と入れ替わっていく新しい「先端」が生まれていく根っこには、人類がこれまで数百年数千年蓄積してきた知の体系があります。こちらも同時に学んで血肉としていかないと、呼吸の浅い思考しかできなくなってしまうと思うんですよね。あるいはただ知識を暗記するだけのロボットかコンピュータのような状態に……。そこから、創造的な先端科学や技術が生まれるとは思えない。

池上　入れ替わるもの、変わらないもの、「考える」ためには両方が必要ということですね。

MITは「理系バカ」が役に立たないと知っている

上田　なぜMIT（マサチューセッツ工科大学）がリベラルアーツ教育に力を注ぎ続けるのか。MITの文科系学部の先生はこう強調しました。

「大学は何かを学ぶ場所ですが、学んだことを活かすのは社会の中です。大学で電子工学や機械工学を学び、そこで得た知識でコンピュータや自動車をつくるとしても、その製品は社会に存在し、人間に使われるわけです。ならば、つくり手に回る理系の人間こそ、社会と人間のことを徹底的に知り、理解し、コミュニケーションできなければダメです。だから『教養』が必要なのです」

池上　社会の基盤となるさまざまな教養の体系を知ると知らないとでは、ものづくりで具現化する製品の質も変わってくるでしょうし、また社会と技術のかかわり方も変わってきてしまうでしょう。そこで思い出したことがあります。

上田　何を、ですか？

池上　2011年3月11日の東日本大震災に伴う東京電力の原子力発電所事故です。東電と経済産業省や学者たちの原発のリスクに対する不備が指弾された際、図らずも明らかになったのが、理系の専門家が原発のリスクについて語るべき適切な言葉を持っていないことでした。世間とのずれが露呈してしまったともいえますね。専門家が専門的知識のない人たちに伝えられない。これはまさに伝える側の「教養」の問題でもあります。

上田　MITや東工大のような理系の専門大学を卒業して、技術者や学者として社会にアウトプットをするとき、世間一般よりも教養がなかったら、社会に対して責任のあるかたちで科学や技術の果実を還元できませんね。

池上　MITの先生は、「この大学も、最初からリベラルアーツ重視の教育をしていたわけではない」と話されていました。1960年代から70年代にかけては理系専門学校化が進み、リベラルアーツが軽視された。音楽教室が70年代にできたのも、リベラルアーツ教育の低迷に学内で危機感が生まれたからだ、ということでしたね。

上田　では、MITでは、どうやって具体的にリベラルアーツを教えているのか？先生に聞きました。するとこんな答えが返ってきた。

「私たちが学生に教えるべきは、知識そのものではなく、学び続ける姿勢です」

言い換えると、大学4年間で学ぶべきは、知識を暗記すること以上に、学ぶ姿勢であり、学び方——how to learn だというのです。

池上 たしかに。大学を出たら、自分で学ばなければいけませんね。

大卒後も使える「学び続ける姿勢」という武器

上田 そうなんです。社会に出たら自ら学ばなければそこで成長は止まってしまう。社会に通用しないだけでなく、つまらない人間になってしまいます。そこで痛感したのですが、日本の大学教育には、そもそもこの「学ぶ姿勢」を教えるという側面が弱かったな、と。これは、今に始まった話ではなく、ずーっと昔から。

なぜそう思うかというと、池上さんが以前教えてくださったエピソードが頭の中に残っていたからです。日本の政治家が海外の国際会議の会場やパーティでどうしているのか、という話です。

池上 日本を代表して出席している政治家は、たいがいの場合、端の方にぽつんと座っていて、各国の代表とまったく会話をしていないんですね。パーティのときもそうです。

上田　英語ができないから、じゃないんですか？

池上　その側面もあるかもしれませんが、本質的には語学の問題じゃないですね。そもそも「会話」に加われないんです。なぜかというと、各国の政治家たちと語るべき「コンテンツ」を持っていないから。言い換えれば「教養」がないんですね。企業トップでも同じようなことが起きるんです。仕事のプレゼン用コンテンツ以外に、会話の中身がない。

上田　それは今に始まったわけじゃないですね。

池上　昔からです。かつて、日本の大学では今よりも教養教育を重視していたけれど、「学び方――how to learn」については、ちゃんと教えてこなかった。だから大学までの教養しか頭にない。社会人になったときから成長が止まってしまう人が少なくないんですね。これは、私と同世代でも言える話だから、昨今の大学の実学志向や教養教育の軽視とは関係なく、ずっと日本にあった問題のような気がします。なぜなんでしょう？

上田　ひとつは大学における「学び」の制度の違いが根っこにあるかもしれません。日本の場合、東大に合格したら、大学院も東大、教鞭を執るのも東大、という具合に、東大に入った時点で自動的に道ができる。アメリカの場合は、どこかの州立大学に入ると、そこでむちゃくちゃ勉強すれば大学院に入るときに、スタンフォードやハーバードまで上がっていける可能性があります。実際、多くの学生が大学院進学時に学校を替えています。だから高校まで教育機会に恵まれなくても州立大学くらいに入れば、そこで勉強をしてステップアップすることが可能なんですね。

池上 オバマ大統領もそうですよね。ハワイの高校から、有名とは言えないカリフォルニアの大学に入って、それで途中からハーバードです。

上田 つまりアメリカは「勉強すれば」ステップアップできる。もともと日本とアメリカでは昔から大学での学生の勉強量が全然違う。日本みたいに人生で一番勉強をしたのは高校3年生のときで、大学では遊びましょうとなってしまうと、知的なステップアップはできませんよね。今回、アメリカの大学生がどれだけ勉強しているかを直接見ることはできませんでしたが、アメリカの大学の図書館は「24時間営業」です。あと、ものすごい量の宿題が出ます。

池上 そうですね。

上田 授業に出る前には「これ」を読んでおけ、という「これ」がとんでもない分量の資料や専門書だったりする。僕は2005年の1年間、スタンフォード大で教鞭を執りましたが、このときも学生たちにはものすごい量の資料を事前に読ませました。

池上　それはハーバードやMITなどトップ校に限っての話ではないんですよね。

上田　基本は同じだと聞いています。どこの大学でもたっぷり宿題が出ます。ただ大学によって、読ませる量が違って、ハーバードなら120ページ、あまり勉強のできない学生が多い大学だと20ページという具合に。いずれにしても、宿題の量が多いことには変わりありません。学生たちは毎晩半泣きになりながらこなすわけですね。

池上　昔から日本では大学に入るまでが勉強、アメリカは入ってからが勉強と言われてきましたが、日本では授業のために予習で本を読んでくる学生は皆無に近いでしょうね。そもそも大学の先生側が、そんな宿題を学生に出したりしません。

上田　スタンフォードでの経験なのですが、学生が必死で課題の本や資料を読んでくる、ということは授業に対する準備ができているわけです。そうすると75分の授業で、半分以上僕が一方的に講義をしていると、学生たちがイライラし始めるんです。事前に資料を読ませてきているんだから、がんがん質問をさせろよと。75分授業で50分も僕が講義をしていると、あからさまに学生たちの顔つきが「もういいかげんにしろよ」とおっかなくなってくる。「質問の時間ないぞっ」と。

「もっと質問させてくれ」がアメリカの学生の学ぶ姿勢

池上　スタンフォードではどんな授業をやっていたんですか？

上田　「仏教は世界を変えることができるか」という授業です。スタンフォードの経典学者の教授と2人でタッグを組んで20回ぐらいやりました。アメリカのインテリの間では想像以上に仏教に対する興味があるんですよ。仏教思想を背景に現代的な反戦運動をやっている人がいたり。授業では実際に仏教思想で反戦運動をやっているアメリカ人をゲストとして呼んでみました。台湾系の修行道場を学生と訪ねてみたり、チベット仏教の僧侶もクラスに呼んでみたり。また、日本のお寺の公共性について、歴史的に見たときの機能を例に挙げて学生たちに講義したりもしましたね。お寺が持っている福祉的機能についてです。

一方、僕の授業のパートナーである先生は経典学者だったので、「そもそも仏教には、社会を変えるという意図があるのか」と経典に当たってみたり、悪い者をどのように罰するのかについても、「ブッダは戒律を守らない弟子にどのように接していたのか」を起点に話をしたり、という具合に講義を進めていきました。

池上　学生たちのリアクションが気になりますね。講義するのが面白かったでしょう？

上田　ええ、実に面白かったです。授業をとっていた学生の中にはスタンフォードの理科系の学生も多かったのですが、事前の課題資料をちゃんと読んできて、文系の学生と同じように、ばんばん質問する。たとえば、日本では当たり前になっている仏教やお寺に関する慣習に潜む矛盾点を突いてくるんですよ。

池上　え、どんな質問が？

上田　たとえば、こうです。――仏教には5つの戒め、五戒というのがある、と習いました。それによれば、お坊さんは酒を飲んじゃいけない、結婚してはいけない、そう決まっているはずですよね。なのに、なぜ日本のお坊さんはお酒を飲み、結婚しているのか？　5つの戒めのうち、2つも破っている。坊主失格ではないですか？……と、こんな質問が飛んでくるわけです。

池上　日本ではもう誰も突っ込まないところですね。上田先生は、どう切り返すんですか？

上田　まずは日本の仏教の実態を解説してあげるわけです。日本の仏教は、もはや在家仏教となっている。先祖信仰とも合体している。お墓参りなんかもそうですよね。ところが、もともとのブッダがいう仏教を調べても、先祖信仰なんかどこにもないんですよ。つまり、日本では「日本の仏教」という独自の宗教になっている。「ご先祖を守る」と「仏教」が合体しているわけですから。その証明がお寺が墓を守る、という日本の仏教独自の構造ですね。檀家制度も江戸時代に大衆がうっかりキリシタンにならないように村の構成員を把握するために生まれたもので、もとは仏教とは実は関係ない制度です。

池上　なるほど、そうなのですね。

日本の仏教は共同体、米国の仏教は個人主義

上田　本来、仏教の教えと地域社会とはあまり関係がなかったんですね。けれども、日本の仏教には檀家の集団という共同体をつくり地元のお寺を支える、という構造がある。

池上　お寺が村の中心になったりしますね。門前町も全国にある。

上田　宗教と村社会的な共同体の関係性って、実に面白いんですよ。たとえば、仏教という宗教の立ち位置は、アメリカでは日本とはまったく逆なのです。

池上　日本とは逆？　どんな具合に、ですか。

上田　アメリカの中西部とかだと、西部劇の時代の昔から現代に至るまで、キリスト教の教会が街の中心にあります。街や村＝共同体に住まう人たちは、日曜日は必ず教会に礼拝に行く。

池上　西部劇で必ず描かれるシーンですね。今もあまり変わりがないわけですね、中西部では。

上田　大統領選挙で共和党が勝つような、南部や中西部などの保守的な土地ですと、毎日曜日に教会に行かないような人は村＝共同体の一員だとは認められない。つまり、キリスト教が共同体の中心にある。

池上　かつての日本の仏教とちょっと似ていますね。

上田　ところが、キリスト教を軸とした共同体的価値観に反旗を翻し、個人主義的に自分の救いや悟りというのを求めるアメリカ人が出てくる。すると、こうした人たちの中には、仏教へと歩み寄って個人で瞑想をしたりする、というケースが少なくないんです。

池上　なんと、アメリカでは仏教が個人主義と結びつくわけですか！　日本とまるで逆ですね。

上田　そうなんです。これ、日本は日本で、アメリカと逆になるわけです。近代以前の日本では、共同体の中心に仏教があって、村の誰かが亡くなったりすると村の皆が役割分担して法事をお寺で行ったりする。その共同体行事に加わらない人間は、村八分にされたりすることもある。そんな閉鎖的な共同体の真ん中にある仏教を嫌悪して、明治維新以降、日本では進歩的で個人主義的志向の知的階級がキリスト教に帰依したりする。

池上 その土地を支配する宗教は、共同体の中心に鎮座しますよね。イスラム世界に行けば、金曜日にモスクに行かない人が地域で暮らすのは、なかなか辛いでしょう。

上田 キリスト教だ、仏教だ、イスラム教だ、といっても、「どこで信仰するか」で社会とのかかわり合い方がまったく異なる。アメリカ人にとっては仏教が解放。日本人にとっては仏教から抜け出ることが解放——。しかし共同体の力が弱まり、個人が苦しみにさらされている日本において仏教とお寺の存在が再び見直されていると、授業ではこんな話をしました。

池上 MITでびっくりしたのは、先生方が「MITを出た学生は文章は書けるし、プレゼンテーションがうまいんですよ」と力説していたことですね。で、その理由を聞くと、なんと、MITでは、学生向けにライティング、プレゼンテーションを教える専門家を30人も雇っている、というんです。アメリカでは、理系ばりばりの人間が文章も書けるし、プレゼンもうまい。日本では理系出身というと論文調の文章しか書けない、プレゼンなんかもってのほか、というイメージがありますが、最初からうまいわけじゃなくて大学できっちり教えているんですね。

ＭＩＴの学生は、ライティングとプレゼンをプロから教わる

上田　今回取材したＭＩＴのカリキュラムをざっと説明しましょう。大学生は卒業までに全部で32科目を取得しないとなりません。1科目が日本の4単位なので全部で128単位。そのうちの4分の1の8科目、32単位相当は文系科目でなくてはならない。

池上　全単位のうち4分の1は必ず文系科目。日本の理系大学からするとずいぶん多いですね。

上田　文系科目には人類学とか哲学とか社会学などがあるわけですが、こうした文系科目をとるときに、コミュニケーションの授業がセットとなっている科目を必ず2つとらなければいけないんですね。それがライティングとプレゼンテーション、というわけです。

東工大と比較してみましょう。僕は東工大で文化人類学を教えています。東工大では、文化人類学をただ僕が学生に教えるだけです。これがMITのやり方だと、同じ文化人類学の講義が3種類になります。1つめは普通の講義。2つめは、文化人類学とライティングがセットになった講義。3つめは、文化人類学とプレゼンテーションがセットになった講義です。必ずしもすべての科目で3種類があるというわけではないですが。

池上 つまり、学生は文化人類学の単位を取得しようとすると、(1) 普通の講義、(2) ライティングというコミュニケーションがセットの講義、(3) プレゼンというコミュニケーションがセットの講義、この3通りからひとつを選ぶわけですね。8科目の文系科目のうち、1つはライティング、1つはプレゼンがセットになった講義をとらなければ卒業できない。

上田 「ライティング」とセットの講義を選択した学生は、その科目について徹底的に作文を書かされるわけです。「プレゼン」とセットの講義を選択した学生は、毎週プレゼンをやらされる。では、学生が書いた作文や、学生が行うプレゼンを誰が評価し、誰が指導するのか。ここがMITのユニークなところですが、講義をする先生ではないんですね。それぞれコミュニケーション専門の講師の方がいらして、がんがん添削し、どんどん指導する。

池上　つまり学問は先生が指導、プレゼンやライティングはプロが指導と、分業がひとつの授業の中でなされている。

上田　プロの指導だから実に的確なわけです。教養を学者が教え、実技としてのライティングとプレゼンをプロが教える。アメリカの大学授業の厚みを感じました。僕も東工大生にコミュニケーション力が欠けていることを察知し、講義の中で少人数のディスカッションなどを取り入れ、それが好評で学生からの授業評価が全学で一位になったりしましたが、やはりコミュニケーションの専門家ではないので、限界を感じることも多い。そういうプロの講師の方と組めると助かりますね。

池上　ただ知識を習得するだけでなく、論評し、考えをプレゼンする技法も身につけるわけですものね。教養の授業でありながら、実学も織り込まれている。教養と実学が二項対立ではなく、むしろセットになっている。

上田　しかも文系科目のみならず、後期にとる専門科目、機械工学や電子工学といった理系の授業の中にも、ライティングやプレゼンがセットになった科目が用意されています。

池上　プレゼンやライティングは、余技でも文系科目の一部でもなく、ＭＩＴを卒業した人すべてが持つべき「技術」である、とカリキュラムで位置づけられている。プレゼンができなければ、ライティング＝文章を適切に書けなければ、理系だろうが文系だろうが、社会の役には立たない。教養＝リベラルアーツを非常に重視している一方で、この点においてはきわめて「実学的」なんですね。

上田　理系の授業でも3コースが各科目に用意されていて、電子工学では、①電子工学を普通に教わる授業、②電子工学について徹底的に作文や論文を書かされるライティングの授業、③電子工学を素人にわかりやすく効果的にプレゼンできたり、専門家に対してもより説得的にプレゼンできるようにするプレゼンの授業、の3つが選択できる。具体的にはまず専門科目の先生が10分授業をやる。その後で、数人ごとの班を学生たちにつくらせ、授業の内容についてまとめさせる。次に、皆の前でプレゼンさせる。ここで、プレゼンテーションの先生が登場し、プレゼン方法について、厳しく指導をする。構成のここがおかしい、もっと声を大きくはきはきと、ここは説明が足りない、という具合です。

パトカーを大学ドームに乗っける！　学生の壮大ないたずら

池上　あそこまで徹底的に授業で鍛えられれば、いやでも大学時代にプレゼンテーション能力も作文能力も高まりますね。リポートもこのカリキュラムのレベルで書き続けていれば、学者の道に進んだときにも論文を書きやすいはずです。社会に出て企業に勤めたときにも、専門技術を専門外の人に説明する機会は、開発部門が経営会議に出るときなどで必ずあります。そんなときMITで学んだプレゼン技術は大いに役立つでしょう。

上田　だからこそMITの先生たちは胸を張るわけです。うちの学生たちは卒業するときには「書ける人間」「しゃべれる人間」になっている、と。

池上　それから、MITでは、学生たちがボランティアで見学客を案内する「スクールツアー」も人気でしたね。1日に何回か、学生が見学に来た外部の人たちにキャンパスを案内するんです。将来ここに入りたいと思っている学生や、あるいは観光客たちを連れて。私たちも案内してもらいました。

上田　で、このスクールツアーで紹介するMITの「コンテンツ」が実に面白い。なんといっても、学生たちの壮大な「いたずら」が展示してあったんですよね。

池上　ＭＩＴの敷地内には、巨大なドーム状の建物があります。このドームのてっぺんに学生たちが夜中にこっそりパトカーを乗っけてしまった。朝、学校に来た人たちが、ドームを見上げると……仰天です。

上田　まさしく、仰天ですね。

池上　もちろん本物じゃなくて、中古車をパトカーっぽく塗装したものだったんですが、警察がヘリを飛ばし、地元新聞が駆けつける大騒ぎになった。このときの様子が、写真に残っていて、いたずらを仕掛けた張本人の学生たちによる「どうやってドームの上に車を持ち上げたのか」の図解と一緒に、ＭＩＴの廊下に展示してあるわけです。それだけじゃなくって、いたずらに使われたパトカーのハリボテも、カフェテリアの天井近くに鎮座している。説明する学生が、さも自慢げなんですよね。どーだ、すごいだろ、と。

上田　たしかに、あれはすごかった。

池上　次の年には、水飲み場の水道に消火栓をつないだいたずらがあったそうです。

上田　蛇口をひねったら、おそろしい量の水が出たんでしょうね（笑）。面白いのは、ここまでいたずらをやっても、学校側からは一切おとがめなし。むしろ「面白いいたずら」は、創造性があるなあ、と評価されて、こうして学内に正式に展示されたりする。

池上　理系の想像力は、案外こういういたずらの精神、遊びの精神から生まれるんだ、ということをわかっているんでしょうね。

上田　ＭＩＴというとコンピュータがものすごくもてはやされていそうですけれど、実は学生たちが誰でも使える、工具がひと揃いある、立派な木工ルームがあるんですね。

池上　そうそう。自分たちで図面を引いて、ノコギリを使って、釘を打って、家具をつくったり、美術に挑戦したりしている。手で仕事をする、ということを今でもすごく大切にしている。

上田　「ＩＴ」と「手を使う」が地続きになっている。

途上国に放り込んで、素手で問題解決させる

池上　ＭＩＴの校章は、片側に本を読んでいる人がいて、片側にはハンマーを持った人がいる。理論と実践、どちらも大事なんだと。これがＭＩＴの精神なんだそうです。今も単に最新の科学や工学の理論を学ぶだけでなく、手を動かすこと、ものをつくる

こと、をちゃんと両立させよう、という意志がある。学校の精神が、カリキュラムにも、施設にもきっちり反映されているのはさすがだな、と感じ入りました。

上田　そういったＭＩＴの建学の精神とつながっている教育プログラムに、「Ｄ−Ｌａｂ」があります。

池上　学生を貧困な途上国に送りこむプログラムですね。

上田　電気もなければ、お金もないような途上国の村へ、ＭＩＴの学生が裸一貫で乗り込んで課題解決をしてくる、というわけです。

池上　このプログラムの秀逸なのは、ＭＩＴの学生にとって、一番の武器がまったく使えないこと。それはコンピュータとＩＴ。さらにいうと英語も満足に伝わらないところもある。

上田　だから、ゼロからアイデアを出さないといけない。ＩＴで楽をする、ということがまったくできないわけです。そこで行う課題解決は、たとえば、村で育てているトウモロコシの皮むきにものすごく時間がかかっている。この皮むきの工程を省力化して、村の産業基盤を厚くした上で、皮むきの時間を別の作業や教育にあてられるようにする、というようなことですね。

池上　私も職業柄、世界の途上国に出かけるシーンが多いのですが、アフリカでは、限られた井戸からの水運びが女性や子どもの最大の仕事になっている。逆にいうと、水運びで1日の大半が費やされてしまうがゆえに、教育が普及しない。水道を引くお金がないこういう地域で、たとえば水運びをどうすれば省力化して、村人の時間を教育や他の仕事にあてられるか？ MITのD－Labで学生たちに求められるのは、根源的な問題に対する解決策を、自らの頭で考え、その場で使える材料だけで「なんとかする」知恵の発露です。

上田　そうです。じゃあ、裏山にある竹が廃材になっているのでこれで何かやってみようかとか考えるわけですよ。この竹の廃材をうまく使って、たとえばトウモロコシの皮むきを楽にできる仕組みをつくってみる。その学生が村からいなくなっても持続可能な方法でなければ、ただの自己満足で終わってしまう。村人みんながずっと使い続けられるアイデアが求められるわけです。本質的な創造性が求められるカリキュラムですね。

池上　最後に、日本でもすっかりメジャーになったメディアラボの話をしておきましょう。

上田　今回は残念ながらうかがえなかったんですよね。インターネットとコンピュータとメディアと人とのかかわりについての思想を先導してきたニコラス・ネグロポンテが1985年にMITに設立したのが、メディアラボです。

池上　日本で注目を浴びたのはメディアラボの中枢で日本人が活躍したからですね。所長になった伊藤穰一さん、そして副所長の石井裕さんです。2011年に放映されたNHKの「地球イチバン」という番組で、私もスタジオからMITメディアラボの様子をうかがいました。

上田　副所長の石井裕さんが、卓球をしながら学生と議論をしていましたね。

「教養」と「伝える力」をセットで学べ

池上　東工大のリベラルアーツ教育を考える上で、大学規模の面、理工系専門大学という面、双方の面からMITがおそらく一番似通っている部分があるし、参考になるだろう、と思って見学をしてきましたが、ずいぶんと異なる部分がありましたね。

上田　思っていた以上にリベラルアーツ、しかも文系のリベラルアーツが重要視されていました。基礎教養が知的な足腰として備わっていなければ最先端の研究もできない、双方は地続きなのだから、という明確な思想が大学のカリキュラムにありました。

池上　一方、徹底的に「実学」志向だったのが、「伝える力」を学生時代につけさせること。ライティング＝書くこと、プレゼンテーション＝話すこと、をとにかくスパルタで鍛える。理系だから文章は下手でもいい、しゃべるのはうまくなくてもいい、という甘えがない。

上田　リベラルアーツを学びつつ、コミュニケーション力がある学生たちをいかに育てていくか。MITを見学して、東工大でリベラルアーツセンターを立ち上げた僕たちの取り組みは、方向として間違っていないのが確認できたのは収穫でした。一方、道のりは遠いなあ、とも。

池上　とりあえず、卓球台、導入しますか？　MITメディアラボにならって。いや、実は卓球台はあるんですけれどね。リベラルアーツセンターで非常勤講師をお願いしていたパックンが、東工大のキャンパスで卓球していましたよ。

上田　学生に負けると、ちょっと悔しいかも（笑）。

めちゃお得！な教養専門校
アメリカ最高の名門女子大に学べ

池上　2012年秋、私たちはアメリカ東海岸にある大学での教養教育の実態を、MIT、ハーバード、ウェルズリーと見てきたんですが、上田先生が一番驚いたのは、どこでしたか？

上田　ウェルズリーです。実は個人的にも興味が……。その話は、またあとでします。

池上　ウェルズリーはアメリカきっての有名女子大学ですね。ヒラリー・クリントンやアメリカで女性として初の国務長官を務めたマデレーン・オルブライトも卒業した超名門。そのウェルズリーの特徴は、「リベラルアーツ」教育を徹底している点にあります。MITは基本的に理工系専門大学、ハーバード大学は世界ナンバーワンの総合大学で、どちらも修士課程、博士課程と、専門課程が充実している。

上田　ウェルズリーは、ある意味で正反対ですね。教養課程のみ、リベラルアーツのみ。ここで教養を4年間徹底的に叩き込んだ上で、専門課程を学びたければ、他の大学院に行きなさい、というカリキュラムです。

池上　ヒラリー・クリントンもウェルズリーをトップの成績で卒業してから、イェール大学のロースクールに進み、弁護士になっています。大統領となった夫のビル・クリントンと出会ったのはイェール時代ですね。オルブライトも、ウェルズリーで教養を学んだ後、ジョンズ・ホプキンス大とコロンビア大で政治学を学び、政治のプロになりました。

上田　ウェルズリー大学のあり方は、ある意味でリベラルアーツ教育の理想型でもあります。なにより環境が素晴らしい。ボストン市内から車で40分くらいのところにあるんですが、大変に豊かな自然の中です。キャンパスの真ん中に湖まである。

池上　建物と建物の間が離れていて歩いて移動するのが一苦労なくらいです。日本の大学とは本当に規模が違う。神経科学専攻4年生の学生が私たちを案内してくれました。

上田　ウェルズリーは学生数2000人ほどの小規模な大学で、ほぼ全寮制だそうです。街からは離れているし、大自然のど真ん中だし。

学生の9割がインターンシップで「世界」を経験

池上　勉強するにはうってつけですけれど、なんだか世間知らずの「箱入り娘」になっちゃうような。日本で「名門女子大」と聞くと、そんなイメージが先行してしまいますね。

上田　そこで、大学内を案内してくれた学生に聞いてみました。

「こんな恵まれたところで勉強していたら、世界と隔絶しちゃいますね？」

彼女がすかさず、こう返しました。

「私たちが世間知らずにならない仕組みが、ちゃんとあるんです。インターンシップです」

彼女の説明によれば、ウェルズリーは、世界中の100以上の企業やNPOと連係して、人権問題、貧困問題、平和問題、健康問題などの社会問題に関心のある学生を、インターンとしてその問題にかかわっている企業やNPOに送り出す仕組みを持っているんですね。インターンの期間も、2週間から半年まで、学生のニーズに合わせてさまざまです。「インターンシップ制度、学生の何割くらいが利用しているんですか？」と尋ねたら、なんと、「91％の学生が何らかのかたちで卒業までにインターンシップを経験しています。だから、私たちは、世間知らずじゃないですよ」と返されちゃいました（笑）。

池上　案内してくれた彼女は、卒業後、ハーバード大のメディカルスクールに進んで、医者の道を目指す、と話していました。彼女も、ロンドン、パリ、南アフリカ、ニジェールの4ヵ所にインターンシップに行って、すごくためになったと言っていましたね。でも、世界中にインターンシップに行くとなると、コストがバカになりません。どうやって旅費や滞在費を捻出するんですか、と尋ねたら、「全部タダです。大学持ちです」

上田　大学に学生のインターンシップ費用を捻出するための基金が備わっているんですね。

池上　学長さんの仕事はもっぱら資金集め。1年の大半は全米を飛び回って、企業やさまざまな基金を訪ねて、大学のファンドへの出資や寄付を募っています。

上田　ウェルズリーの授業料は1年間で5万ドル。500万円くらいですね（2012年当時）。日本で文系大学に入ったら、私立の場合、100万円かそれを少し超えるぐらい。ものすごく高く感じる。ところが中身を聞くとそうじゃない。

池上　まず、全寮制の寮費も含まれているんですね。寮に入ると食べ放題、飲み放題。つまり、生活費がこの5万ドルの中に含まれている。

上田 その上、先ほどのインターンシップのようなオプション授業に関してもエクストラチャージはかからない。全部5万ドルの中に含まれている。ウェルズリーの先生に聞いたら、実は学生1人当たりの教育コストは10万ドルかけているそうです。学費の2倍。同窓会や企業からの寄付や基金の運用でカバーしているそうです。

年収6万ドル以下の家の子は学費がタダ！

池上 この話を聞くと学費5万ドルはむしろ安い、と聞こえます。とはいっても絶対金額としてはやはり高い。庶民では手の届かない額です。そのため、奨学金制度が充実している。学生は、奨学金を利用して大学に行き、卒業してからこつこつ自分で返す。アメリカではこれが基本ですね。

上田 それだけじゃない。年収6万ドル以下の家庭から来た学生は、なんと学費がタダだそうです。これを聞いて僕は思いました。将来うちの娘が大学に行くときになったらぜひウェルズリーに行かせたいなあ、と。僕が東工大を辞めて年収6万ドル以下になれば、娘をウェルズリーに入学させて、タダで学ばせられるぞ、と。箱入り娘を育てるんじゃなくて、社会で本当に活躍できる女性を育てるウェルズリー。ああ、自分の娘にもここで学んでほしい……。そんな妄想を膨らませてしまうほど、魅力的な大学でしたね。

池上　上田先生、「うちの娘を将来ここに入れようか」とばかり話していましたね（笑）。

上田　日本の大学に入れている場合か、と。

池上　ダメですよ。日本の大学である東工大をよりよい大学にしようと、視察に行ったんですから（笑）。ちょっと脱線しましたが、ウェルズリーは今、上田先生がお話しされたように、「名門女子大」という肩書きから連想される「世間知らずのお嬢様学校」でも、「実学志向の専門に特化した学校」でもなく、「リベラルアーツ＝教養」を極める、リベラルアーツ教育のお手本のような学校でした。だからカリキュラムも、徹底的に教養志向。たとえば、ウェルズリーは経済学は教えるけれど、経営学は教えません。

上田　経済学は「リベラルアーツ」だけど、経営学は「実学」になってしまうから、学校の教育方針に合わない、ということでしたね。

池上　ええ。経済を学ぶということは、世の中を理解するために必要であるけど、経営を学ぶということは、人生に直接役に立ちすぎてしまう。だから経営はあえて教えない。時代の流れから、経営学を教えろという圧力も出資者やステイクホルダーなどからはあるのだけれど、学校としてはびしっとはねつけている、とウェルズリーの先生はおっしゃっていました。

上田 もし、役に立つことを学びたかったら、卒業後にハーバードのビジネススクールへでも、メディカルスクールへでも、ロースクールでも行きなさい、ということですね。

池上 ヒラリー・クリントンもオルブライトも大学を卒業してから、イェールやジョンズ・ホプキンスに行って、専門の法律や政治を改めて勉強したわけです。

上田 ここが肝心なところなのですが、「教養教育」とは実は高度な社会性を身につける教育なのですね。正義とは何か、平等とは何か、人は何のために生きているのか、異なる背景を持った他者と理解し合えるとはどういうことなのか――。自分と社会を見る「軸」をまず身につける。そうした軸がないままで社会に出ると、その後右往左往するだけです。そして「役に立つ」「お金が儲かる」といった指標だけで動いてしまう。そうではなくて、人間の根っこ、社会の根本についてしっかり学ぶ。それがむしろ高度な社会性を生み、社会でリーダーたり得る人材を生み出すのだとウェルズリーは教えてくれているような気がしますね。

アメリカの大学に定年なし！ 90歳の現役教授がいる

池上　ウェルズリーを訪れてびっくりしたのは、80歳を超えた教授がいらっしゃること。つまり定年がない。実は他の大学も同様です。ＭＩＴに在籍する言語学者のノーム・チョムスキーなんて84歳（2012年当時）ですし、95歳で亡くなったピーター・ドラッカーも93歳まで現役の大学教授でした。

上田　と聞くと、アメリカの大学は先生たちにとって極楽のような場所に聞こえますが、裏を返せばその先生の価値が常に問われ続ける、ということでもあります。

池上　日米の大学の教員採用の違いについて解説いただけますか？

上田　日本の大学では、教員を採用する際、研究者としての実績を主に見ます。学術雑誌にどのくらい学術論文を書いているかが大きな要件になります。一方で、教育者としての側面はさほど重視されません。つまり教える能力があるのか、コミュニケーション能力があるのか、プレゼン能力があるのかは、あまりチェックされないのです。アメリカの大学では、教員採用の際、研究者としての実績はもちろん、教育者としての適性も厳しくチェックされます。

池上　どんなふうに？

上田　アメリカの大学では、採用試験の際に、模擬講義をさせるんですね。それから、採用担当者によるインタビューの際に、どのくらい大学教育に熱意があるのかをきっちり聞かれます。日本の大学でもそうした試みは導入されるようになってきましたが、まだまだです。最大の違いは、「テニュアシステム」というのが、アメリカの大学にはある、ということです。

池上　終身雇用かどうか、ということですね。

上田　アメリカの場合、研究者が大学に教員として採用されても、いきなりその大学での終身雇用が認められるわけではないのです。教員として採用された人は、まずアシスタント・プロフェッサーとしてキャリアをスタートします。教育を行う、つまり授業をちゃんとやる。そして研究を行う、つまり論文を書く。教育者として研究者として実績を積み重ねて、その内容が評価されてはじめて、その大学での生涯働く権利を得るわけです。数年はかかりますね。で、大学の審査を受けて合格すると、テニュアといわれる、その大学での終身雇用保証を得るわけです。

池上　テニュアを得られない教員も出てくるわけですね。

上田　その通りです。だからテニュアの審査を通るまで、新米教員は実に緊張した状態で教員生活を送ります。

ずっと評価されるアメリカの先生　ずっと居座れる日本の先生

池上　しかも教員がテニュアをとるには、研究論文の数をこなすのはもちろん、授業もきっちり評価される必要がある。

上田　逆にいうと、こうした縛りが「いい授業をしなくっちゃ」という動機づけになります。それにいったんテニュアを取っても、教員としての評価はずっとされ続けるんです。だから手を抜くわけにはいかない。

池上　手を抜いて過ごせるわけではない。

上田　一方、日本はどうか。一番悪いパターンは、人事権を持つ教授が、研究もしなければ教育者としてもいまひとつだけれど、ひたすら言うことを聞くイエスマンの助教を重用するケースです。教授がその助教に目をかけて「じゃあ、君、准教授にしてやるよ」と30歳で准教授にしちゃう。もし、その大学の定年が70歳ならば、その後40年間ノーチェックで大学教員の座に居座れる。45歳くらいで教授になってしまう。

池上　いったん合格すると、自動車免許以上にチェックがないんですね。免許はまだ更新がありますから。何十年も同じノートを元に授業をする先生が私の大学時代もいましたが、なぜそんな先生がいるんだろう、という疑問が解けました。

上田　いましたねえ、そういう先生。たぶん、今でもいますが。

池上　アメリカではいないんですか、あのタイプの先生？

上田　アメリカでもテニュアを取っちゃった途端に努力を怠る先生もいますよ。今回、ハーバードで見せてもらった授業の中には、これはちょっと、という授業もありましたしね。それでも、アメリカでは、授業評価のシステムが日本よりは機能しています。ですから「手抜き授業」の先生は相対的に少ないと思います。

池上　授業評価システムですか。日米の大学の違いを教えてください。

上田　東工大でも、教員の授業は学生によって評価されて点数がつきます。ただし、教員は自分の評点と偏差値しか見ることができません。学部長クラスにならないと教員全員の授業評価の評点は見られない。もちろん学生たちが教員評価を見ることはかないません。

池上　アメリカではどうですか？

上田　アメリカの大学では、教員の授業評価はホームページで全部公開されます。どの先生がどの授業で何点取っているのか。教員はもちろん、すべての学生が見ることができます。ここまで授業評価がオープンだと隠し立てができません。評点が悪いと教員は落ち込みます。落ち込むだけじゃなくって下手をすると教員の地位が危うい。となると、頑張ろうと思います。

池上　日本の大学の評価制度は、大学内部の通信簿にすぎなくて、先生の質を向上させる仕組みにはなっていない、というわけですね。なぜでしょう？

就職予備校化する日本の一流大学

上田　おそらく大学のブランドで学生の就職が半ば決まってしまうからかもしれません。たとえば東大だの東工大だの慶應大だのに人気があるのは、結局、大学に入ってしまえば、大学の名前で就職が楽になるからですね。これは不況期になるほどはっきりする事実です。だから、いったん大学に入ってしまうと、大学生はあまり勉強しなくても、けっこう有名な企業に潜り込める。

池上　アメリカでは、「ハーバードやＭＩＴに入れば、就職は楽勝だ」ではないんですか？

上田　アメリカでも一流大学に入れば就職には有利です。けれどもそれは必要条件であって十分条件じゃない。MITを卒業しただけで自動的に一流企業に就職できるわけじゃないんです。なぜなら、日本流の一斉採用を企業がしていませんから。企業はあくまで、「MITの学生」である以上に「優秀な学生」かどうかを見る。だから、大学は「優秀な学生」を育てることを、より強く市場から求められる。

池上　そこで先生の「質」が問われてくるわけですね。日本の場合「大学で何を学んだか」より「どの大学に所属しているか」が就職の際に問われるけれど、アメリカでは「大学で何を学んできたか」が徹底的に問われる。つまり就職時には大学の教育の質までが問われてしまう。

上田　その通りです。日本においてはどの大学に帰属しているかの方が、何を学んだかより重要なんですね。帰属情報がものすごく価値を持つ。だから東工大生たちは自分たちより偏差値の低い大学生の前ではふんぞり返り、東大生の前では縮こまる。

池上　うーん、たしかにそういう傾向は、東工大にかかわらず、あるかもしれません。入学時の偏差値だけで順位を決めてしまう、というか。これ、学生だけじゃなくて、企業も、社会も、同じ幻想を共有していますよね。なぜそうなってしまうんでしょう。

上田　それは、大学の「どこ」に価値を見いだそうとしているのかが、日本とアメリカでは大きく違う、ということかもしれません。アメリカが大学というシステムの内部で創造できるエネルギーを大きくしようと考えているのに対し、日本は大学というシステムの外観を徹底的に大きく見せようと考えがちである、と。

池上　それで日本では大学の知名度や入学偏差値ばかりを気にしてしまうわけですね。

上田　でも、企業の終身雇用制度が崩壊しようとし、大学そのものがグローバリゼーションの波にさらされようとしているとき、大学偏差値という、国内だけでしか通用しない番付表に頼っていては日本の大学はもう保ちません。

池上　その通りですね。日本の大学も大学内部で新しいエネルギーを創造する方向に向かっていかなければ、カリキュラムの質を上げ、教員の授業と研究の質を上げ、なにより学生の卒業時の質を上げなければ……。

上田　そのためには、地道な話になりますが、教員のティーチングスキルを上げるとか、学生をいかに勉強させるかを考えないといけない。学生は、簡単に単位が取れる科目を「楽勝科目」といってコストパフォーマンスが高いなんてうそぶきますけれど、せっかく授業料払っているのにちゃんと教わっていないということは、学生自身にとってみれば楽勝科目はコストパフォーマンスが低いわけです。

池上　ウェルズリーにしろMITにしろハーバードにしろ、リベラルアーツ＝教養課程の授業が、むちゃくちゃハードですよね。大量の参考資料を読ませて、その上で、作文を書かせたり、プレゼンテーションをさせたり、議論をさせたり。学生たちはひいひい言っているけれど、先生が手を抜いたり、質疑応答の時間を削ったりすると、逆に不満が出る。

上田　「学ばないと損だ」という共通認識が学生側にはっきりある。

池上　この手の議論は、私が学生時代だった70年代初期から根本は変わっていない。「大学なんて入ってしまえばこっちのもの」という感覚が日本にはある。これ、大学と行政の問題も大きいと思います。日本の場合、小学校から大学に至るまで教育機関はすべて文部科学省の管轄下です。文部科学省が「大学はこうあるべきだ」と大方針を出すと、全国の大学はそれに従わなくてはならない。もっとリベラルアーツ教育を東工大で充実させようとしても、「あらゆる大学の基本的なカリキュラムはこうです」と文科省が決めた枠があると外しようがない。

上田　アメリカやヨーロッパと日本では、大学と政府の力関係が大きく異なるかもしれません。

国家より先に建学された大学は、政府なんか怖くない

池上　日本の大学界は、明治維新以降、政府が設置した帝国大学とそれに準拠した民間大学で成り立っています。つまり、日本政府が大学をつくった。でも、アメリカでもヨーロッパでも、国家より名門大学の方が歴史が古かったりする。

上田　イタリアの名門大学の多くが今のイタリア政府より先にできていますし、アメリカだとハーバードをはじめ多くの大学がアメリカ政府ができる前に建学されました。

池上　だからでしょうか、アメリカの場合、大学の成り立ちは国の教育省から独立して自由です。勝手にユニバーシティーとかカレッジとかインスティテュートと名乗れる。もちろん勝手に名乗ってそのままかというとそうではなくて、大学同士がそれぞれの地区の大学基準協会という組織で相互に認証し合うんです。ただし、それだけ。日本のように文科省のおうかがいを立てないとカリキュラムのマイナー変更もままならない、なんてことはない。教育方針は各大学が自由に決めることができるわけです。

上田　一応、日本にも大学基準協会ってありますよね。

池上　あります。アメリカを真似てつくったんですね。アメリカでは、地域の大学基準協会で互いに認証し合った大学の単位は交換できるんです。つまり、いろいろな大

学の授業を受けることができる。一方で、地域の大学基準協会の認証を受けていない大学というのが、アメリカではけっこう存在する。一時、日本でも有名人の「学歴詐称」問題などで騒がれた、「卒業証書」を発行している聞いたことのない名前の大学が、こうした「認証されていない自称・大学」だったことがありますね。

上田 日本の大学基準協会はどこまで機能しているんですか。

池上 実は、7年に1回、大学同士が認証し合っているんです。正会員、賛助会員、そして非会員というのがあって、東工大は正会員です。

大学基準協会のサイトをよく見ると非会員の大学がけっこうある。つまり文部科学省からは認定を受けた大学なんだけれど、大学基準協会の評価を受けていない大学がいくつもある。学校の体を成していないということで、解散命令が文部科学省から出されてしまった堀越学園が運営する創造学園大学もそのひとつでした。

上田 やはりそうでしたか。

池上 話をウェルズリーに戻しましょう。冒頭で上田先生が衝撃を受けた、とおっしゃいましたが、私も大きな衝撃を受けました。「名門お嬢様大学」というイメージをいい意味で大きく裏切る、骨太な徹底したリベラルアーツ＝教養教育を施していること。よく言われる「アメリカの大学の授業料は高い」というのが絶対額を見ての話で、授業やさまざまなケアの内容を見ると相対的にはむしろ出血大サービスであること。そして、アメリカのトップ大学では大学4年間は教養とプレゼン能力を高めるための時間で、専門課程の教育はむしろ修士課程や博士課程、××スクールの仕事である、ということ。

上田 アメリカの大学は、「実学志向」どころか徹底的に「教養志向」なんですね。

池上 あとは、上田先生が、お嬢様をこのウェルズリーに進学させるかどうか。

上田 それは、娘当人の問題であります。……でも、行かせたいなあ。

ハーバードの学生が金儲けよりしたいこと

池上 今度はハーバード大学です。結論から先に申し上げると、ハーバードもリベラルアーツ＝教養の教育には相当に力を入れていました。

上田 ハーバードで一番印象に残っていることと言えば、「ディレクター」の存在ですね。

池上 MITにもウェルズリーにもディレクターがいました。ここで説明するディレクターとは、リベラルアーツ＝教養科目全体の構成を考える人のことです。この大学では、リベラルアーツにどういう科目が必要なのか、どういうことを教えるのか。それを全部考える、教養教育の設計図を描くまさにディレクター＝監督さん、です。

上田 つまり、リベラルアーツのカリキュラム全体をつくる人ですね。

池上 私たちはハーバード大学のリベラルアーツのディレクターにお会いしてきました。

上田　彼女は、もともと大学の先生をされていて、今はディレクターの仕事がメインだとおっしゃっていました。えーと、ですね、あの方はですね……。

池上　上田先生が言いにくそうなので代弁いたしますと、大変な美人でありました（笑）。ずっと彼女の顔を見ていましたね。

上田　えへん。そういう話はさておきまして。

池上　はい。ディレクターという仕事について、ですね。

教授じゃなくて「ディレクター」が教育科目を設計する

上田　彼女によりますと、ディレクターの仕事は、ひとつひとつの科目を担当する先生たちと議論をしながら大学のミッションをちゃんと授業に盛り込んでいくことに主眼がある。つまり、ハーバード大学のリベラルアーツ教育の理念を、あらゆる科目に練り込むための事前事後の準備をするわけです。

池上　ディレクターのこの仕事を通じて、ハーバードではどんな学生を育てるのか、ということが問われてくるわけです。口で言うのは簡単ですが、これは実に大変な仕事でしょうね。

上田　ええ、そうです。このようにあらゆる科目のディレクションを行うディレクターが裏で汗を流すからこそ、さまざまな分野の授業があるハーバード大学のリベラルアーツ課程全体がバランス良く配置されて、かつ授業の品質管理ができるんですね。

池上　リベラルアーツに対する取り組みで注目すべきは、学生だけでなく先生のケアをきっちり行っている、という点です。

上田　BOKですね。ボックセンターと呼ばれる、先生の駆け込み寺を学内で用意している。

池上　ウェルズリー・カレッジの話では、「アメリカの大学では教える側が評価され、点をつけられる。評点は、教員はもちろん学生からも見られるように公開されている」と話しましたが、それにまつわるものです。

上田　最近どうも授業がうまくいかないなとか、高い評価は得ているんだけど、ここのところ学生とうまくいっていない気がするなとか、自分の授業に不安や悩みを感じた先生が相談に行ける場所なんです。

池上　もちろん守秘義務は守られる。大学当局にも漏れることはありません。

上田　相談に行ったことは、同僚や学部長にも一切秘密だそうです。では、どんなスタッフがいるか。たとえばカウンセラーですね。先生方の不安をきっちり受け止めてくれるプロのカウンセラーが常駐しています。それから、授業の進行に不安がある先生には、インストラクターからの厳しいアドバイスが用意されています。

池上　仮に、自分の授業を面白くしたい、というオーダーが先生から入ったとします。そのあと、何をするんですか？

上田　実はこのBOKは専用の部屋を持っていて、ひとつの壁が全面ガラス張りなんです。そのガラスの向こうにはカメラがあって、様子を全部収録している。

池上　そこで、全部をビデオ収録しながら、先生は講義を行うんですよね。

上田　終わったら、インストラクターと2人でビデオを見ながら、最初に今日の授業の目的をはっきり言った方がいいですねとか、ここできちんと答えた方がいいですねとか、ここではちょっと板書が見にくいですねとか、逐一指導してくれる。

池上　これは鍛えられますよね。

上田　日本の大学の場合はどうかというと、大学側の授業評価はありますが、ではどうやったら個々の先生の授業の質を高められるのかは誰も教えてくれません。

池上　よくも悪くも自主努力に任せされてしまう。

上田　でも、自分で高められるものであれば、とっくにやっているはずなんですね。ノウハウのない人間に自分で高めろと言うのは酷な話です。学生たちの心をつかむしゃべり方、プレゼンの仕方、僕も常に悩んでいる。幸い、東工大リベラルアーツセンターには池上さんがいらっしゃいますが。ぜひ、今度教えてください、「伝わる」しゃべり方を。

池上　いやいや、さすがに私の仕事ではありません（笑）。それにしても、ハーバードでディレクターとBOKの話を聞いてつくづく思ったのは、アメリカの大学ではプロフェッショナルによる役割分担が実にきっちりできているなあ、ということです。大学の先生の役割は、通常の授業と研究。学生のライティングとプレゼンのコーチングは専門家が担う。全体のカリキュラムの設定や授業の細かなチューニングは、ディレクターの仕事。先生の悩みをカウンセリングしたり、授業の技術の向上はBOKのインストラクターが担ったりする。さらに入学者の選定はまた別の担当者がいる。

上田　ところが日本の大学では、これらすべての仕事を大学の先生が兼務する。これでは授業にも専念できないし、研究の時間も限られてしまいます。

池上　私も東工大で教えるようになって、こんなに会議がたくさんあるとは思いませんでした。

「もう日本の会社に戻れません」と話す企業留学生たち

ハーバードでは学部生とは話す機会がなかったのですが、MITのビジネススクールであるスローン校には、日本人が何人かいました。企業留学の人、会社を辞めて自腹で来ている人、どちらもいました。

上田　企業留学の学生さんたちは皆、「いやあ、正直言って日本の会社には戻りたくないです」って話していましたね。

池上　戻りたくない、というよりは、戻れない、という感じでしたね。

上田　そうそう。なんというか、MITにしろハーバードにしろ、世界を見晴らせる場所に来てしまったら、なんだか日本の中で働いているのが辺境の地でちまちましているような感じがして、もう戻る気が……という若者たちが、たくさんいましたね。

池上　企業留学でアメリカのビジネススクールでキャリアを積むというのは、80年代終わりから90年代初頭にかけてのバブル期あたりから目立つようになりましたが、年々企業留学後に会社を辞めてしまう人が増えてしまった。このため企業留学後、5年以内に会社を辞める場合には、学費を全部返還しなきゃいけない仕組みを大半の企業で持っていますね。

上田　それだけ、アメリカのビジネススクールで「目を開かれてしまう」日本の企業人が多い、ということでもあるんでしょう。

池上　ちょっと前までMBAを取得する、というと「もっと金儲けを」「もっと高い給与を」「もっといい待遇を」という拝金主義的なイメージがありました。ところが、今回そのイメージがいい意味で裏切られた。

上田　そこが僕が一番驚いたところです。ハーバードやMITなどトップのビジネススクールに来ている学生たちは、少なくとも僕たちが直接話を聞いた限りでは、「いかに社会を変えられるのか」「いかに社会に貢献できるのか」に徹底的にこだわっていました。

池上　「何をやりたいですか」と学生さんたちに聞くと「社会起業家になりたい」「NGOを組織したい」という人が実に多い。拝金主義の空気は感じられませんでした。よりよい新しい社会をつくることが自分たちの使命、という意志がはっきり伝わってきた。

上田　「自分たちの使命はよりよい社会をつくっていくことだ」という使命感は、学生のみならず、今回お話をうかがったMIT、ウェルズリー、ハーバードの3大学の大学関係者すべてから一貫して伝わってきたメッセージです。では、僕たち日本の大学関係者は、大学生は果たしてどうでしょうか？　東工大の場合、理系の実学を学んでいる側面がありますから、よりよい製品やサービスを開発することで社会を幸せにしていきたい、と思っている部分はあるはずです。けれども、今回話を聞いたアメリカの3校ほど、よりよい社会をつくろう、社会に貢献しよう、という公的な意識は大学生も学生も持っていないのでは、と思いますね。

池上　東工大のような理工系の学校が「よりよい製品や技術でよりよい社会を」、と思うのはとても自然でいいことです。ただ、これまでの学校教育の中で、そこからさらに一歩進んで、自分たちの仕事によって国を世界をよりよい場所に変えていこう、という発想は教わってこなかった。もちろん、アメリカの大学にもビジネススクールにも、お金儲けのことばかり考えている人だっているでしょう。でも少なくとも趨勢としては、そういう人は目立たなかった。

学校が死ぬほど考えなければ、学生も考えない

上田　そもそも大学に社会貢献や社会起業につながる立派なカリキュラムがあって、きっちりお金も使っていますからね。ＭＩＴのＤ－Ｌａｂや、ウェルズリーのインタ

ーンシップ制度のように、途上国や問題を抱えている地域に、学生たちが裸一貫で乗り込んで問題解決をしてくるという制度があって、それが大学の単位として認められている。つまり、学校側がまずものすごく手間と知恵とコストをかけているからこそ、学生たちの意識が進化していく。ここを見逃してはならないですね。

池上　ハーバードのビジネススクールでも、MITのD－Labと同じような取り組みを始めたと担当の先生が話していました。開発途上国に送り込まれて、そこでコンピュータもお金もない状態で、その地域に住む人のリクエストに応えるというプログラムです。

上田　そうでしたね。それも、なんのためにやっているかというと、社会をよりよい方向へ変えようと考えているからです。学生たちに話を聞くと、「どの会社に入りたい」ではなくて、「どんな仕事で社会を変えたいか」という答えがすぱんと返ってくる。日本では大学に入ること自体が、大学組織への帰属とつながっていました。そしてそれはどの会社に入るか、という会社組織への帰属とつながっていきます。その発想を全否定するつもりはありませんが、しかしおそらく時代の趨勢としては、どこに属しているよりも、何をやっているのか、というその人の行動やミッションこそが、仕事の価値、人生の価値を決めていくようになる、と感じています。

池上　改めて、リベラルアーツをきっちり学ぶことが重要となる。

上田　そうです。どこかの組織に帰属することが目的ならば、教養なんてテストに必要なことだけ覚えておけばいい。リベラルアーツなんて必要ない。さくさくと単位を取って、さくさくと調子よくどこかの会社に入社すればいいわけですから。

でも、たとえどこかの組織に帰属はしたとしても、そこで何かを変えていこうとか、何かをやっていこうということを続けていかなくてはならないとなると、まず「何が社会にとってよりよいことなのか」「貢献とは何か」といった根本的なことをしっかり考えられる人間になっておかないといけないし、そのためのエネルギーの獲得の仕方を学んでおかなくてはならない。その足腰は、間違いなく、教養＝リベラルアーツを学ぶことで身につくんです。

池上　その意味で、数年で時代遅れになる最先端の実学よりも、リベラルアーツの方が、人生にとっては、はるかに実用の学問なんですね。

東工大生が、ボキャ貧・コミュ障から脱するためには？

池上　これまで、上田先生と私とで見学してきたMIT、ウェルズリー、そしてハーバードのリベラルアーツ教育の実態を紹介してきました。それを踏まえた上で、日本の大学の教養教育、もっと具体的に言うと、私たちが在籍する東京工業大学のリベラルアーツ教育のあり方について上田先生と考えます。

上田　アメリカで僕たちが見学してきた3校に比べると、東工大は先生も設備も学生もまだまだ、ということばかりを書き連ねてきたような気がします。でも、むしろ今回の〝修学旅行〟を通じて、東工大生の潜在能力の高さを非常に意識するようになりました。実は最近、東工大生の潜在能力が開花する瞬間を私は見てしまったのです。

池上　といいますと？

上田　2012年度から、東工大のリベラルアーツセンターでは、タレントの「パックンマックン」のパックンを非常勤講師に招いて授業をやってもらったのです。

池上　パトリック・ハーランさんですね。とても忙しいので年間15回のフルサイズの講義は無理だけど、ということで計8回の講義をお願いしたんですよね。年間1単位になる授業です。

上田　まず感動したのが、芸能人のパックンがものすごくやる気で授業に乗り込んできたことです。「これまでパワーポイントなんて使ったこと、なかったよ〜」なんて言いながら、最初の授業のパワポ資料もBGM入りの気合いの入った代物で充実していた。パックンのお父さんは軍人なんですね。それで、最初の自己紹介のときにはまずミサイルの絵を出して、ある基地になんとかという軍人がいましたと。そしてそこにこの、ジャジャジャジャジャーン、なんとかジュニアが生まれました、と言って、赤ちゃんの写真。それが私です！と。

パックン曰くいいスピーチはエートス！　パッション！　ロゴス！

池上　パックンはハーバード大学の出身です。おそらく大学時代に相当プレゼンテーションの訓練を受けているんだと思います。

上田　彼の授業はまさにハーバード仕込みでした。授業に対する熱意も、学生たちに対する課題もすごく多いんですよね。毎回のように小論文を書かせる。学生たちに次々とプレゼンをさせる。しかも誰かがプレゼンした内容を受けて、別の学生を指名して「今のプレゼンの中身を応用したら、何ができる？　発表して！」とその場で、さらに複雑なプレゼンをさせる。学生たちは、心身ともフル活用して授業に取り組まないと振り落とされてしまう。

池上　パックンとはテレビの仕事で前から付き合いがあり、ぜひ東工大の授業に呼びたいな、と思って、私が呼んだのですが、あそこまでの才があるとは……。アメリカで見てきた大学の活気ある授業が東工大の教室に再現されたようでした。ちょっと感動してしまいましたね。

上田　パックンのすごいところは、「どうすれば人の心に訴える話し方ができるようになるのか」をきわめて具体的に説明して、学生たちに教えることができるという点です。プレゼンテーションについて、実践と論理両方から鍛えられてきたからなんでしょうね。日本人で話が上手な人というのは、案外「どうすればうまく話せるか」についてはきっちり説明ができなかったりするものですが……。

池上　パックン、なんと説明したんですか？

上田　「本当にいいスピーチには、３つの要素が欠かせません。１つがエートス。もう

1つがパッション。そしてもう1つがロゴスです。どれが欠けてもダメなんです」

池上　なるほど！　その通りです。

上田　まず、エートス。本質、ですね。ここがずれていたら、そもそもスピーチにならない。まず話すべき対象のエートスをきっちり自分自身で理解する。でも、それだけじゃダメ。なぜあなたがこの話をするのか、自分自身のパッション、情熱であり感情、ですね。それが盛り込まれていない話は、人を引きつけない。だから、必ず自分の体験を通じた感動をちゃんと盛り込む。そして、ロゴス＝論理。いくらパッション＝感情を盛り込んでも、話そのものに論理性を欠いていれば、その話はその場限りの効用しかありません。だから必ず何らかの客観的な事実やデータを添えて、パッションで表現した部分に呼応するかたちで「データ的に見ても論理的に見てもこうなのです」とダメを押す。すると話の説得力が格段に増すわけです。

池上　ベースがギリシア哲学なんですね。パックンのリベラルアーツ力が全開です。

上田　スピーチの最後に「本当に強調したいことを3回、違う言葉を使って繰り返せ」と。学生以上に僕自身が勉強になりました。本質を突いていてしかも実践的。パックンすごいです。

池上　本当ですね。東工大生全員必修科目にしたいですね。MITのプレゼンテーション科目のように。

上田 残念なことに学生がおじけづくんですよ。最初の授業には有名人の授業ですから300人もの学生が押し掛けて大教室が満員になりました。でも、パックンを見て満足した大半の学生が次の授業からは顔を出さなくなってしまった。

池上 なんともったいない。

上田 しかも、パックンの授業は学生参加型で課題も多いし、作文を書かなければならないし、プレゼンもしなくちゃいけない。全力で取り組まないとついていけないんです。

池上 前向きな学生にはうれしい限りだけれど、そうでない学生には面倒くさい。

上田 毎回、毎回、たかだか1単位のためにここまで労力を費やすのは「コストパフォーマンスが悪すぎる」といっていなくなる。でも、逆ですよね。本当は同じ授業料の範囲でここまでパックンが教えてくれるって「ものすごくコストパフォーマンスがいい」わけでしょう。

池上 学生のときって、それがわからないんですよね。

上田 東工大の場合、自分たちの専門科目以外では、どうしても「楽勝科目」をとりたがりますから。パックンの授業は「楽勝」の正反対。なので最終授業に残った学生の数は80人。スタート時の4分の1まで減ってしまいました。

池上　途中で抜けちゃった学生諸君、あとで後悔しますぞ。

8回の授業で、ボキャ貧コミュ障からスピーチ巧者に

上田　でも、最後に残った学生たちはすごく成長していました。最後の授業では、その80人の名札がパックンの手元の袋の中に入っていて「じゃあ、この中から札を引くので、当たった人が前に出てスピーチをして」と言うんです。

池上　くじ引き方式か。誰が当たるかわからないんですね。

上田　そこからパックンが盛り上げるわけです。「さあ、皆さん、ドラムロールを！」と声をかけると、ドドドドッと学生全員が机を叩いて「ジャン、はい、なんとか君」と。そうやって、5人がスピーチをしたんですが、5人が5人とも、本質を外さず、感動的で、しかも論理的で、言っていることがちゃんと伝わる、非常に優れたスピーチをするわけです。

池上　あの、「僕らコミュ障ですから」と自嘲する東工大生が！　ちなみに、私、コミュ障（＝コミュニケーション障害――うまく人としゃべったりできない）って言葉、

東工大に来るまで知りませんでした。

上田　そうです。ボキャ貧（＝ボキャブラリーが貧困）、かつコミュ障と自嘲する東工大生も、「やればできる」んです。やっぱり頭がいいわけですよ。たった8回の授業でちゃんとプレゼンができるようになる。これまで、彼らがボキャ貧でコミュ障だったのは、教わる場がなかったから、教える先生がいなかったから、どうやって話していいのかわからなかっただけなんですね。

池上　学生が悪いんじゃなくて、日本の教育が悪かったわけですね。こうしたカリキュラムを用意していなかったのだから。アメリカ人じゃないと、かっこいいプレゼンはできない、なんてウソだった。8回の授業でプレゼン力がついてしまうわけですから。

上田　授業の最後も良かったですよ。女の子がひとり立って「どうもありがとうございました。全員からです」って花束を贈呈して。パックンも大感激です。情熱を持って授業をしたパックンを、学生たちがものすごく尊敬して愛していることが伝わってきました。教える側においては、エートスやロゴスは当たり前なんですが、日本の大学の授業の場合、先生のパッションがなかなか伝わっていない感じがします。

池上　教える側のパッション＝情熱の重要性は、ＭＩＴでも、ウェルズリーでも、ハーバードでも、どの大学の先生もみんな強調していましたね。東工大でもパックンの力でハーバード流情熱の授業が80人には伝わった。パックンにはもっともっと活躍いただくとして、こうしたプレゼンやライティングなど学生たちの表現力を高めていくカリキュラムは、東工大のような理系単科大学こそ必要ですね。

上田　僕もこの10年間ほど、大教室の講義にもワークショップ形式を取り入れ、少人数ディスカッションをやったり、バリ島のケチャの譜面を配って、みんなで実際に実演したりと、かなりの打ち込みをしてきましたが、超強力な援軍が現れたとうれしくなります。しかしそう思って、僕が今回の米国大学の話を東工大の学生の前で話して、君たちもこれからはコミュニケーションやプレゼンテーションを重視しなきゃダメだよと言ったら、その途端に「はい」とひとりの学生が手を挙げた。（お、さっそくやる気になった学生が出てきたか）とうれしくなって、話を聞いたら、「まず東工大の先生たちからやってください」って（笑）。まあ、彼の言う通りですね。まず先生たちが、プレゼン上手、巻き込み上手にならなければいけない。

ファッションもコミュニケーション力のひとつです

池上 私たちが教えている東工大のリベラルアーツセンターでは、パックンにとどまらず、学生たちのコミュニケーション力、プレゼン力を高めるために、多様な外部講師を招いて、どんどん授業をしてもらうようにしています。中でも服飾研究家の高村是州（ぜしゅう）さんはとてもユニークな講師のひとりでした。10代男性向けのファッション指南本『ファッション・ライフのはじめ方』という本を執筆されていらっしゃる。

上田 東工大生に言わせると、彼らの「ファッション・ライフ」は始まる前から「もう終わってる」そうです（笑）。

池上 だからこそ、高村さんをお招きしたんですね。パックンの授業が「プレゼン」や「スピーチ」というコミュニケーション力の向上のためにあったとすると、高村さんの専門である「ファッション」も重要なコミュニケーションのひとつですから。外部講師の活発な授業が、学生のみならず、東工大の先生方にも刺激剤になってほしいな、と考えています。パックンの授業でコミュニケーション力を向上させた学生たちは、一方向の講義にだんだん飽き足らなくなるはずです。学生たちが変われば、ぼそぼそと講義ノートを読むだけの授業だって変わる可能性がある。それから、東工大でも中長期的には学生たちを開発途上国へ送り込んで、そこでの問題解決を体験させるMITのD-Labやウェルズリーのインターンシップ制度のような仕組みを実現したいですね。

上田 そのためにはコストがかかるので、企業や同窓会などからの寄付の獲得が必須でしょうね。ともあれ、最初の一歩は小さくていいと思うんです。ひとつひとつの授業が活性化し、ひとつひとつのプログラムが始動し、何人かの学生たちが覚醒する。そのうちに、そんな活気が徐々に東工大のキャンパスに伝染して、面白くって創造的でエネルギッシュな学生や先生が闊歩するようになる。そんな「変化」をぜひもたらしたいですね。

池上 いきなり大風呂敷を広げてもうまくいかないから、できるところから、です。

上田 最初から全員が変わる必要はないと思いますよ。変わり者がいて、それがどんどん増えていって、面白いやつらが集まってエネルギーを高め合えるように、東工大の中に面白い先生と面白い学生の小共和国のようなものをつくるところから始めていきたいですね。あ、そうそう。今回の米国大学の見学を通じて、東工大にもっとも欠けている根源的な問題を最後に指摘しなければなりません。

池上 どんな問題ですか？

女子、外国人、田舎者が、日本の大学を変える

上田　ダイバーシティ。学生たちの多様性です。

池上　うーん、たしかに。まず女子が少ないですよね。東工大では女子学生の比率が約1割。ハーバードでは男女比は1対1に近くなっていると聞きましたし、東工大同様の理系単科大学であるMITも4割前後が女子学生でした。

上田　性比だけではありません。国内外の出身地も、アメリカの大学は多様性に富んでいました。ウェルズリーは女子大ではありますが、全米ほぼすべての州から学生が来ている、と案内してくれた学生が言っていましたよね。唯一来てないのがノースダコタ州だけだと。

池上　学生がそんなことを知っていること自体がすごいですよね。じゃあ、東工大でそんなことを学生に聞いたら、まず答えられないでしょう。いや、私たち教員も答えられない。と、思って調べました。2012年の前期日程で合格した学生の出身学校所在地を見ると、ゼロは滋賀県ですね。

上田　滋賀だけなんだ。

池上　少ない県は奈良・和歌山・佐賀、そして鳥取。各県ひとりずつです。

上田　6割ぐらいの学生が関東出身じゃないですか？

池上　首都圏が多いですね。2012年の前期日程で合格した学生は合計964人。そのうち、東京が331人、神奈川が188人、千葉が76人、埼玉が58人だから、653人。全体のなんと3分の2が首都圏出身です。

上田　首都圏にある進学校には男子校も多い、で、大学では男子比率が9割。つまり東工大生はダイバーシティという観点からすると、もっともかけ離れた教育環境だ、ということになります。

池上　「東京近郊」の「勉強のできる」「男子進学校」の「理系クラス」の子たち、というカテゴリーに、もしかすると2人に1人くらいが入ってしまうかもしれない。ただ、ちょっとだけ救いがあって、東工大は外国人留学生の比率がけっこう高いんです。実際にキャンパスを歩いている外国人の方は少なくない。英語の会話もあちこちで聞こえてくる。

上田　ああ、そうですね。それは感じますね。

池上　私に話しかけてくる学生が、「僕、モンゴルからの留学生です」ということもありますし、私の授業で終了後に毎回質問に来る韓国人の留学生がいます。とはいうものの、世界中から留学生が集まり、その比率が学部生の3割から4割というアメリカの一流大学のダイバーシティに比べると、まだまだかな、とは思います。上田先生、東工大は、どうすれば多様化できますか？

入試システムを変えるには、何でも教師に任せちゃダメ

上田　入試システムを変えなきゃいけないでしょうね。アメリカの大学が、なぜあんなダイバーシティを確保できているかというと、入試システムのおかげなんです。最初に、SATというセンター試験のような共通試験を受けたら、その後は、エッセーを書いて入りたい学校へ送る仕組みになっています。そのエッセーで、自分のやる気などを見せて、大学に選んでもらう。

池上　日本でも同じような入学方式にできないか、という話がありますが、そのためには事務方で大きく改革しなければならないことがあります。日本の場合、入学試験の作成から、試験監督から、面接から、採点まで、みーんな大学の先生方が兼任しています。授業や研究をやりながら、ですから、手間のかかることはとてもできない。となると、シンプルなペーパー試験主体になるのは、物理的に考えてもしょうがないわけです。

上田 今の体制では、入学志望者のエッセーを採点したり、個別に念入りに面談をしたりするだなんて、先生たちがとてもできないですね。

池上 その点、アメリカの大学は、アドミッションオフィス入試、俗にいうAO入試がとても機能しているんですね。大学が求める人材を入学志望者の中からテストの点のみならず、エッセーや推薦状や面接を見ながら、丁寧に探していく。

アメリカでは、共通試験であるSATの後は、その大学ごとのアドミッションオフィス入試を行う。その後、大学事務局が、1年間をかけて、エッセーを読んだり、推薦書を読んだりして、合格者を決めていきます。大学で授業と研究をしている先生方は、こうした入試の作業に一切タッチしないんですね。

上田 完全に分業化しています。アメリカでも日本のように大学の先生が入試作業を担うことになったら、複雑な試験はとてもできません。SATで点数の多い人を順番に自動的に合格させていくかたちになるでしょう。そうすると、アメリカの大学は今のようなダイバーシティを実現することはできなかったでしょう。理想を言えば、入試業務を大学の先生の兼任仕事から切り離して、独立した事務局に任せる体制をつくることですね。日本の大学でAO入試が機能するには、こうした組織改革が不可欠です。そうすると「全国各地から」「男女比率が偏らないように」「海外からの留学生もたくさん」「親の収入の高低に関係なく」東工大が求める学生をとることが可能になっていく。

池上 でも、こういう話をすると、なぜそこまでしてダイバーシティを確保しなければならないんだ、首都圏の勉強のできる男の子たちがいっぱいいることの何が悪いんだ、という反論が来そうです。なぜ、ダイバーシティを確保しなければならないか？理由は明確です。世界がダイバーシティを認める方向に、どんどん変化しているからです。雇用の男女比率はどんどん1対1の方向に変わっていく。職場も海外のヒトが増えていく。仕事場も市場も世界が相手になっていく。そんな時代にモノカルチャーな場所で学んだ人間が対応できるかというとはなはだ心もとない。

「あ・うん」を捨てて多様性に対応しよう

上田 そこへ帰結するんです。僕たちが慣れ親しんできた日本の文化は、ある意味でコノテーションの文化です。言葉にならないさまざま習慣や空気を共有して、「あ・うん」でものごとを決めていく文化です。何も説明しなくても、ある種の等質性、同質性が担保されているので、スムーズに社会が動く。ものすごく洗練された暗黙の理解が当たり前になっている。これが日本文化のすごいところでもあり、しかし実に特殊なところでした。

池上　でも、世界はすでに開かれてしまいましたね。好むと好まざるとにかかわらず、グローバリゼーションは所与の条件となってしまいました。すると、「あ・うん」がベースとなるコノテーションの文化は、機能しなくなっていきます。

上田　そうなんです。だから個々の日本人が深い教養を有しながら、他者とコミュニケーションしていくことが、不可欠となります。黙っていては、ダイバーシティの中ではコミュニケーションできないわけです。東工大を例にとると、東工大という小さなコミュニティの外に出れば、人間の半分は女性です。市場の大半は首都圏以外の人間です。男子進学校を出ていない人がこの世の9割9分です。ましてや世界を見渡せば、日本人1億2000万人を除くほとんどすべての地球上の人が、日本語をしゃべることはできません。また、東工大でどれだけ電子工学や機械工学を学んでも、社会に出れば、電子工学を知らない人、機械工学を知らない人がたくさんいます。

それが社会です。それがダイバーシティを前提とした世界です。そこでみんな生き抜いていかなければならない。

池上　コノテーションから、コミュニケーション、ですね。

上田　いきなり人員構成を変えるわけにはいきません。だからまず、今いる学生たちから、そしてなにより先生たちから、変わっていきましょう。僕はそう考えています。そんな時代の変化に柔軟に対応できること。そして、今回お話ししたリベラルアーツ＝教養とは、あらゆる変化に柔軟に対応するときに最大の武器となるのです。

あとがきにかえて

「教養」が、直接日々の仕事と直結する職業があります。

政治家です。

一国の大統領や首相ともなると、政治家の発言は、その国を代表します。たったひとりの人間の評価が、国の評価、国の行く末を決めることがあるのです。

だからこそ、政治家には、とりわけ一国をまとめる政治のトップには、深い教養が求められます。歴史、地理、民族、宗教、経済……、あらゆる知見を下敷きに、相手国と交渉し、発言する。ときにしたたかに、ときに真摯に。自国にとっての国益を最大限に引き出しながらも、相手国を毀損しない。

政治家の最大の武器のひとつは、「本来ならば」教養であるはず、なのです。

そこで、現代の日本の政治家を振り返って……という話は、ここで止めておきましょう。

よく言われるのは、戦前の政治家は教養があった、という話です。

戦前の日本には、本書でも触れましたように、明らかな教養主義が高学歴層の間に存在しました。自学自習で哲学や文学を学び論じる旧制高校の成り立ちなどは、古き良き教養主義の象徴ともいえましょう。戦前の教育を受け、旧制高校から東京帝国大学を卒業したかつての政治家たちは、「教養」という面では間違いなく現在の政治家たちよりも勝っていました。

でも、私は、ひとつ疑問を抱いています。戦前の日本の政治家や、あるいは彼らと席を並べて同じ教育を受けた官僚や財界のリーダーたちの多くは、ある一点において、本当の「教養」にたどり着けていなかったのではないか、と思うのです。

その一点とは、「多様性のなさ」です。

戦前のエリートたちの大半は、東京帝国大学の「法学部」を卒業しました。それ以外の学校、どころか、それ以外の学部ですら、稀だったのです。この傾向は、戦後もずっと続き、霞が関のエリート官僚たちの多くを占めるのは東京大学法学部出身者でした。

この世で法学部が教えられることは限られています。けれども東大法学部は日本のエリート養成所の代名詞になってしまったがゆえに、その教育カリキュラムの中味とは関係なく勉強のできる人間が上から順番に入る場所になりました。

しかもそこに集まったのは、戦前は100％、戦後も9割方が「男だけ」です。彼ら一人ひとりがどれだけ教養豊かであろうと、しょせんはひとつの大学のひとつの学部を出た「男たち」にすぎません。同じ文化、同じ因習、同じ考え方に囚われてしまわない保証はひとつもないのです。

第二次世界大戦で日本を敗戦に追いやった大日本帝国政府の首脳部にしても、バブル崩壊から金融崩壊までをも起こしてしまった戦後の日本政府や金融機関の首脳部にしても、「東大法学部」的なモノカルチャー集団でした。

進化生物学を紐解くまでもなく、私たちが次の時代に生き残るために必要なのは、常に多様性です。「さまざまな人たち」が「さまざまな経験」「さまざまな知恵」を寄せ合い、そこからいくつも新しいアイデアが生まれる。そんなアイデアのひとつが、たまたま次の環境に適応して生き残る――。

戦前の政治家や官僚や財界のリーダーは、もしかすると今よりも「教養豊か」だったかもしれません。でも、彼らは負けました。なぜ負けたのか。その理由のひとつに、多様性のなさがあった、という点を見逃してはならないでしょう。

教養は常に多様性とセットであるべきだ、と思います。教養がその価値を本当に発揮するのは、多様性が担保されている場だ、と思います。つまり、文化の多様性であり、人種の多様性であり、性の多様性であり、世代の多様性であり、経験や知識の多様性です。

現代は、ひとりで森羅万象を知り尽くすゲーテやレオナルド・ダ・ヴィンチ的なスーパー教養人を求める時代ではないのかもしれません。

ひとりですべてをカバーしなくてもいい。チームをつくればいいのです。

電子工学技術者。美術の才に長けた人。スポーツアスリート。天性の営業マン。宇宙物理学者。ハーバードビジネススクールの卒業生。弁護士。学校の先生。ジャーナリスト。さまざまな職能を持った人、さまざまな専門を持った人、さまざまな趣味を有する人、さまざまな教養を持つ人が、チームをつくって新しい何かを生み出そうとする――。

一人ひとりがスーパー教養人である必要はない。多様な人々が集まり、多様性のあるスーパー教養チームをつくればいい。

私は今、勤務している東京工業大学リベラルアーツセンターで、学生たちにそんな多様性のある「教養チーム」を組織して新しい試みに踏み出してもらいたいと思っています。

理系の単科大学に見える東工大でも、工学系の分野は建築から機械から電子に至るまで多岐にわたりますし、生命理工学分野や理学系の物理や数学分野は、工学とはまったく異なる個性と専門を持った学生たちが揃っています。

理系のみの東工大で多様性のある教養チームが結成できるようになれば、総合大学ではもっと多様性のある教養チームができるでしょう。そしてもちろん社会においては、もっともっと多様な教養チームをつくることができるはずです。教養ある個人を育てるだけでなく、教養あるチームを育てる――。教師としての私の、次の目標です。

本書をきっかけに、読者のあなたが教養ある個人となり、教養あるチームの一員となり、明日の社会、明日の世界を担うことを願います。

2014年3月　池上　彰

文庫版によせて

「奴隷」から抜け出し、自由市民になるためのリベラルアーツ

上田　紀行

本書が刊行されてから、9年が経とうしています。

たった3人の教授で始めた東京工業大学リベラルアーツセンターは、リベラルアーツ研究教育院に改組され、今では65人の教授陣を擁するに至りました（2022年10月現在）。他の大学においても、「リベラルアーツ」を冠した組織などが次々に生まれ、大学におけるリベラルアーツ教育の重要性が認識されてきたのを感じます。

本書が刊行された2014年、東工大の改革はまだ道半ばでした。池上教授も他の先生方も当時の東工大生にかなり苛立っていることが読み取れます。東工大の学士課程から博士課程に至るまでのカリキュラムが大刷新されたのは、本書刊行から2年後の2016年のことでした。斬新なリベラルアーツ教育が開始され、東工大の学生たちも今はかなり変わりました。優秀な知性に、広い社会性、深い人間性が加わってい

くのを日々感じています。改革の詳細にご興味がある方は、『とがったリーダーを育てる─東工大「リベラルアーツ教育」10年の軌跡』（中公新書ラクレ）を、ぜひお読みください。

改革には困難や痛みも伴いますが、やればできるのです。そして学生たちのその潜在性を引き出せていなかったそれまでの教育への反省と、ここから始まった新しい教育への手ごたえを日々実感しています。

こんな経緯もあって、「東工大が、日本の大学におけるリベラルアーツ回帰の流れをつくった」と言われることもあります。それに対して、僕には複雑な思いがあります。

「リベラルアーツ」は、一般に「教養」と訳されます。この言葉の意味をあらためて考えれば、「リベラル（自由）＋アーツ（技）」。つまり「自由になる技」です。リベラルアーツが人気の今、僕たちは必死で自由を追い求めているということになります。

「自由」とは、どういうことでしょうか。

ギリシャ・ローマ時代には、「自由市民」と「奴隷」という階級がありました。自由市民は、ソクラテスやプラトン、アリストテレスのような哲学者は自由市民でした。

「ポリス」という共同体における直接民主政を担う「政治家」でもありました。ですから日々、自分の知性と感性を総動員して、共同体をどう導くかについて考え、また「絶対的な善とは何か」といったことに思いを巡らせていました。

一方の奴隷ですが、何もむち打たれて働かされていたわけではありません。奴隷とは、「自由市民の指示で働く労働者」です。指示通りに動くわけですから、知性はさほど使いませんし、感性となったらもう、ほとんど使いません。

今、リベラルアーツという言葉が私たちの胸に響くのは、現代社会で働く人たちの多くが、ギリシャの自由市民のもとで働いていた奴隷と自分に、相通じるものを感じているからかもしれません。

それは、今に始まったことではない。そんな意見もあるでしょう。しかし以前の日本人は、もう少し自由市民的な部分を持ち合わせていたように思うのです。

そこには松下幸之助や本田宗一郎、井深大、盛田昭夫といった、一代で世界的な大企業をつくった創業経営者たちがいました。自らの意志とアイデアで立ち上げた会社という共同体をどう導くべきか、日々、思いを巡らせていた人たちです。いかにも「自由市民度」の高そうなリーダーですよね。そこで何が起こっていたか。

たとえば、松下幸之助に、「上田君、この仕事をやってくれたまえ」と言われたら、僕は、「はい、松下先生、やらせていただきます！」と、喜んで仕事をしたと思います。あたかもギリシャ・ローマ時代の奴隷のごとく、素直に、指示に従って。それを5年も10年も続けていたら、松下幸之助の「自由市民度」に燻蒸（くんじょう）されて、何となく松下先生が乗り移ってくるように、僕自身の自由市民度も上がっていくのではないかと想像するのです。

指示に従うばかりの〝奴隷〟だった僕が、やがて自分の知性、感性を駆使して、共同体の未来や、絶対的な善について考えるようになる。そういうことがあらゆるところで起きていたのではないかと思うのです。自由市民度の高いリーダーに感化され、労働者の自由市民度が上がり、次世代のリーダーとして育っていたのではないかと。

今日、私が非常に危惧しているのは、リーダー自らが奴隷化している現状です。株主や市場から受ける短期的な評価ばかりが気になる。文庫版の冒頭で、池上教授が指摘した、企業倫理の劣化は、ここに起因するのではないでしょうか。

松下幸之助のような自由市民的なリーダーに仕えることには、〝奴隷〟として指示に従うだけであっても、誇りもあれば、やりがいもあり、自分の成長も実感できたのだと思います。しかし「奴隷化したリーダー」のために働く奴隷は、夢もなければ、希望もない。何のために自分が働いているのかもわからなくなってくる。

この「奴隷のために働かされる奴隷現象」に多くの人が陥り、悩んでいます。そのような状況の中で、「自分を自由にする技」としてリベラルアーツを求めているのではないか。そう考えると、複雑な思いがするのです。

教養というのは、「物知りになる」ことではありません。「人間の根っこをつくる」ということです。東工大ではそれを「志を立てる＝立志」という言葉で表現しています。

志は、立てようと思って、一朝一夕に立てられるものではありません。たくさんの本を読み、さまざまな学問を学び、いろいろなことを知る中で、その人なりの志が形成されていきます。幅広く学ぶばかりが教養ではありません、自分の心に響く分野をひとつ、徹底的に深掘りするのもいいものです。そうやって、自分の魂が深く喜ぶところを知り、心に抱く。1つでも2つでも、自分の魂が喜ぶポイントを知っていれば、他人の評価だとか、お金が儲かるかどうかとは関係のない、自分の軸が形成されます。そのような人々の志が、企業倫理を支えるのだと思うのです。

教養はすぐにお金になりませんし、上司の評価にも直結しません。そうであっても僕たちは、100%奴隷では生きていけませんし、教養ある自由市民に近づいてこそ、人生が豊かになります。よりよい共同体を形成し、自分自身を幸せにするためのリベラルアーツ。ぜひ、その手につかんでください。

2022年10月

本書は、2014年4月に日経BPから発行した『池上彰の教養のススメ』を
再編集し、文庫化したものです。

nbb
日経ビジネス人文庫

池上彰の教養のススメ

2022年12月1日 第1刷発行

著者
池上 彰
いけがみ・あきら

発行者
國分正哉

発行
株式会社日経BP
日本経済新聞出版

発売
株式会社日経BPマーケティング
〒105-8308 東京都港区虎ノ門4-3-12

ブックデザイン
新井大輔

本文DTP
マーリンクレイン

印刷・製本
中央精版印刷

Printed in Japan ISBN978-4-296-11610-2